Joan Terpstra

MANUEL DE PHONÉTIQUE
ET
DE DICTION FRANÇAISES
A L'USAGE DES ÉTRANGERS

3e TIRAGE

MANUEL DE PHONÉTIQUE ET DE DICTION FRANÇAISES

à l'usage des étrangers

par Marguerite PEYROLLAZ
et M.-L. BARA DE TOVAR

LIBRAIRIE LAROUSSE • PARIS-6e
13 à 21, rue Montparnasse, et boulevard Raspail, 114

AVANT-PROPOS

Si j'ai écrit cet ouvrage, c'est que, tout d'abord, j'ai été amenée à rechercher un ensemble de textes harmonieux, capables d'aider les étrangers dans un cours de phonétique et de diction, présentant une grande variété de modèles de phrases : déclaratives, descriptives, interrogatives ou exclamatives, et comportant toutes les possibilités d'expression.

Un tel recueil n'existant pas, j'eus à le composer, puis à justifier le choix des textes retenus. C'est pourquoi j'ai dû ajouter à mon recueil des indications générales sur ma méthode.

Ayant enseigné pendant de longues années dans des cours spécialement organisés pour les étrangers, j'ai voulu exposer ici le résultat de mon expérience. Ce livre s'adresse à tous les étrangers désireux de corriger leur prononciation défectueuse du français, et qui souhaitent triompher de leurs fautes d'articulation aussi bien que de leurs fautes de rythme et d'intonation.

Je m'adresse le plus souvent à des étudiants ayant une formation universitaire, c'est-à-dire à des étrangers connaissant très bien notre langue et se préparant à l'enseigner ou l'enseignant déjà. Mais j'ai eu l'occasion d'appliquer également ma méthode dans des cours moins académiques, destinés à de jeunes élèves orientés vers une utilisation du français plus pratique et plus rapide, élèves d'écoles commerciales ou autres.

Les chapitres contenus dans cet ouvrage sont disposés de telle manière qu'un étudiant, faisant les exercices dans l'ordre où ils sont indiqués, pourra obtenir d'excellents résultats s'il se sert judicieusement des schémas, des courbes, des exemples de rythme et de mélodie.

Un professeur pourra utiliser ce livre et faire de chaque chapitre une leçon, ou deux, ou trois, suivant le nombre de leçons dont il dispose. Le texte figurant à la fin de chaque chapitre a été choisi et commenté en pensant plus particulièrement à la mise en pratique des explications données. Mais on peut choisir, dans l'ensemble des textes de l'ouvrage, d'autres passages mieux adaptés à la classe que l'on dirige, convenant mieux à l'âge des élèves, à leur culture, à leurs goûts, et travailler ces textes dans le même esprit que les commentaires.

Ce choix de textes, je tiens à le préciser, ne représente pas un tri conventionnel fondé sur l'histoire littéraire en vue d'en faire la critique. On ne trouvera ici qu'une collection, un ensemble de phrases typiques pouvant servir de modèles à ceux qui se proposent d'améliorer leur prononciation française et d'acquérir une mélodie et une expression variées et vraies.

Mon dessein a été de montrer aussi, en m'appuyant sur la qualité des sons, de l'harmonie, du rythme et de la mélodie dans les exemples choisis, que notre langue est restée, à travers les siècles, fidèle à elle-même, et que nous retrouvons, chez les contemporains qui s'expriment en sons harmonieux, le même dessin de la phrase que chez les classiques.

J'ai ajouté quelques passages qui paraîtront peut-être un peu heurtés, mais qui, à l'heure actuelle, représentent une tendance vers une expression du mouvement, du rythme saccadé, un peu haché. Devant lire à haute voix de tels exemples pour leurs élèves, certains professeurs que j'ai été amenée à conseiller ont insisté pour que je les aide, dans mes cours, à décomposer des phrases de ce genre.

J'ai insisté aussi sur le côté « actuel » de la prononciation. On a souvent tendance, à l'étranger, à interpréter seulement des auteurs du passé et à rester trop fidèle à une prononciation et à une interprétation un peu désuètes. J'ai reproduit ici ce qu'on entend autour de soi, actuellement, dans un milieu cultivé, mais demeuré en contact avec la jeunesse, et dont la langue, par conséquent, reflète les tendances du jour.

C'est volontairement que j'ai simplifié au maximum l'exposé des règles de prononciation et tout le côté théorique de mon ouvrage. Les règles, ou plutôt les constatations, que je cite sont fondées sur la prononciation généralement acceptée aujourd'hui dans un milieu cultivé. Elles permettront aux étrangers qui les suivront strictement de parler toujours correctement. Pourtant, ils ne tarderont pas à remarquer qu'ils entendent autour d'eux d'autres prononciations, et quelquefois le même mot prononcé différemment par la même personne.

Les phonéticiens spécialisés dans ce genre d'étude — et je veux parler ici surtout de M. Pierre Fouché — tirent leurs conclusions d'un très grand nombre d'observations. Les résultats de leur étude leur permettent d'établir ce que nous appelons une *règle*. Mais il ne faut pas oublier que le français a subi et subit encore des transformations profondes. Continuellement en évolution, il est influencé aujourd'hui par des facteurs nouveaux : vitesse, sport, cinéma, etc.

C'est particulièrement dans la prononciation du *a* postérieur, du *e* muet, et dans les liaisons qu'une évolution rapide et complexe se manifeste. Les étrangers en sont parfois troublés. S'ils posent une question, ils constatent souvent que la personne qui leur expose une théorie ou un principe prononce de façons diverses et contradictoires, croyant pourtant rester fidèle à la règle énoncée. Les exemples donnés ici serviront de modèles. En s'y conformant, on sera sûr de prononcer toujours correctement, mais, pour avoir des indications plus complètes sur ce sujet, on consultera utilement les ouvrages suivants :

Maurice Grammont, *Traité pratique de prononciation française* (Delagrave);

Jeanne Varney-Pleasants, *Pronunciation of French* (Ann Arbor, Michigan, U. S. A., 1949).

En poésie aussi, plusieurs possibilités existent, en ce qui regarde surtout les liaisons, le *e* muet et la diérèse (découpage de la syllabe dans des mots comme : *fier, pieux* : [fi-jɛ:r], [pi-jø]).

La meilleure méthode est de se fonder sur des exemples très définis, tant que la prononciation est encore incertaine. Le jour où une certitude sera acquise, on étudiera plus de possibilités en formant son oreille avec patience et méthode. Parmi ces diverses possibilités, chacun choisira ce qui répond le mieux à sa sensibilité propre, à son rythme intérieur. Si je dis : *La cime des bambous et des gérofliers* (Leconte de Lisle), en supprimant complètement le *e* muet de *cim*e [sim], ne se forme-t-il pas dans mon esprit une image différente de celle qu'évoque le mot *cime* avec le *e* muet très nettement prononcé [simə] ?

Je voudrais remercier ici M. Pierre Fouché, qui a été le premier à m'initier à la phonétique et qui, pendant les années où j'ai enseigné à l'Institut de phonétique qu'il dirige, n'a cessé de m'aider de ses conseils et de ses encouragements les plus précieux pour mon enseignement. Je lui dois mon orientation, puisque j'ai eu la chance d'être son élève alors que, jeune professeur à l'Université de Grenoble, il exposait brillamment l'évolution du mot ou de la syllabe, emporté déjà par son enthousiasme de savant.

Je voudrais aussi remercier mes élèves qui, au cours d'un enseignement portant sur de longues années, m'ont beaucoup appris. Je n'aurais jamais donné à cet ouvrage la forme qu'il a si je n'avais subi leur influence. Ils ont été pour moi des élèves, mais aussi des amis, et m'ont permis, par leur sympathie et leurs critiques, de renouveler mes méthodes. En écrivant ces lignes, je pense plus particulièrement à :

Jean Buchmann, Ernst Schüle, Marianne Monnier, Fritz Dorschner, Charlotte Bauman, Margrit Schüle, Ruth Meiser, tous fidèles élèves et amis de Zürich, ainsi qu'à Rodolphe BRUNNER, de Zürich également, et chargé là-bas du Laboratoire de phonétique, qui, par son dévouement et sa compétence, a beaucoup facilité certaines de mes recherches. Nombreux sont les noms que je voudrais citer ici. Je n'en retiendrai que quelques-uns : Albert SARASOLA et son vibrant enthousiasme, M. MARTINEZ et son interprétation de *Colloque sentimental*, ainsi que Willard BROWN et le *Bateau ivre*, qui lui était si cher..., et combien d'autres.

Je voudrais dire aussi ma reconnaissance au professeur J. JUD, de Zürich, ainsi qu'au professeur A. STEIGER, qui m'ont fait l'honneur de me confier des groupes de leurs élèves, étudiants romanistes ou déjà professeurs.

Mais c'est surtout à mon amie Mme M.-L. BARA DE TOVAR, malheureusement disparue, que vont mes remerciements. C'est son goût nuancé, son dynamisme et son élan toujours renouvelé, son désir de recherche désintéressée, si rare, qui m'ont entraînée dans son sillage et amenée à définir ma méthode. Nous avions projeté de faire ensemble une série de travaux — mise au point de notre cours de phonétique et de diction. Elle est partie trop tôt, mais, fidèle à nos projets, j'ai fait paraître cet ouvrage sous nos deux noms, en y incorporant tout ce que je pouvais d'elle-même. Mais à l'égard d'un être aussi droit, aussi épris d'idéal, on craint toujours que ce qu'on appelle la fidélité ne soit pas encore ce qu'elle désirait de vous. J'espère ne pas avoir été au-dessous de ce qu'elle attendait.

Présentes dans le cours entier de cet ouvrage, sa pensée et ses idées propres s'y retrouvent presque inchangées, mais plus particulièrement dans les chapitres XI et XII, qui sont presque entièrement de sa main, ainsi que le commentaire 11.

Je voudrais, pour finir, remercier BART, mon mari, sans qui je n'aurais jamais eu la patience de mener à bien ce travail. Son influence se devine à chaque ligne. Tout ce qui fait la base de ma méthode, je le lui dois, et ce sont ses explications subtiles et artistes de certains passages, de VALÉRY, par exemple, dans *le Cimetière marin :*

. . . la mer, la mer, toujours recommencée. . .,

ou de PROUST dans *Du côté de chez Swann :*

. . . C'est du côté de Méséglise. . .,

ou de VALÉRY encore, dans *Charmes :*

Te voici, mon doux corps de lune et de rosée. . .,

devenus depuis les leitmotive de mes cours de diction, qui m'ont permis de faire apprécier la beauté de ces œuvres à tant de mes élèves, dont l'enthousiasme et les progrès m'ont déjà cent fois récompensée de mes efforts.

Qu'il me soit permis d'exprimer ici mes remerciements à M. Louis CASATI, lecteur-correcteur à la LIBRAIRIE LAROUSSE, qui a beaucoup fait pour la mise au point de cet ouvrage, et à Mlle Odette VIDON, qui s'est chargée de la révision entière de mon manuscrit.

Marguerite PEYROLLAZ.

Signes conventionnels employés dans cet ouvrage.

>
Accent d'insistance.

<
Crescendo.

>
Diminuendo.

/
Mélodie montante.

\
Mélodie descendante.

—
Plan uniforme.

⌐ ¬
Plan haut.

∟ ⌟
Plan bas.

ˈ
Arrêt.

|
Grand arrêt.

||
Arrêt prolongé.

V
Reprise du souffle.

–
Accent principal.

–ˏ
Accent secondaire.

‿
Liaison.

⟶
Son prolongé.

Alphabet phonétique employé dans cet ouvrage.

		SIGNES PHONÉTIQUES	EXEMPLES EN FRANÇAIS	TRANSCRIPTION
Voyelles orales.	voyelles fermées...	u	*chou*	ʃu
		o	*dos*	do
		i	*lit*	li
		e	*thé*	te
		y	*rue*	ry
		ø	*deux*	dø
	voyelles ouvertes...	ɔ	*sol*	sɔl
		ɛ	*lait*	lɛ
		œ	*seul*	sœl
		ə	*je*	ʒə
		a	*la*	la
		ɑ	*pas*	pɑ
Voyelles nasales....		ɔ̃	*bon*	bɔ̃
		ɑ̃	*banc*	bɑ̃
		ɛ̃	*pain*	pɛ̃
		œ̃	*brun*	brœ̃
Semi-consonnes....		w	*louis*	lwi
		ɥ	*lui*	lɥi
		j	*bail*	baj

		SIGNES PHONÉTIQUES	EXEMPLES EN FRANÇAIS	TRANSCRIPTION
Consonnes occlusives. . .	bilabiales. .	p	*peu*	pø
		b	*bas*	ba
	dentales. . . .	t	*tout*	tu
		d	*dans*	dã
	palatales. . . .	k	*quai*	ke
		g	*gueux*	gø
Consonnes constrictives	chuintantes. .	ʃ	*chez*	ʃe
		ʒ	*jeune*	ʒœn
	sifflantes. . . .	s	*sot*	so
		z	*base*	baz
	labio-dentales	f	*fou*	fu
		v	*vent*	vã
Consonnes nasales		m	*mon*	mõ
		n	*nez*	ne
		ŋ	*ligne*	liŋ
Consonnes liquides		l	*loup*	lu
		r	*ré*	re
Signe de longueur.		:	*la base*	la ba:z

À Bart, mon mari, qui m'a apporté plus que sa collaboration intelligente, son inspiration.

CHAPITRE PREMIER

GÉNÉRALITÉS

BUTS DE LA PHONÉTIQUE ET DE LA DICTION

Difficulté de la prononciation française. — Pour l'étranger qui aborde l'étude du langage parlé, partie la plus vivante de l'étude du français, le but à atteindre est de parler, lire ou interpréter un texte de prose ou de poésie comme le ferait un Français cultivé. Pour lire, parler ou réciter avec grâce, précision, vivacité, on devra donner à chaque mot sa valeur, à chaque phrase son sens juste, ses nuances, et rendre la pureté des sons, le rythme, la cadence, la mélodie, en un mot ce qui fait la beauté et l'harmonie du français.

Les difficultés, en diction, semblent tout d'abord insurmontables. L'importance donnée aux voyelles nettes, souples et si diverses, le jeu même des sons contrastés voulu par l'auteur : voyelles graves (*a*, *an*, *on*) et voyelles aiguës (*i*, *é*, *u*), soulignent le sens de ce qu'il exprime, comme dans ces phrases d'André Gide :

J'ai vu le ciel frémir de l'attente de l'aube...
J'ai vu d'autres aurores encore, j'ai vu l'attente de la nuit...,

où l'on remarquera la régularité des syllabes bien détachées, l'accent musical mais relativement faible, la consonne finale découpée, nette et fluide; comme dans ces phrases de Baudelaire :

...ces trésors, ces meubles, ce luxe, cet ordre, ces parfums...

...les splendeurs amorties d'une jupe éclatante...,

ou de VALÉRY

...et le corps de son esprit se déplaçait comme il pouvait dans notre monde, qui n'est qu'un certain monde d'entre les mondes possibles...,

ou bien de GIRAUDOUX :

Voilà l'aurore et ce froid qu'apporte ce premier rayon...

Vous avez l'air d'un sauveteur, d'un guide, d'un pilote...

Le mouvement nuancé de la phrase, les inflexions de la voix, le son maintenu, les changements de plan, tout, au début, semble impossible à acquérir.

L'Allemand, l'Anglais, l'Italien, tout étranger qui étudie notre langue nous surprend souvent par sa façon enfantine de s'exprimer. Le voyant hésiter devant une articulation difficile, une voyelle claire, une consonne douce, on oublie facilement qu'on a en face de soi un être organisé et évolué, doué de facultés intellectuelles et capable de goûter les beautés d'une langue achevée. Si l'on tient compte, dès le début du cours de diction, de la sensibilité, du goût, de la subtilité, du sens artistique de ses élèves, et qu'on leur présente comme exemples des passages pris chez nos écrivains les meilleurs, on rétablit alors une égalité entre la qualité intellectuelle de ce qu'on propose et la qualité propre du sujet auquel on s'adresse.

Importance du choix des textes. — Le choix, dès les premières leçons, de phrases comme :

...C'est là qu'il faut aller vivre, c'est là qu'il faut aller mourir...

(BAUDELAIRE),

Te voici, mon doux corps de lune et de rosée...

Tes pas, enfants de mon silence...

(Paul Valéry),

Le frais matin dorait de sa clarté première
La cime des bambous et des gérofliers...

(Leconte de Lisle),

plutôt que de phrases fabriquées, telles que :

la pipe de papa,
la tête de ma tante,
ton thé t'a-t-il ôté ta toux?

permettra à l'élève, débutant ou étudiant avancé, de saisir d'emblée la beauté et l'équilibre de notre langue. L'enfant, d'ailleurs, au cours de son apprentissage familial, n'est-il pas influencé par la manière de parler et de penser de son entourage?

Devant un beau texte, et encore mieux devant un texte proche de lui par la pensée, la sensibité, les images, les symboles, l'élève séduit et charmé sera entraîné, et le but à atteindre lui apparaîtra clairement : rendre avec exactitude le modèle qu'on lui montre comme sur un écran. Voyant alors les sons placés dans la phrase, le jeu du rythme, la musique, le mouvement mélodique, il situera mieux ses fautes, et il travaillera le son, la syllabe, l'accent, comme des choses vivantes auxquelles il se sentira déjà attaché.

La diction. — L'étude de la *diction*, prise sous cet angle, accompagnera et complétera d'une façon vivante l'étude littéraire, grammaticale ou psychologique de notre langue et de notre pensée. Par ailleurs, cet entraînement méthodique à rendre les accents justes, le rythme, l'articulation, sera une excellente discipline. Les élèves lutteront en même temps contre leur propre rythme, leur propre mélodie : travail ardu, mais qui leur permettra de pénétrer profondément dans la structure de la pensée française.

Le texte choisi sera décomposé et analysé en diction comme il l'est, du point de vue littéraire, dans un cours de lecture expliquée. La phrase, bien rythmée, décomposée en groupes correspondant à une idée logique qu'on peut isoler, sera travaillée sur le plan auditif et sur le plan de l'expression. Plusieurs groupes peuvent être réunis entre deux respirations ou, au contraire, isolés suivant le sens. Les accents seront plus marqués sur une idée maîtresse, plus ténus, plus assourdis sur un détail. Cette analyse du rythme de la phrase correspondra strictement à son analyse logique, et la mélodie qui en soulignera le sens sera la marque de notre sensibilité. Analyse littéraire, analyse grammaticale, analyse du point de vue de la diction, tout se rejoindra alors et formera un ensemble.

C'est pourquoi le choix des textes, dans ces cours, est de première importance. En diction, si l'on donne un modèle, il faut que ce modèle soit parfait et que l'écrivain ait su rendre exactement sa pensée, en la soulignant par des sons justes, soutenus par un rythme et une mélodie irréprochables.

Mises à part telles phrases de Bossuet données souvent comme modèles d'équilibre et de rythme :

Toute la vaste étendue de la terre et les profondeurs des mers, et toute l'immensité du monde n'est qu'un point devant ses yeux...,

Et la mer et la terre et les abîmes se prépareront à rendre leurs morts; et au lieu qu'il nous paraissait qu'ils les avaient engloutis comme leur proie, nous verrons alors par expérience qu'ils ne les avaient reçus en effet que comme un dépôt pour le remettre fidèlement au premier ordre..., on pourra travailler dès le début des phrases choisies dans les œuvres d'autres auteurs : par exemple Baudelaire, Rimbaud, Gide, Proust, Valéry. La phrase est plus sèche peut-être chez Bossuet, plus nuancée, plus souple, plus proche, plus présente chez Baudelaire, chez Gide ou chez Proust, mais chez tous on trouve les mêmes grandes qualités : clarté, précision, équilibre, jeu des sons, contrastes voulus, qui ont fait à travers les siècles le génie de notre langue :

Fleur incomparable, tulipe retrouvée, allégorique dahlia, c'est là, n'est-ce pas, dans ce beau pays si calme et si rêveur, qu'il faudrait aller vivre et fleurir...

Il sembla quelque temps que l'indistincte vie voulût s'attarder au sommeil, et ma tête encore lassée s'emplissait de torpeur...

Des pièces d'or jaune semées sur l'agate, des piliers d'acajou supportant un dôme d'émeraude, des bouquets de satin blanc et de fines verges de rubis entourent la rose d'eau...

Racine et Valéry pourront aussi être utilement comparés :

Ariane, ma sœur, de quel amour blessée
Vous mourûtes aux bords où vous fûtes laissée...

Te voici, mon doux corps de lune et de rosée...

La pensée s'éclaire d'elle-même, présentée en sons aussi harmonieux, aussi justes. Ce balancement, cette symphonie des mots, cet impressionnisme, ces images tendres ou colorées, font comprendre d'un coup la pensée de l'auteur :

Ô pâle Ophélia, belle comme la neige...

Je hume ici ma future fumée,
Et le ciel chante à l'âme consumée
Le changement des rives en rumeur...

C'est du côté de Méséglise que j'ai remarqué pour la première fois l'ombre ronde que les pommiers font sur la terre ensoleillée, et aussi ces soies d'or impalpable que le couchant tisse obliquement sous les feuilles et que je voyais mon père interrompre de sa canne sans les faire jamais dévier.

Féerie des sons, séduction des images soutenues par certaines voyelles, vibrations qui réveillent un souvenir enfoui en nous-mêmes ou font naître des résonances profondes : on ne saurait rester insensible à ces qualités «physiques» du langage. Et telles lignes de Rimbaud ou de Valéry, mettant d'un côté les voyelles graves et basses :

*ch*an*te*,
con*sumée*,
*p*â*le Ophéli*a,
*b*e*lle*,
*n*ei*ge*,

d'un autre les voyelles aiguës, fines et hautes :

*je h*u*me*,
i*c*i,
*f*u*t*u*re f*u*m*é*e*,
*l*u*ne*,
*ros*é*e*,

nous invitent à établir des correspondances entre les sons et les pensées, entre la forme de l'expression et le sens.

Les élèves débutants pourront, outre les phrases que nous venons de citer, en étudier d'autres plus faciles à suivre, mais qui devront toujours être choisies aussi harmonieuses, aussi équilibrées. Anatole FRANCE et Alphonse DAUDET nous en offrent des exemples nombreux :

Elle regardait sans voir et semblait perdue dans un rêve.

Et quelle herbe, savoureuse, fine, dentelée, faite de mille plantes...

Notre petite coureuse en robe blanche fit sensation.

En poésie, nous aurons aussi un grand choix :

Si vous croyez que je vais dire
Qui j'ose aimer,
Je ne saurais pour un empire
Vous la nommer.

Mignonne, allons voir si la rose,
Qui, ce matin, avait déclose
Sa robe de pourpre au soleil,
A point perdu cette vesprée,
Les plis de sa robe pourprée
Et son teint au vôtre pareil.

La phonétique. — Dès que l'élève essaiera de lire ces textes à haute voix, il se trouvera en face de difficultés techniques : le souffle, l'articulation, le rythme, les nuances. La *phonétique*, étude détaillée des sons, des phonèmes, du mécanisme de la respiration et de l'articulation, du jeu de la langue, des lèvres et des mâchoires, va apporter à l'élève les principes de base qui lui donneront les moyens pratiques de produire tel son, de le fixer. de le modeler, de le prolonger. Isolant d'abord le son pour l'étudier, l'élève le replacera ensuite dans la syllabe, dans la phrase, puis dans le texte, et pourra alors lui redonner sa vraie valeur, son accent juste, ses nuances et ses résonances.

Soit, par exemple, la voyelle *è* ouvert. Après avoir étudié les particularités de son articulation : place de la langue, écart des mâchoires, forme des lèvres, et avoir fixé le son dans son oreille, l'élève pourra tout de suite le placer dans quelque phrase rythmée où il aura toute sa valeur :

Et d'étranges **rêves**,
*Comme des so***leils**
*Couchants sur les g***rèves**,
*Fantômes ver***meils** . . .

(Paul Verlaine.)

Si l'élève peut faire enregistrer sa voix et s'entendre lui-même, il pourra se critiquer sévèrement et se corriger d'autant mieux. L'emploi du magnétophone dans la classe permet à l'élève de saisir en quelques secondes une faute que le professeur mettrait plusieurs heures à lui faire comprendre par d'autres moyens. Quelques exemples de graphiques tracés sur le tableau, donnant la valeur de la voyelle, ses vibrations, et la situant quant à la durée, aideront également l'élève à se mieux corriger.

Méthode de travail. — L'étude détaillée et méthodique de la phonétique sera à la diction ce qu'est l'étude des gammes à la musique. Comme les exercices de doigté ou de vélocité sont indispensables à celui qui veut interpréter un compositeur avec aisance, ainsi des exercices systématiques de gymnastique des lèvres, d'agilité de la langue, de pose de la voix, de respiration, aideront l'élève à produire ses sons avec souplesse et naturel et à devenir maître de sa voix, de son émission, de son articulation. Il pourra alors donner toutes les nuances à ce qu'il veut exprimer. Ainsi, phonétique et diction sont inséparables dans l'étude du langage parlé.

Par là, l'enseignement de la diction gagne même en vertu pratique tout ce que le maître sait y inclure de préoccupations morales. Si nous obtenons des élèves que le but de leurs efforts soit la vérité et le naturel de l'expression, la variété, l'unité dans la variété, c'est pour qu'ils considèrent les éléments du langage, dont ils ont fait l'étude en phonétique théorique et pratique, comme étant avant tout des moyens d'expression, pour qu'ils s'entraînent à en tirer parti en s'efforçant de donner à une œuvre sa traduction sensible, fidèle et vivante. Ils prendront goût à exprimer les idées et les sentiments sous les aspects infiniment variés que nous offre la littérature, en respectant à la fois la forme de l'œuvre et le ton de la vie. Ils acquerront un sens du naturel et du vrai qui offrira au maître les meilleurs moyens d'action.

A qui parvient à dire vrai, le reste vient par surcroît. Et la prononciation de l'élève garde le bénéfice des qualités essentielles d'une bonne diction, sa musicalité, sa netteté et sa valeur expressive.

Dès les premières leçons, il sera utile de communiquer à l'élève une liste des principales fautes qu'il fait dans sa prononciation et de lui définir très clairement les obstacles à vaincre; par exemple :

Débit, voix........ { la respiration mal prise,
le souffle irrégulier,
la voix mal placée;

Articulation....... { la mâchoire trop raide ou trop molle,
la langue trop lourde,
les lèvres sans mobilité;

Émission.......... les sons placés trop « en arrière »;

Rythme.	le rythme mal défini ou trop raide. l'accent mal placé;
Musique de la phrase.	la mélodie trop monotone, trop étroite;
Expression	presque inexistante.

Le professeur montrera tout de suite quelques-uns des moyens techniques qui permettront de venir à bout des fautes et, par la suite, vérifiera les progrès en écartant au fur et à mesure les fautes qu'on aura déjà corrigées. Un excellent moyen est de faire, au début, une fiche des fautes principales de l'élève et de la tenir à jour. Ainsi, au cours de cette étude ardue et un peu décourageante de la prononciation, l'élève verra des signes réels de ses progrès.

Dans un cours pratique de phonétique et de diction, il est indispensable d'aborder en même temps plusieurs chapitres, par exemple l'*articulation*, pour corriger les fautes de détail, et le *rythme*, pour permettre à l'élève de lire immédiatement, ce qui l'oblige à découper sa phrase en groupes rythmiques et à placer ses accents.

L'expérience nous a montré qu'il est excellent d'exposer dès la première leçon le programme du cours complet. On peut le résumer de la façon suivante :

Étude de la voix et formation des sons : les organes de la parole, la respiration (mécanisme et pose de la voix, émission du son), l'importance du jeu des lèvres et du jeu de la langue;

Articulation, étude détaillée de chaque son : les voyelles, les consonnes, les semi-consonnes;

Éléments de diction : le rythme, la mélodie (musique de la phrase, intonation), les moyens d'expression.

Ainsi, les élèves se trouvent en face d'un programme complet et ne sont pas choqués d'avoir, dès le début, à étudier de front deux choses tout à fait différentes : l'articulation et le rythme, et même la mélodie dans les groupes plus avancés.

Une première leçon pourra être divisée en trois parties : étude des sons, du rythme, de la mélodie. Soit à étudier le vers de Ronsard :

Quand vous serez bien vieille, au soir, à la chandelle...

1° On décomposera les *sons* de la façon suivante :

an	[ã]	*quand*	*è*	[ɛ]	*vieille*
ou	[u]	*vous*	*o*	[o]	*au*
e	[ə]	*se-*	*a*	[a]	*soir à la*
é	[e]	*rez*	*an*	[ã]	*chan-*
in	[ɛ̃]	*bien*	*è*	[ɛ]	*delle*

2° En ce qui concerne le *rythme*, l'étude portera sur le groupe rythmique, le souffle, la régularité, l'accent :

Quand vous serez bien vieille, '
au soir, '
à la chandelle... '

3° Du point de vue de la *mélodie*, il faudra s'attacher à faire ressortir les accents de hauteur :

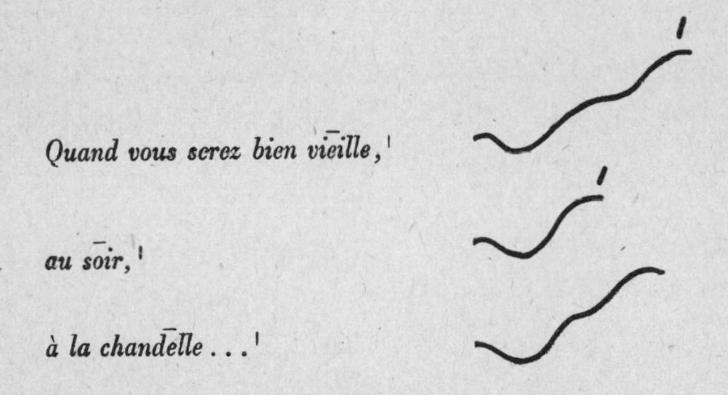
Quand vous serez bien vieille, '
au soir, '
à la chandelle... '

Texte commenté n° 1.

Sensation, d'Arthur Rimbaud (*Poésies*).

Par les soirs bleus d'été, j'irai dans les sentiers,
Picoté par les blés, fouler l'herbe menue :
Rêveur, j'en sentirai la fraîcheur à mes pieds,
Je laisserai le vent baigner ma tête nue.

parleswarblødete ˈ ʒire ˈ dãlesãtje |
pikɔteparleble ˈ fulelɛrbəməny ||
rɛvœ:r | ʒãsãtirelafrɛʃœ: ˈ ramepje |
ʒəlɛsərelәvã ˈ beɲematɛtəny ||

Ce texte sera travaillé en application des premiers principes exposés.

Chaque idée ou chaque image forme un *groupe phonique*. Ce groupe doit être récité d'une seule émission de voix par l'élève, qui prendra une large respiration au début.

A l'intérieur des groupes, on travaillera l'égalité des sons, la liaison d'une syllabe à l'autre. La voyelle accentuée, la dernière du groupe, est plus haute, plus longue, plus intense. Un accent secondaire, à l'intérieur du groupe, sera indiqué par une légère modulation de la voix (voyelle plus haute et légèrement allongée) :

Par les soirs bleus d'été.

Prononcer les voyelles avec leur valeur juste (timbre, jeu des lèvres, longueur) :

a e a ø e e,

les répéter plusieurs fois, puis ajouter les consonnes, sans brusquerie, sans explosion, sans heurt, en contrôlant l'agilité de la langue (passage d'une voyelle à l'autre, jeu des lèvres) :

parleswarblødete

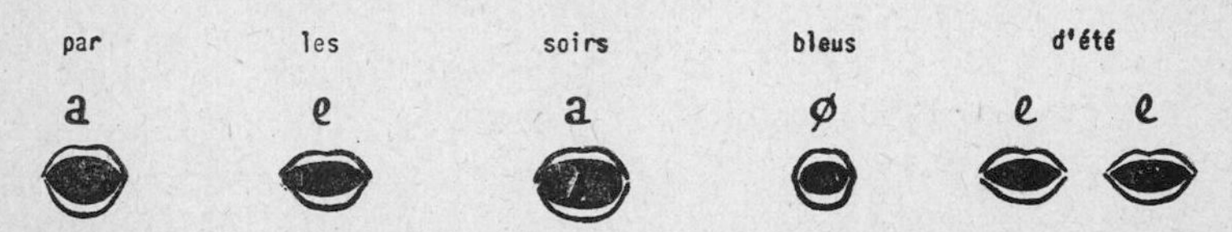

Rechercher et comprendre, d'après le sens, les contrastes dus aux différences de longueur entre les divers groupes. Par exemple, dans :

Rêveur ' *j'en sentirai la fraîcheur* ' *à mes pieds* |,

nous avons un groupe court, suivi d'un groupe plus long, puis un groupe court; on notera la répétition de la même voyelle (*eu* ouvert) en syllabe accentuée :

rêveur, *fraîcheur.*
œ œ

Contraste voulu, fréquent chez Rimbaud, entre voyelles aiguës (fermées) et voyelles graves (ouvertes). Prédominance des voyelles *aiguës :*

Aiguës.				Graves.			
les	e	*-ler*	e	*par*	a	*j'en*	ã
bleus	ø	*-nue*	y	*soirs*	a	*sen-*	ã
été	e e	*-tirai*	i e	*sen-*	ã	*vent*	ã
irai	i e	*mes*	e	*herbe*	ε	*tête*	ε
-tiers	e	*pieds*	e	*-veur*	œ		
picoté	i e	*-rai*	e				
les	e	*-gner*	e				
blés	e	*nue*	y				

La mélodie est très faible en poésie, où le travail se fait par plans : voyelle accentuée assez haute, laissée en suspens, toujours tenue ou nettement longue :

tenue dans :	*été, sentiers,*	e ⟶
longue dans :	*rêveur,*	œ:

Les deux premiers vers seront dits plus haut, suivant le sens, avec des sons nets et clairs, l'idée étant légère.

Troisième vers : *rêveur, j'en sentirai... :* placé plus bas, sur un rythme plus lent, plus grave :

Rêveur : plongé dans le rêve, dans la méditation immobile, plongé en soi-même;

J'en sentirai la fraîcheur : je laisserai la fraîcheur pénétrer en moi; mouvement plus lent, plus profond.

Insister dès le début sur les différences de hauteur et de mouvement.

Travailler les voyelles très déliées, ce qui renforcera l'expression :

picoté par les blés
i ɔ e a e e

Détacher les syllabes avec plus de lenteur, plus de poids, dans :

fouler, rêveur, sentirai, fraîcheur,

je laisserai le vent,

en marquant une légère hésitation devant le *v* de *vent*, pour rendre le sens plus intense, puis reprendre un ton léger dans le dernier mot : *nue.*

CHAPITRE II

PRINCIPES GÉNÉRAUX DE DICTION

Émission du son. Technique de la respiration. — Le français étant une langue liée et unie, pour prononcer avec aisance les sons formant une phrase, on doit s'attaquer tout d'abord au problème de la respiration, du souffle et de la pose de la voix.

Souvent, l'étranger prend, pour parler le français, une voix qui ne lui est pas naturelle. Il s'agit avant tout de trouver le timbre qui rendra le maximum, qui pourra, en s'amplifiant, rester souple et traduire toutes les nuances de l'émotion : la voix ne doit être ni chevrotante, ni dure, ni sèche, ni saccadée.

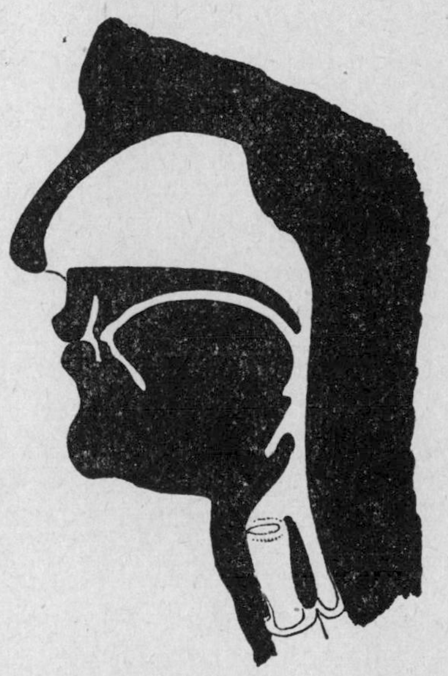

Fig. 1. — Les organes de la parole.

La respiration, bien prise, doit être douce et régulière, sans à-coups, sans heurts. L'élève a donc avantage à se tenir bien droit, libre et à son aise, et non pas courbé, la tête basse, pour masquer sa gêne ou sa timidité. Il doit respirer largement et, par des exercices répétés, s'entraîner à inspirer la plus grande quantité d'air possible et à la rejeter régulièrement, doucement. Il arrivera ainsi à discipliner son souffle et à en faire une économie judicieuse.

La pose de la voix consiste à soutenir les sons des mots sans fléchissement, sans chevrotement, le son suivant continuant le son précédent.

Dans l'appui vocal, en rentrant l'abdomen, on fixe le diaphragme, qui soutient ainsi la colonne d'air nécessaire à la diction et, tout en jouant souplement, cale le souffle et lui donne sa sûreté. Le procédé est familier à tous les chanteurs.

En français, toute la résonance de la voix est « dans le masque ». Il convient donc qu'elle soit placée en avant. Certains élèves éprouvent de ce fait de grandes difficultés inhérentes à leurs habitudes phonétiques. On observe que les exercices purement mécaniques, effectués en concentrant l'attention uniquement sur la position des organes, n'aboutissent trop souvent qu'à des résultats médiocres.

C'est de l'étude du chant, si peu poussée qu'elle soit, que viendra le remède. Et le chant se trouve être, en outre, une excellente préparation à la lecture du vers français. Notre accent, en effet, est avant tout musical, notre intonation comporte de grands écarts de mélodie et nos vers sont presque toujours constitués de ces plans différents.

On doit donc éviter des sorties d'air brusques, par saccades, que l'on peut figurer par ces flèches :

pour avoir une ligne de souffle continue, régulière :

le souffle sortant comme l'eau d'une rivière qui coule doucement sur une pente unie, sans cascades ni rapides :

Pour s'entraîner à cette régularité de souffle et de débit, on pourra travailler un son en le continuant le plus longtemps possible sur une respiration régulière, en chantant le son, en le prolongeant et en le modelant avec les lèvres. Ne jamais pousser ni forcer la voix, mais l'étoffer, l'assouplir par un travail comparable au souffle de l'orgue; par exemple :

prononcer *a* ⟶
prononcer *o* ⟶
prolonger *a* ⟶ puis *o* ⟶
arrêter *a* ⟶ V *a* ⟶ puis *o* ⟶ V *o* ⟶
reprendre *a* → *a* → *a* → puis *o* → *o* → *o* →

Travailler alors plusieurs voyelles à la suite, sur le même souffle, en les liant les unes aux autres :

i ou a é,

puis, en ajoutant les consonnes, la phrase :

si vous croyez.
sivukrwaje

D'autres phrases pourront être étudiées selon le même procédé :

Sur l'onde calme et noire ' *où dorment les étoiles*... |
y õ ə a e a ⟶ u ɔ ə e e a ⟶

Sur un souffle très uni, bien prendre sa respiration et attaquer doucement le premier son, puis enchaîner les autres en observant déjà le rythme :

Laisse brûler la lampe ' *et pleurer la clepsydre.* |
ɛ ə y e a ã ⟶ e œ e a ɛ i ⟶

Voici des fruits, ' *des fleurs,* ' *des feuilles* ' *et des branches.* |
a i e i ⟶ e œ ⟶ e œ ⟶ ə e e ã ⟶

Importance de la voix. — La qualité de la voix reste essentielle dans l'intonation. C'est l'instrument, et la qualité de la musique en dépend au premier chef. Que l'élève apprenne donc à poser sa voix pour éviter la fatigue du débit, qu'il l'assouplisse et s'en fasse un instrument docile, mais ne la traite jamais que comme un instrument en vue de l'interprétation. Une bonne technique, et même de la virtuosité si l'on peut, mais au service de l'expression.

L'art du professeur sera de discerner chez chaque élève ce qu'on pourrait appeler la psychologie de sa voix. Il en est de rétives, de paresseuses, de brutales, de gutturales, etc., défauts en relation étroite avec l'émission, qui se trouve soit trop en arrière, soit trop en avant, avec les défaillances de l'appui vocal et la manière défectueuse dont le souffle est dirigé. Toute la diction de l'élève en souffre. Mais une voix même très pauvre est pourvue de plus de ressources qu'on ne l'imagine. C'est au professeur à savoir faire son «diagnostic» et à ne pas appliquer de traitement en série. C'est ainsi qu'il nous arrive fréquemment de corriger, en particulier chez les Anglo-Saxons, certains défauts d'émission, qui paraissaient d'abord incurables, en allant chercher le mal à l'origine, dans une défaillance de l'appui vocal, où nul ne songeait à le découvrir.

Pose de la voix. — Il n'y a donc pas d'émission correcte si l'*appui vocal* n'est pas sûr, si le souffle n'est pas pris convenablement. Nous avons l'habitude de conseiller aux élèves de faire quelques exercices respiratoires, avant d'aborder leur travail de diction, afin de s'entraîner à prendre le souffle et à l'appuyer sur le diaphragme qui le cale et le maintient, à le garder, à le soutenir et à le répartir suivant les besoins. Il importe d'attirer l'attention sur ce rôle capital du diaphragme et de la soufflerie en général, dont le jeu doit être contrôlé et doit devenir conscient. L'étude du souffle est indispensable à quiconque se destine à la diction ou au théâtre. Mais, du seul point de vue pratique, tout étranger, d'une façon générale, aura intérêt à s'y astreindre. Ainsi, il se corrigera de bien des aspirations et pertes de souffle naturelles dans sa langue natale, mais insupportables dans la phrase française, qui est *liée et continue.* En s'appliquant à ménager et à diriger son souffle, l'élève s'exercera à dire des voyelles différentes (en suivant au besoin une gamme sur le piano), puis des phrases longues, en s'aidant du jeu contrôlé du diaphragme, qui lui permettra de ne jamais donner une impression d'essoufflement. (Le procédé peut même servir aux bègues.) Il va sans dire que dans cet exercice on évitera de pousser sur la voix, qui ne cessera pas d'être mesurée et s'étoffera d'elle-même, de sorte que l'élève pourra en augmenter le volume, selon les besoins de l'expression, sans en altérer la qualité.

M. le professeur Burt, qui a étudié de très près la diction française et a tiré de ses travaux des conclusions remarquables, observe que la voix française peut être comparée à un orgue, à la différence de la voix germanique, par exemple, qui ressemble plutôt par sa musique à un instrument à percussion. En français, il faut *appuyer* et non *frapper.* C'est par une bonne distribution du souffle que nous obtiendrons le *legato* naturel, le ton *plano.*

Une bonne technique du souffle permettra encore aux étrangers de produire la musique des voyelles françaises, avec leur rythme de durée, si caractéristique dans la diction des vers. Nos voyelles sont par elles-mêmes une source de musique. Aussi faut-il en étudier avec soin l'attaque, l'émission, la durée et la résonance. C'est autant, et même plus, affaire d'oreille que de science. Qui connaît parfaitement la position théorique des organes, mais a négligé d'apprendre à s'écouter, n'arrivera jamais à produire de bonnes voyelles.

Pour être belle, la voyelle doit être arrondie, préparée comme la note pour le chant. Les élèves apprendront à *modeler* leurs voyelles, à en « faire l'empreinte » *avant l'émission*, et s'habitueront à garder cette empreinte quand ils rencontreront les mêmes voyelles accompagnées de consonnes différentes.

Qu'ils s'écoutent donc, pour parvenir à la fois à une unité parfaite dans les sons identiques et à la plus grande diversité des timbres. Ils apprendront ainsi à parler sur des voyelles précises et bien déterminées, aux nuances toujours nettes dans leur ténuité même, et qui font la beauté de notre langue.

Les résonances. — Cette question, comme nous l'avons dit, a en français une très grande importance. « Parler dans le masque » n'est pas une expression vague. En français, le son formé par les vibrations des cordes vocales a une sorte de résonance, d'amplification, située derrière le nez ou derrière la lèvre supérieure. La voix, placée ainsi, va plus loin, est plus souple, a plus d'ampleur. Les Anglais, au contraire, prononcent leurs voyelles très en arrière.

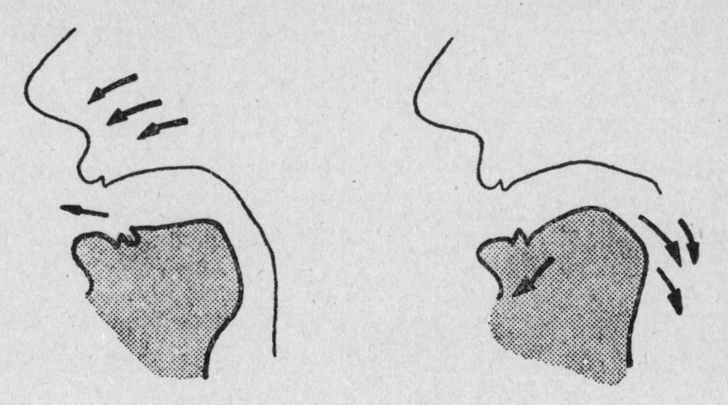

Fig. 2. — Les résonances.

A gauche : résonance « en avant » ; *à droite :* résonance « en arrière ».

Soit le *o* ouvert [ɔ]. Indépendamment du point d'articulation, différent en anglais et en français, la voyelle, dans la prononciation anglaise, semble retomber sur la gorge, dans l'arrière-bouche. Le son est alors bloqué, coincé, et la mâchoire inférieure, dure, semble encore arrêter le son. En français, la même voyelle semble résonner derrière le nez et peut s'assouplir, se prolonger, claire et très avancée, encore plus haute grâce au mouvement de projection de la lèvre supérieure.

Les croquis que nous donnons ci-dessus (*fig.* 2) illustrent ces explications et montrent les deux endroits de l'appareil vocal où peuvent se produire les résonances.

Mais il ne suffit pas d'avoir compris ce mécanisme; il faut pouvoir, à volonté, produire telles résonances ou éviter telles autres. C'est en s'exerçant sur des exemples nombreux et variés qu'on y parviendra.

On pourra répéter :

il dōrt,	*il sōnne,*	*l'hōmme.*
ildɔ:r	ilsɔn	lɔm

Lorsque la voix sera bien placée et que le souffle sera réglé, uni et parfaitement maîtrisé, on pourra attaquer l'articulation proprement dite.

L'articulation. — Avant tout, l'articulation en français doit être naturelle, souple sans être molle, et précise sans être dure. Le débit égal et sans relâchement, le mouvement aisé des lèvres, de la langue et des mâchoires donneront une articulation précise et légère.

L'élève entrouvrira les mâchoires *sans effort*, ne les fermera jamais *brutalement*, ne laissera pas tomber la mâchoire inférieure, évitera les à-coups. Il ne devra pas serrer les dents : même lorsqu'on forme un son très fermé, comme [i], il faut que l'air puisse passer. C'est en s'écartant le moins possible de la position naturelle de la bouche que l'on arrive à une articulation à la fois facile et précise. Nous donnons souvent aux étrangers — mais les Français peuvent aussi en faire leur profit — le conseil de s'exercer devant la glace, pour observer des mouvements qu'ils ne sauraient exactement contrôler autrement. Et ainsi, quoique s'appliquant à faire travailler certains muscles qui d'habitude restent au repos, ils évitent l'exagération des mouvements et s'entraînent à des déplacements de la bouche rapides et sans chocs. Dans le cas de *i* et de *é* fermé [e], par exemple, c'est par ce procédé, et aussi par la recherche des résonances, que certains élèves ont pu se corriger du défaut de « tirer » sur les commissures des lèvres, qui leur faisait produire un son « coincé » et provoquait en outre une raideur du cou nuisible à la souplesse de l'articulation. Lorsque, d'ailleurs, ils ont pris la bonne habitude de parler dans le sens de la hauteur, l'émission et l'articulation s'en ressentent heureusement.

La gymnastique de l'articulation demande à être étudiée avec une grande précision, mais on ne doit jamais se forcer à exécuter un mouvement qu'il faudrait abandonner par la suite. Chaque son, minutieusement étudié, sera aussitôt assoupli et travaillé dans de petites phrases rythmées, en position accentuée ou inaccentuée, afin qu'il conserve sa forme et sa valeur justes.

Les lèvres, la langue, les mâchoires, doivent être des organes entraînés — des instruments bien huilés, en quelque sorte — qui nous permettront de produire chaque son : voyelle ou consonne, en lui donnant exactement la nuance voulue par le contexte. Les voyelles ont, en français, une importance très grande : la mélodie de la phrase repose sur les voyelles. Les consonnes ne jouent qu'un rôle secondaire; elles s'ajoutent très doucement aux voyelles, dont elles épousent la forme et le modelé.

Soit, par exemple, la syllabe française *pa;* le *p* doit être très faible, tandis que le *a* aura une ampleur très grande, variable suivant le sens donné au mot contenant cette syllabe; mais, de toute façon, le *p* fera corps avec le *a*, bien formé et modelé. Les étrangers devront s'habituer dès le début à diminuer l'importance de la consonne relativement à la voyelle. On peut représenter cette sorte de renversement d'importance entre la consonne et la voyelle par les signes suivants :

Pa deviendra en français *pA*.
> <

Les élèves pourront s'entraîner à former les voyelles d'une phrase, en les modelant avec les lèvres, puis ajouter les consonnes très doucement, comme suit :

Sur l'onde calme et noīre . . .
y õ ə a e a

Tes pās | *enfant de mon silēnce . . .*
e *a* *ã ã* ə õ i *ã*

Je laisserai le vēnt | *baigner ma tête nūe . . .*
ə ɛ ə e ə *ã* e e a ɛ ə y

En articulation, la difficulté, pour l'étranger, réside dans une sorte de raideur, de gaucherie ou de mollesse lourde dans le jeu des lèvres, aussi bien que dans les mouvements de la langue et des mâchoires. Il aura une tendance à saccader (mouvements de haut en bas de la mâchoire inférieure), à brusquer (attaques trop dures) ou à escamoter les sons (débit irrégulier et résonance trop en arrière dans la gorge).

D'autre part, il a souvent les dents trop serrées. Même pour une voyelle dite *fermée*, l'air doit passer librement. Pour *i, é, u,* joindre les dents est une erreur. La position des organes doit être naturelle : pas de crispation, pas de mâchoire avancée avec dureté.

Jeu des lèvres et agilité de la langue. — On devra toujours insister sur les voyelles arrondies, qui sont les plus nombreuses en français :

u o ɔ y ø œ ə õ œ̃;

on les travaillera en hauteur, avec les lèvres bien modelées, la lèvre supérieure surtout projetée en avant et laissant sortir l'air librement à l'horizontale. Éviter la faute de tirer trop en arrière les commissures des lèvres, ce qui coince le son. Tout au contraire, les rapprocher et s'entraîner à former entre la lèvre supérieure et les dents une petite cavité, qui a une grande importance pour certains sons : *o, on*, par exemple, dont la résonance se situe justement dans cette avancée.

L'agilité de la langue est une autre qualité requise pour une bonne articulation en français. Les étrangers, surtout les gens du Nord — Germaniques, Anglo-Saxons, Scandinaves —, éprouvent une grande difficulté à mouvoir la langue avec légèreté et à lui imprimer des mouvements précis. La langue, très souple à l'intérieur de la bouche, doit se placer avec une exactitude parfaite et se fixer au point requis pour produire le son demandé. Trop lourde et paresseuse, elle prend une position moyenne et ne donne que des sons approximatifs, gênant d'autre part le passage de l'air par sa masse informe et molle au milieu de la bouche.

Fig. 3. — Profil montrant l'avancée de la lèvre supérieure.

On peut obtenir des résultats pratiques rapides en s'exerçant à dire des groupes de mots contenant des voyelles dont les points d'articulation sont éloignés; par exemple :

tout à l'heure,	*si vous croyez,*	*tu nous diras.*
u a œ	i u a e	y u i a

On ne manquera pas de noter la position exacte de la langue pour chaque phonème.

Musicalité de la voyelle finale. — Après avoir fait de nombreux exercices pour assouplir les organes de la parole et éduquer le souffle, on sera en mesure de produire les sons clairs et limpides des voyelles françaises; on pourra alors étudier des ensembles; par exemple cette strophe :

Vivez, si m'en croyez, e ⟶
n'attendez à demain, ɛ̃ ⟶
Cueillez dès aujourd'hui i ⟶
les roses de la vie..., i ⟶

où l'on insistera sur la voyelle finale, tenue, sensible, ou bien des phrases courantes prononcées tous les jours, telles que :

Entrez, ' entrez donc.
e ⟼ õ ⟼

L'accent mis sur le *é* fermé de *entrez* fait ressortir le timbre clair, net, un peu pointu de la voyelle. Souvent, cette voyelle finale, souple, haute et tenue légèrement, confère une valeur affective au mot. Dans *entrez* (ayant le sens de : *entrez, je vous en prie, soyez le bienvenu*), le *ez* [e] allongé donne une impression de gentillesse, d'accueil aimable, tandis que le même mot *entrez*, prononcé avec un *é* bref, brusque, coupé, donne à l'expression la valeur d'un ordre impératif : *entrez* (c'est-à-dire : *pour l'amour de Dieu, entrez et n'en parlons plus, mais surtout ne restez pas trop longtemps*).

Pour soutenir cette voyelle et lui donner une valeur affective, il faut être maître de son souffle, de sa voix, de son articulation, et se garder de faire de ce son une diphtongue mollement allongée, mal posée, sans timbre fixé.

La voyelle n'est jamais diphtonguée en français; elle reste stable et garde strictement le même timbre depuis le début jusqu'à la fin. Tout au contraire, la voyelle *o*, par exemple, prononcée par un Anglais, devient une série de *o* différents : ouvert, moins ouvert, puis fermé.

En français, les lèvres, les mâchoires et la langue étant mises dans la position demandée pour cette voyelle, le souffle sort et la voyelle conserve son timbre de *o* fermé depuis le début jusqu'à la fin. Cette tenue de la voyelle finale, non diphtonguée en français, demandera de nombreux exercices.

Par ailleurs, l'étranger éprouve une difficulté d'ordre psychologique à produire ces voyelles allongées, tenues, vibrantes en fin de mot. Il garde longtemps l'impression que cette prononciation lui donne un air affecté et qu'il sera ridicule. C'est pourquoi il faudra, dès le début, illustrer par de nombreux exemples cette tenue de la voyelle. Si l'on choisit des phrases harmonieuses, poétiques, qui plaisent, ou des expressions journalières qui amusent, on aura vite surmonté cet obstacle. Le vers, naturellement, est le meilleur exercice dans ce sens :

Si vous croyez que je vais dire (qui j'ose aimer)...

J'irai, j'irai porter (ma couronne effeuillée)...

Vivez, si m'en croyez...;

on peut y adjoindre le rapprochement immédiat avec des phrases courantes ayant le même rythme :

Si vous venez...

Si vous croyez que je peux partir...

J'irai vous voir demain, j'irai, j'irai, ne craignez rien.

Partez, venez, chantez.

Si l'élève peut s'entendre grâce à un appareil d'enregistrement, il se rendra immédiatement compte de ses fautes; celles-ci se ramènent en général à deux défauts essentiels : l'étranglement des voyelles mal placées; l'importance exagérée donnée aux consonnes, qui écrasent les voyelles.

Texte commenté n° 2.

Le frais matin dorait..., de LECONTE DE LISLE (*Poèmes tragiques*).

Le frais matin dorait de sa clarté première
La cime des bambous et des gérofliers.
Oh! les mille chansons des oiseaux familiers
Palpitant dans l'air rose et buvant la lumière!

Comme lui tu brillais, ô ma douce lumière,
Et tu chantais comme eux vers les cieux familiers!
A l'ombre des letchis et des gérofliers
C'était toi que mon cœur contemplait la première.

Telle, au Jardin céleste, à l'aurore première,
La jeune Ève, sous les divins gérofliers,
Toute pareille encore aux anges familiers
De ses yeux innocents répandait la lumière.

Harmonie et parfum, charme, grâce, lumière,
Toi vers qui s'envolaient mes songes familiers,
Rayon d'or effleurant les hauts gérofliers,
Ô lys, qui m'as versé mon ivresse première!

La Vierge aux pâles mains t'a prise la première,
Chère âme! Et j'ai vécu loin des gérofliers,
Loin des sentiers charmants à tes pas familiers,
Et loin du ciel natal où fleurit ta lumière.

Des siècles ont passé, dans l'ombre ou la lumière,
Et je revois toujours mes astres familiers,
Les beaux yeux qu'autrefois, sous nos gérofliers,
Le frais matin dorait de sa clarté première!

ləfrɛmatɛ̃ ˈ dɔrɛ ˈ . . .

ləfrɛmatɛ̃ ˈ dɔrɛ ˈ dəsaklartɛprəmjɛ:r ˈ
lasim(ə)debɑ̃bu ˈ edeʒerɔflije |
o: ˈ lemil(ə)ʃɑ̃sɔ̃ ˈ dezwazofamilje ˈ
palpitɑ̃dɑ̃lɛrro: ˈ zebyvɑ̃lalymjɛ:r ||

kɔməlɥi ˈ tybrijɛ ˈ omadu ˈ səlymjɛ:r ˈ
etyʃɑ̃tɛkɔmø ˈ vɛrlesjøfamilje |
alɔ̃: ˈ brədelɛtʃi ˈ edeʒerɔflije ˈ
sɛtɛtwa ˈ kəmɔ̃kœ:r ˈ kɔ̃tɑ̃plɛ ˈ laprəmjɛ:r ||

tɛ ˈ loʒardɛ̃selɛ ˈ stalɔrɔrəprəmjɛ:r ˈ
laʒœnɛ:v ˈ suledivɛ̃ʒerɔflije |
tut(ə)parɛjɑ̃kɔ: ˈ rozɑ̃:ʒəfamilje ˈ
dəsezjøzinɔsɑ̃ ˈ repɑ̃dɛlalymjɛ:r ||

armɔnieparfœ̃ ˈ ʃar ˈ m(ə)gra: ˈ s(ə)lymjɛ:r |
twa ˈ vɛrkisɑ̃vɔlɛ ˈ mesɔ̃ʒ(ə)familje ˈ
rɛjɔ̃dɔ: ˈ reflœrɑ̃ ˈ leoʒerɔflije ˈ
olis ˈ kimavɛrse ˈ mɔnivrɛ ˈ s(ə)prəmjɛ:r ||

lavjɛr ˈ ʒopaləmɛ̃ ˈ tapri: ˈ z(ə)laprəmjɛ:r ˈ
ʃɛra:m || eʒeveky ˈ lwɛ̃deʒerɔflije ˈ
lwɛ̃desɑ̃tjeʃarmɑ̃ ˈ atepa ˈ familje |
elwɛ̃dysjɛlnatal ˈ uflœritalymjɛ:r ||

desjɛ ˈ kləzɔ̃pase ˈ dɑ̃lɔ̃: ˈ brulalymjɛ:r |
eʒ(ə)rəvwatuʒu:r ˈ mezastrəfamilje |
lebozjø ˈ kotrəfwa ˈ sunoʒerɔflije ˈ
ləfrɛmatɛ̃ ˈ dɔrɛ ˈ dəsaklartɛprəmjɛ:r ||

L'ensemble de ce texte sera dit sur un ton nuancé et souple, car la répétition un peu monotone des mêmes rimes à chaque strophe doit être compensée par une vibration et une légèreté brillante qui souligneront le sens du texte.

La respiration doit être bien prise dès le début, la voix placée très exactement en tenant compte de l'ensemble; l'articulation, très étudiée, donnera un grand nombre de nuances : voyelles précises, soutenues par le rythme et les longueurs.

Première strophe. — Les deux premiers vers seront dits sur un ton moyen : légère montée sur *première* et descente sur *géroflîers*, ce qui situe le décor. Rythme bien marqué. Seul, ressort le groupe : *le frais matin.*

Premier accent personnel et émotif sur le *oh !* placé plus haut et doucement allongé, sans briser le rythme, et descente sur les deux vers en soutenant la cadence (par plans disposés comme des marches d'escalier) :

┌ *Ōh !*

└ *les mille chansons*

└ *des oiseaux familiers*

└ *Palpitant dans l'air rose*

└ *et buvant la lumière !*

Deuxième strophe. — Évocation plus vive; voix douce soutenant l'image vue : accent sur *ô ma douce lumière,* en allongeant la tenue du *d* de *douce;* nouvel accent sur *c'était toi,* en allongeant le *toi.* Mouvement plus vif sur ces quatre vers, rythme plus cadencé sur le deuxième et le troisième vers, et redescente sur le quatrième, qui s'achève sur cette image : *c'était toi...* Voix retenue, ainsi que le rythme, sur la fin de la strophe.

Troisième strophe. — Détacher le mot *telle* et l'allonger, puis enchaîner avec la suite : *au Jardin céleste.* Au début de chaque vers, nous aurons la même émotion marquée sur :

La jeune Ève...
Toute pareille encore...
De ses yeux innocents...

Là également, descente par plans depuis le premier vers jusqu'à la fin, avec mise en évidence du deuxième vers.

Quatrième strophe. — Mouvement tout de suite plus vif sur le premier vers, dont les éléments doivent être très détachés :

Harmonie et parfum,
charme,
grâce,
lumière.

Des accents seront marqués sur le début des trois vers suivants :

Toi...
Rayon d'or...
Ô lys...,

à des hauteurs différentes, et plaçant devant les yeux l'image évoquée, tendre, lumineuse et pure.

Le reste des vers se déroule selon un mouvement très rythmé et régulier.

Cinquième strophe. — Nettement plus basse, comme une réflexion personnelle, empreinte de mélancolie, mais douce.

Égalité et régularité du premier vers, aboutissant sur le *chère âme* du deuxième vers, plein de tendresse contenue : le *ch* sera légèrement retardé et le *a* de *âme* allongé. Le reste de la strophe est comparable à une phrase de prose; on mettra en évidence les trois *loin* :

> ...**loin** *des géroflīers*,
> **Loin** *des sentiers charmānts*,
> *Et* **loin** *du ciel natāl*...,

qui seront répétés sur le même ton, sans trop insister, ou sur des plans légèrement différents formant une ligne descendante.

Sixième strophe. — Premier vers très égal, plus de force sur le deuxième vers, mais force contenue; intensité sur *astres familiers;* intensité encore sur *les beaux yeux*, en détachant les syllabes, et insistance sur *le frais matin dorait*. Cette répétition du premier vers doit être plus lente et comme empreinte de regret : tandis que le même groupe, au début, évoquait la fraîcheur du matin limpide, les deux derniers vers tombent comme la fin d'un mouvement musical.

Dans ce poème, on étudiera particulièrement les voyelles ouvertes, surtout le *è* ouvert [ɛ] :

*fr***ai***s*,	frɛ	*par***e***ille*,	parɛj
*dor***ai***t*,	dɔrɛ	*t***e***lle*,	tɛl
*lumi***è***re*,	lymjɛ:r	*cél***e***ste*,	selɛst
*premi***è***re*,	prəmjɛ:r	*Vi***e***rge*,	vjɛrʒ

les accents d'insistance et leur influence sur la prononciation : allongement et tenue de la voyelle, insistance sur la consonne légèrement retardée ou forcée :

Ô ma douce..., *toi*..., *ô lys*..., *chère âme*...,

les beaux yeux...

Enfin, certains sons qui doivent être rendus très purs permettront de travailler le mouvement d'articulation des lèvres, la mobilité de la langue :

la cime des bambous...
a i (ə) e ã u

palpitant dans l'air rose[1] *et buvant la lumière...*
a i ã ã ɛ o e y ã a y ɛ

et tu chantais comme eux...
e y ã ɛ ɔ ø

sous les divins gérofliers...
u e i ɛ̃ e ɔ i e

de ses yeux innocents...
ə e ø i ɔ ã

CHAPITRE III

LES VOYELLES ORALES : VOYELLES FERMÉES, VOYELLES OUVERTES

Généralités. — Les *voyelles* sont, comme nous l'avons déjà expliqué, la base de la langue française. Par leur importance et la variété de leurs timbres, elles lui donnent sa musicalité fine et ténue. Elles doivent donc être étudiées avec un soin tout particulier.

Dans la production des voyelles, la bouche n'est jamais fermée; le passage de l'air demeure libre même pour une voyelle dite « fermée », comme *i* ou *u*. La voyelle est sonore, parce qu'elle est produite par les vibrations des cordes vocales, vibrations qui sont transformées par la bouche, jouant le rôle de résonateur.

Pour déterminer la forme du résonateur, on étudiera pour chaque voyelle : le point d'articulation; l'écartement des mâchoires; l'ouverture et la forme des lèvres.

1° Lorsqu'on se prépare à former un son, la langue se gonfle et se fixe en face d'un point du palais appelé *point d'articulation.*

a) Si le point d'articulation est dans la partie avant de la bouche, on a des voyelles *antérieures* (*palatales*) :

i e ɛ a y ø œ ə;

b) Si le point d'articulation se trouve dans la partie arrière de la bouche, on a des voyelles *postérieures* (*vélaires*) :

u o ɔ *a*.

2° Suivant l'*écartement des mâchoires* et l'espace entre les dents, on aura :

a) Des voyelles *fermées :*

i e u o y ø;

b) Des voyelles *ouvertes :*

ɛ ɔ œ ə a ɑ.

3° Suivant l'*ouverture* et la *forme des lèvres*, on aura :

a) Des voyelles *arrondies* (avec les lèvres rondes et projetées en avant) :

u o ɔ y ø œ ə;

b) Des voyelles *non arrondies* (avec les lèvres placées contre les dents et les commissures écartées : forme ovale) :

i e ɛ.

(L'ouverture pour les deux *a* n'est ni nettement arrondie ni nettement ovale.)

Si les muscles sont toujours tendus par la prononciation de la voyelle et si le travail intérieur est intense, extérieurement il y a peu de mouvements visibles. Les Allemands, les Anglais, les Américains, les Scandinaves, et aussi les Italiens, ont coutume — surtout lorsqu'ils s'efforcent de bien prononcer — d'exagérer l'effort musculaire nécessaire à la prononciation. Le mouvement de la mâchoire qui en résulte, saccadé et brusque, donne en même temps dureté et inconsistance à la voyelle. Autre défaut : les Anglo-Saxons gonflent souvent les joues, emmagasinant ainsi de l'air, qui sort sous forme d'explosion au moment de la consonne, ce qui altère la pureté de la voyelle.

(Au contraire, pour la formation des consonnes, les joues doivent être creusées et la mâchoire effacée.)

Seules les lèvres sont très mobiles, fréquemment projetées en avant pour les voyelles arrondies. Chez les étrangers, la lèvre supérieure reste souvent collée contre les gencives. Pour s'exercer à la projeter en avant, ils pourront prononcer certaines phrases en maintenant leur mâchoire inférieure avec une main placée sous le menton. La lèvre supérieure doit se soulever et se rapprocher du nez en formant une courbe (v. *fig.* 3).

Fig. 4. — Attaque de la voyelle française (*en haut*) et attaque de la voyelle germanique (*en bas*).

Nous avons vu, d'ailleurs, que certaines voyelles ont leur résonance dans la cavité ainsi formée.

Initiale, la voyelle est toujours attaquée doucement (jamais d'attaque «sur la gorge», ni de «coup de glotte»); finale, elle est tenue, laissant comme un prolongement musical — les organes restant en place — après que l'émission est virtuellement finie.

Finale ou initiale, la voyelle doit être modelée avec soin et déjà formée avec les lèvres pendant la prononciation de la consonne qui la précède.

Remarque. — *Tenue*, en finale, ne veut pas dire longue, car, phonétiquement parlant, la voyelle n'est longue que devant certaines consonnes finales prononcées. Suivie d'une consonne non allongeante, la voyelle est plus brève que si elle est tout à fait finale. Par exemple, on aura :

[a] allongé,	dans *dans la cāve*,	dãlaka:v
[a] tenu,	— *il est l̄à,*	ilɛla⟶
[a] bref,	— *quatre păttes*,	katrəpat

I. — VOYELLES FERMÉES

En français, les six voyelles fermées sont :

u o i e y ø.

Pendant leur articulation, les muscles sont tendus et les dents rapprochées. La langue, très proche du palais en un certain point, laisse un passage étroit, d'où vient cette appellation de voyelles *fermées*.

Le *ou* et le *o* fermé : [u], [o]. — Le dos de la langue est remonté vers le palais, dans la partie postérieure de la bouche. L'espace entre les dents est de deux millimètres pour *ou* et de cinq millimètres pour *o* fermé; la langue est plus basse pour *o* que pour *ou;* les mâchoires sont plus écartées, les lèvres plus ouvertes. Pour ces deux voyelles, les lèvres sont projetées en avant et, vues de face, doivent présenter une forme très arrondie.

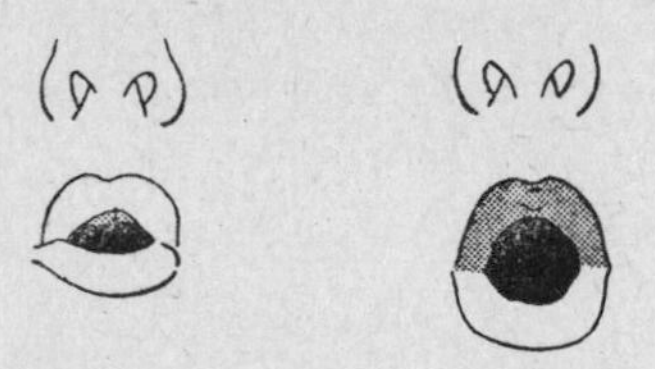

Fig. 5. — Position des lèvres dans l'émission des voyelles *ou* [u] et *o* fermé [o].

Le *ou* est généralement trop sourd chez les Anglo-Saxons et chez les Germaniques, car sa résonance est située trop en arrière; il manque presque toujours de netteté chez les autres étrangers. Pour corriger cette faute, on s'assurera que les muscles sont tendus et que la langue est très relevée vers le palais. On peut vérifier ce point de hauteur avec un crayon ou une baguette mince, qui, passant entre les dents, arrive à toucher la langue.

Le *o* fermé est généralement trop ouvert chez les gens du Sud et souvent diphtongué chez les gens du Nord. La langue, placée presque aussi haut que pour *ou*, ne doit pas changer de position pendant l'émission du son, et les mâchoires, ainsi que les lèvres (très arrondies), doivent rester très stables. Si la mâchoire fait un mouvement de montée et de descente, il y a inévitablement *diphtongue*, c'est-à-dire succession de plusieurs sortes de *o*.

Pour s'exercer à former ces voyelles et à les fixer de façon stable et égale, on peut les prononcer en prolongeant le son :

u u u u,

o o o o.

On vérifiera devant la glace la projection des lèvres en soutenant légèrement le menton avec la main de la manière que nous avons indiquée.

On trouve la voyelle [u] (écrite *ou* en français) dans des mots tels que :

doux, *sous*, *joue*, *roux*, *roue*, *pou*, *mou*, *cou*, *atout*, *toute*, *soupe*, *foule*, *amour*, *jour*, *toujours*, *moule*, etc.

En syllabe accentuée, *ou* est **long** devant [r], [z], [ʒ] ou [v] final prononcé :

bonjour,	bɔ̃ʒu:r
tous les jours,	tuleʒu:r
avec amour,	avɛkamu:r
il y en a douze,	iljɑ̃nadu:z
dans les douves,	dɑ̃ledu:v
une robe rouge,	ynrɔbru:ʒ

Il est **bref** dans les autres cas :

avec vous,	avekvu
je les vois tous,	ʒəlevwatus

sous les roues,	suleru
une touffe,	yntuf
elle tousse,	ɛltus
des fouilles,	defuj

On trouve le *o* fermé (écrit en français : *o*, *ô*, *eau*, *au*) dans des mots tels que :

eau, pot, gauche, saule, Paule, autre, pôle, apôtre, Caux, faux. Meaux, baux, tôt, galop, accroc, arrose, grosse, etc.

o fermé est **long** devant toute consonne finale, lorsqu'il est accentué :

c'est une autre,	sɛtyno:tr	*une bonne dose,*	ynbɔndo:z
j'ai vu Paule,	ʒevypo:l	*les deux pôles,*	ledøpo:l
c'est une faute,	sɛtynfo:t	*elle est haute,*	ɛlɛo:t

o fermé est **bref** partout ailleurs.

Dès que ces deux voyelles seront fixées dans l'oreille, on pourra travailler sur de courtes phrases rythmées, telles que :

La voix plus haute	*Comme un bruit de foule*
lavwaplyo:t	kɔmœ̃brɥidəful
Semble un grelot.	*Qui tonne et qui roule*
sɑ̃blœ̃grəlo	kitɔnekirul
D'un nain qui saute	*Et tantôt s'écoule*
dœ̃nɛ̃kiso:t	etɑ̃tosekul
C'est le galop.	*Et tantôt grandit...*
sɛləgalo	etɑ̃togrɑ̃di

On insistera sur la voyelle accentuée, en lui donnant toute sa valeur :

Un petit roseau m'a suffi...	œ̃pətirozomasyfi
...et les doux saules...	eleduso:l
Et le ruisseau qui chante aussi...	elərɥisokiʃɑ̃tosi

Le *i* et le *é* fermé : [i], [e]. — Pour ces deux voyelles fermées, très aiguës et antérieures, la pointe de la langue est placée contre les incisives inférieures; les mâchoires sont très rapprochées (l'espace entre les dents est d'un millimètre pour [i] et de trois millimètres pour [e]); les lèvres, collées contre les gencives, présentent, vues de face, une ouverture allongée horizontalement, avec les commissures écartées (v. *fig.* 6).

Fig. 6. — Position des lèvres dans l'émission des voyelles : *i* [i] et *é* fermé [e].

Mais la position doit être naturelle; en particulier, il convient de ne pas trop tirer sur les commissures, ce qui risquerait de « coincer » le son. Les mâchoires et les dents sont plus séparées pour [e] que pour [i], et la langue plus basse pour [e]. Pourtant, en français, le *é* fermé est très proche du [i]. On n'insistera jamais trop sur ce point, car les étrangers prononcent en général un [e] trop ouvert, surtout les Américains, qui diphtonguent même leur [e] final. Leur [e] est mou, insuffisamment aigu. L'écart entre les dents doit être très réduit. On peut aussi avancer légèrement la mâchoire inférieure, ce qui aide à fixer cette voyelle.

Les Allemands font souvent un *i* qui n'est pas assez fermé.

Pour ces deux voyelles, ce qui importe, c'est la tension des muscles, ainsi que la place de la langue (très haute en avant, derrière les dents inférieures).

En français, on trouve [i] (écrit *i* ou *y*) dans des mots tels que :

lit, *ici*, *fini*, *lys*, *puis*, *rire*, *dire*, *vivre*, *ville*, *pile*, *fille*, *quille*, *ivre*, *rive*, *Nil*, *voici*, *pays*, etc.

En syllabe accentuée, il est **long** devant [r], [z], [ʒ] ou [v] final prononcé :

rire,	*bise,*	*tige,*	*rive.*
ri:r	bi:z	ti:ʒ	ri:v

Il est **bref** dans la plupart des autres cas.

é fermé (écrit en français *é*, *e*, *ei*, *ai*, *ey*, *ay*) se trouve dans des mots tels que :

thé, *café*, *blé*, *allée*, *poupée*, *venez*, *tuer*, *chez*, *j'ai*, *les*, *mes*, *tes*, *pieds*, *assied*, *et*, *aimer*, *aisé*, *pompier*, *asseyez*, *essayer*, etc.

é fermé est toujours **bref**.

On pourra, pour fixer la prononciation des deux voyelles [i] et [e], dire de petites phrases rythmées, telles que :

J'irai,' *j'irai porter* ' *ma couronne effeuillée*...
ʒire ʒireporte makurɔnɛfœje

Si vous croyez ' *que je vais dire*
sivukrwaje kəʒəvedi:r
Qui j'ose aimer... |
kiʒozeme

Je fais ' *ce que sa fantaisie* '
ʒəfɛ səkəsafãtezi
Veut m'ordonner... '
vømɔrdɔne

Mer grise '
mɛrgri:z
Où brise '
ubri:z
La brise... '
labri:z

Le *u* et le *eu* fermé : [y], [ø]. — Ces deux voyelles fermées, aiguës et antérieures, sont prononcées avec les lèvres très rondes et projetées en avant.

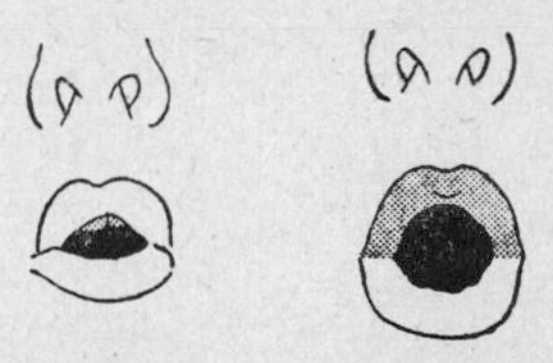

Fig. 7. — Position des lèvres dans l'émission des voyelles : *u* [y] et *eu* fermé [ø].

Pour *u* [y], la langue occupe la même position que pour *i*, mais les lèvres sont projetées et arrondies comme pour *ou*. Les muscles sont très tendus, la langue très haute.

Pour s'habituer à passer d'une voyelle à l'autre avec souplesse, et développer l'agilité de la langue et la mobilité des lèvres, on prononcera :

i-y, i-y, i-y,

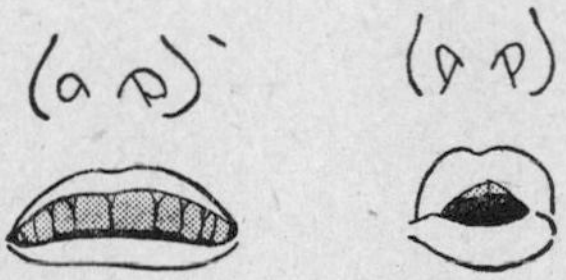

Fig. 8. — Position des lèvres dans l'émission des voyelles : [i] — [y].

en changeant la forme des lèvres; ou bien :

u-y, u-y, u-y,

en laissant les lèvres dans la même position, mais en changeant le point d'articulation de la langue.

On trouve en français la voyelle [y] écrite *u* ou quelquefois *eu*, dans des mots tels que :

lu, *vu*, *du*, *jus*, *rue*, *fut*, *su*, *pur*, *sûr*, *mur*, *dune*, *lutte*, *eu*. *eue*, etc.

u est **long** , en syllabe accentuée, devant [r], [z], [ʒ] ou [v] final prononcé :

pur,	*ruse*,	*luge*,	*cuve*.
py:r	ry:z	ly:ʒ	ky:v

Il est **bref** dans la plupart des autres cas.

Pour *eu* fermé [ø], la langue occupe la même position que pour *é* fermé (très haute en avant); les lèvres sont rondes et projetées en avant, comme pour *o* fermé; les muscles très tendus. Cette voyelle très aiguë est difficile pour les étrangers, qui la confondent avec *u* ou avec *eu* ouvert.

Prononcer :

e-ø, e-ø, e-ø, e-ø,

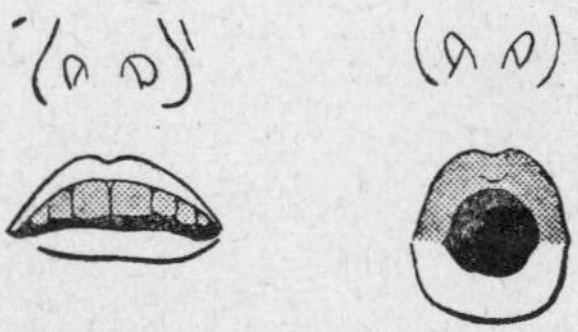

Fig. 9. — Position des lèvres dans l'émission des voyelles : [e] — [ø].

en changeant la position des lèvres, et :

o-ø, o-ø, o-ø, o-ø,

en changeant celle de la langue, afin d'acquérir une voyelle très claire et très précise.

On trouve la voyelle *eu* fermé, en français, dans des mots tels que :

ceux, *jeu*, *peu*, *peut*, *veux*, *heureux*, *joyeux*, *pieuse*, etc.
sø ʒø pø pø vø ørø ʒwajø pjø:z

Insister sur les mots en *-ieux* [jø] et en *-rieux* [rjø], comme :

mieux, *vieux*, *mystérieux*.
mjø vjø misterjø

En syllabe accentuée, *eu* fermé [ø] est **long** devant [z] et [ʒ]

pieuse, *Maubeuge*.
pjø:z mobø:ʒ

Il est **bref** partout ailleurs.

On pourra prononcer de petites phrases rythmées, telles que :

Heureux' qui,' comme Ulysse...'
ørø ki kɔmylis

Et la nuque' baignant' dans le frais' cresson bleu...'
elanykə bɛɲɑ̃ dɑ̃ləfrɛ krɛsɔ̃blø

Sous la nue,'
sulany

Tête nue...
tɛtəny

Que ces rois de l'azur,' maladroits et honteux...'
kəserwadəlazy:r maladrwazeɔ̃tø

Je hume ici' ma future fumée...'
ʒəymisi mafytyrəfyme

II. — VOYELLES OUVERTES

En français, les voyelles ouvertes sont :

ɔ ɛ œ.

Les deux *a* : [a] et [ɑ], seront étudiés plus loin.

La langue, plus éloignée du palais que pour la voyelle fermée correspondante, laisse un passage plus large pour l'air : de là le nom de voyelles *ouvertes.*

Le *o* ouvert : [ɔ]. — Pour le *o* ouvert, la langue est plus basse, les mâchoires et les dents sont plus écartées que pour le *o* fermé. Les lèvres sont projetées en avant et de forme très arrondie, mais leur ouverture est plus large que pour le *o* fermé. Prononcer devant le miroir, en étudiant le degré d'ouverture, les deux voyelles :

Fig. 10. — Position des lèvres : *o* ouvert [ɔ].

o-ɔ, o-ɔ, o-ɔ,

et quelques mots où elles sont incluses, tels que :

mot, mort	*sot, sort*	*tôt, tort,* etc.
mo mɔ:r	so sɔ:r	to tɔ:r

Chez les Anglo-Saxons, le *o* ouvert n'est jamais bien placé : le point d'articulation est trop bas et la résonance se fait dans la gorge, trop en arrière. Ils durcissent aussi, en général, la mâchoire inférieure en l'avançant, et leur son n'a aucune souplesse.

On veillera particulièrement à la position des lèvres (forme arrondie).

Accentué et suivi de [r], [ʒ] ou [v] final prononcé, *o* ouvert est **long** :

tort,	*toge,*	*love,*
tɔ:r	tɔ:ʒ	lɔ:v

Dans tous les autres cas, il est **bref**. On le trouve dans des mots tels que :

bol, *molle*, *colle*, *botte*, *Paul*, *rosse*, *aurore*, *robe*, *Limoges*, etc.

On prononcera cette voyelle dans des phrases comme :

Murs, villes et ports	my:rˈvilˈepɔ:r
Asile de mort.	azilˈdəmɔ:r
La rumeur approche	larymœraprɔʃ
C'est comme la cloche	sɛkɔməlaklɔʃ
Et je m'en vais	eʒəmɑ̃vɛ
Au vent mauvais	ovɑ̃mɔvɛ
Qui m'emporte	kimɑ̃pɔrt

. . . *le soleil moribond* ˈ *s'endormir sous une arche.*
ləsɔlɛjmɔribɔ̃ sɑ̃dɔrmirsuzynarʃ

Il faudra travailler spécialement les terminaisons en *-or*, *-onne* et *-omme*, qui sont en général mal prononcées par les étrangers. Dans :

sort, *tort*, *corps*, *mort*, etc.,

le *o* ouvert [ɔ], mal situé, est souvent diphtongué; et dans :

il sonne, *personne*, *un somme*, *une pomme*,

le [ɔ], placé devant une consonne nasale, est nasalisé et devient informe. Bien séparer les deux phonèmes :

ɔ-nə, ɔ-nə, ɔ-nə,
ɔ-mə, ɔ-mə, ɔ-mə.

Le *è* ouvert [ɛ]. — Pour le *è* ouvert [ɛ], la langue, plus basse que pour le *é* fermé [e], est placée derrière les dents inférieures. Les dents et les mâchoires sont plus écartées que pour le *é* fermé. Les lèvres, contre les gencives, dans une position naturelle, forment une ouverture ovale horizontalement. Les muscles sont moins tendus que pour le *é* fermé. Les étrangers prononcent souvent le *è* ouvert trop en arrière et trop bas, et confondent fréquemment *é* fermé [e] et *è* ouvert [ɛ] — défaut qui résulte d'une mauvaise position du point d'articulation.

FIG. 11. — Position des lèvres : *è* ouvert [ɛ].

On prononcera à la suite les voyelles :

e - ɛ, e - ɛ, e - ɛ, e - ɛ,

en marquant bien clairement la différence de timbre, et des mots tels que :

les, lais	le, lɛ	*chez, cher*	ʃe, ʃɛ:r
tes, taie	te, tɛ	*épicier, épicière*	episje, episjɛ:r
ré, raie	re, rɛ	*fée, faire*	fe, fɛ:r
mes, mai	me, mɛ	*ses, serre*	se, sɛ:r

è ouvert est long devant [r], [z], [ʒ] ou [v] final prononcé et en syllabe accentuée :

rêve,	*aise,*	*beige,*	*neige,*	*père,*	*mère,*	*taire,* etc.
rɛ:v	ɛ:z	bɛ:ʒ	nɛ:ʒ	pɛ:r	mɛ:r	tɛ:r

Il est **bref** dans tous les autres cas :

laid, *laide*, *belle*, *tête*, *fait*, *mais*, etc.
lɛ lɛd bɛl tɛt fɛ mɛ

Il peut être écrit en français : *ai*, *aî*, *e*, *è*, *ê*, *ei*, *ey*, dans des mots comme :

chaise, *laid*, *laisse*, *faîte*, *messe*, *scène*, *sème*, *bête*, *être*, *hêtre*, *Seine*, *Seyne*, etc.

Souvent, les étrangers — surtout les Germaniques — prononcent un *è* anté-consonantique trop fermé. Les Américains, en général, ont tendance à diphtonguer le [ɛ] quand il est final. Il faut vérifier le mouvement de la mâchoire devant un miroir, pour que la voyelle reste stable et nette.

Devant *n* ou *m* final prononcé, les étrangers font un *è* nasal très disharmonieux. Ils doivent insister alors sur la coupe très nette entre le [ɛ] et la consonne suivante, par exemple dans :

laine, *peine*, *américaine*, *canadienne*,
lɛ-nə pɛ-nə amerikɛ-nə kanadjɛ-nə

qu'ils prononcent un peu comme *in-ne* [ɛ̃-nə], au lieu de *ai-ne* [ɛ-nə].

On pourra situer le timbre du *è* ouvert [ɛ] en s'exerçant à dire convenablement les vers suivants :

Son manteau blanc ' se désagrège '
Sur les routes ' du vieil hiver.

Un chant sur la grève
Par instants s'élève,
Et l'enfant qui rêve
Fait des rêves d'or.

Ô pâle Ophélia, ' belle comme la neige... '

C'est bien la pire peine
De ne savoir pourquoi,
Sans amour et sans haine,
Mon cœur a tant de peine...

Telle au jardin céleste, à l'aurore première,
La jeune Ève, sous les divins gérofliers,
Toute pareille encore aux anges familiers,
De ses yeux innocents répandait la lumière.

Remarque. — Quelle que soit son orthographe, *e* est toujours ouvert en français quand il est placé devant une ou plusieurs consonnes prononcées dans la même syllabe :

être,	*belle,*	*chaise,*	*maître,*	*leste,*
ɛtr	bɛl	ʃɛ:z	mɛtr	lɛst
vert,	*verte,*	*nette,*	*net,*	*mess,*
vɛ:r	vɛrt	nɛt	nɛt	mɛs

et même à l'initiale ou dans l'intérieur d'un mot :

ermite,	*terminer,*	*estimer,*	*testament,*	*espoir.*
ɛr-mit	tɛr-mine	ɛs-time	tɛs-tamɑ̃	ɛs-pwa:r

Le *eu* ouvert : [œ]. — Pour le *eu* ouvert, la langue, placée comme pour le *è* ouvert [ɛ], est derrière les dents inférieures; les mâchoires et les dents sont séparées comme pour le *è* ouvert également. Les muscles sont un peu relâchés. Les lèvres, projetées en avant, ont la même forme arrondie que pour le *o* ouvert [ɔ].

Fig. 12. — Position des lèvres : *eu* ouvert [œ].

Prononcer à la suite, en différenciant bien les sons par la forme des lèvres :

ɛ - œ, ɛ - œ, ɛ - œ,

puis par la place de la langue :

ɔ - œ, ɔ - œ, ɔ - œ.

En syllabe accentuée, *eu* ouvert [œ] est **long** devant [r] ou [v] final prononcé :

peur,	*tuteur,*	*professeur,*	*fleur,*	*veuve,*	*neuve,* etc.
pœ:r	tytœ:r	prɔfɛsœ:r	flœ:r	vœ:v	nœ:v

Il est **bref** dans tous les autres cas :

seul,	*neuf,*	*jeune,*	*peuple,* etc.
sœl	nœf	ʒœn	pœpl

Les étrangers prononcent en général le *eu* ouvert d'une façon trop molle. Ils ne placent pas bien la langue et n'arrondissent pas assez les lèvres. Insister sur le son harmonieux dans :

fleur,	*il a peur,*	*il pleure,*
flœ:r	il a pœ:r	il plœ:r

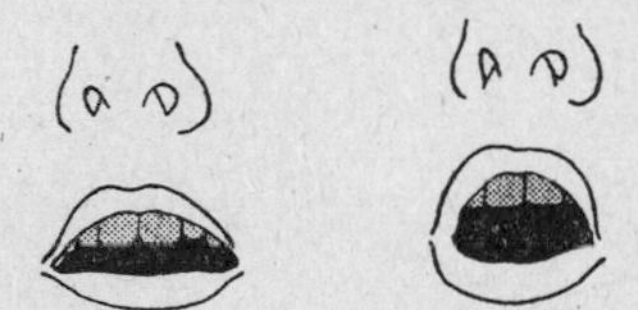

Fig. 13. — Position des lèvres dans l'émission des voyelles : [ɛ] — [œ].

et travailler de courts poèmes comme :

Il pleure dans mon cœur '
Comme il pleut sur la ville ; |
Quelle est cette langueur '
Qui pénètre mon cœur ? ||

Voici l'heure ' où le pré, ' les arbres ' et les fleurs |
Dans l'air dolent et doux ' soupirent leurs odeurs. ||

Voici des fruits, ' des fleurs, ' des feuilles ' et des branches,
Et puis voici mon cœur ' qui ne bat que pour vous. |

Révision. — Après avoir travaillé une à une les voyelles fermées et les voyelles ouvertes, il est excellent de les préciser et de les comparer, afin d'être sûr de leur articulation. On pourra prononcer des mots tels que :

jeu,	*je,*	*jeune,*	*je ne,*	*j'ai,*
ʒø	ʒə	ʒœn	ʒən	ʒe
le,	*les,*	*lait,*	*j'ai,*	*je,*
lə	le	lɛ	ʒe	ʒə
ce,	*ces,*	*ceux,*	*que,*	*qu'est,*
sə	se	sø	kə	kɛ
du,	*de,*	*des,*	*deux,*	
dy	də	de	dø	

ou quelques phrases harmonieuses dans lesquelles on retrouve l'ensemble de ces voyelles :

Un petit roseau m'a suffi '
Pour faire frémir l'herbe haute, |
Et tout le pré, et les doux saules, '
Et le ruisseau qui chante aussi. ||

Écoutez ' la chanson bien douce |
Qui ne pleure ' que pour vous plaire. |
Elle est discrète, ' elle est légère, '
Un frisson d'eau ' sur de la mousse. ||

Le temps ' a laissé son manteau '
De vent, ' de froidure ' et de pluie |
Et s'est vêtu ' de broderie, |
De soleil luisant ' clair et beau. ||

III. — QUELQUES RÈGLES RELATIVES AU TIMBRE DES VOYELLES ORALES

Dans les règles qui suivent, sur le timbre des voyelles, nous avons volontairement simplifié la question. Ce livre s'adresse surtout aux étrangers, et son but est d'ordre *pratique.* Quelques indications indispensables ont été données en ce qui concerne la voyelle accentuée. L'expérience nous a montré que, *pratiquement,* les étrangers font très difficilement la différence entre certaines voyelles ouvertes et les mêmes voyelles fermées. Quelques règles simples les aideront, alors que des explications trop détaillées pourraient leur paraître confuses.

o fermé.

I. En **syllabe accentuée** (finale de mot), on peut distinguer les cas suivants :

1° Final (c'est-à-dire non suivi de consonnes prononcées), *o* est toujours fermé, quelle que soit son orthographe :

do,	*chaud,*	*oh,*	*galop,*	*accroc,*	*faux,*	*mot,*
do	ʃo	o	galo	akro	fo	mo

peau,	*pot,*	*peaux,*	*trop,*	etc.
po	po	po	tro	

2° Suivi de consonnes finales prononcées, *o* est fermé dans les cas suivants :

a) Écrit *ô*, et dans *ose*, *oze*, *oz*, *os* (le *s* ou le *z* prononcé dans ces deux derniers cas):

pôle,	*dôme*,	*apôtre*,	*rose*,	*pose*,	*chose*,
po:l	do:m	apo:tr	ro:z	po:z	ʃo:z

Mermoz,	*Roze*,	*albatros*,	etc.
mɛrmo:z	ro:z	albatro:s	

Exception : on dit *un os* [œ̃nɔs], mais *des os* [dezo].

b) Écrit *au* :

autre,	*épaule*,	*chaude*,	*gauche*;
o:tr	epo:l	ʃo:d	go:ʃ

Font exception les mots dans lesquels *au* est suivi de *r* :

Laure,	*Faure*, etc.,
lɔ:r	fɔ:r

et le mot :

Paul;
pɔl

c) Dans les terminaisons *ome*, *one*, en général :

atome,	*aphone*,	*tome*,	*atone*.
ato:m	afo:n	to:m	ato:n

Quelques exceptions, dont :

économe,	*téléphone*;
ekɔnɔm	telefɔn

d) Dans la terminaison *osse*, et exclusivement dans les mots suivants :

fosse,	*grosse*,	*endosse*,	*adosse*;
fo:s	gro:s	ɑ̃do:s	ado:s

e) Dans quelques mots isolés ne suivant aucune règle :

Vosges, *Saône*.
vo:ʒ so:n

II. **En syllabe inaccentuée**, on a *o* fermé [o], le plus souvent par analogie, dans des mots dérivés :

rose	donne	*rosier*,	rozje
grosse	—	*grossir*, *grossier*,	grosi:r, grosje
autre	—	*autrement*,	otrəmã

Pourtant, on prononce avec *o* ouvert [ɔ] : *hôtel* [ɔtɛl], *côtelette* [kɔtlɛt], et les mots suivants :

mauvais, *sauvage*, *augmenter*, *cauchemar*.
mɔvɛ̃ sɔva:ʒ ɔgmãte kɔʃma:r

é **fermé**.

I. **En syllabe accentuée** (finale de mot), *e* est fermé dans les cas suivants :

1° Écrit *é*, *ée*, *és*, *ées* :

thé, *blé*, *allée*, *restés*, *poupées* ;
te ble ale rɛste pupe

2° Écrit *er*, *ier*, *ers*, *iers* (quand le *r* final n'est pas prononcé) :

aller, *rester*, *boulanger*, *pâtissier*, *menuisiers*, *Poitiers*.
ale rɛste bulãʒe patisje mənyizje pwatje

Cependant, on a un *è* ouvert (*r* étant prononcé) dans :

le tiers,	lətjɛ:r
Thiers,	tjɛ:r
fier (*fière*),	fjɛ:r

3° Écrit *ez* (*z* n'étant pas prononcé) :

nez, *chez*, *allez*, *vous devez;*
ne ʃe ale vudve

4° Écrit *ais*, seulement dans les deux verbes :

je vais, ʒəve
je sais, ʒəse

5° Écrit *ai*, dans les terminaisons verbales :

j'ai, *j'irai*, *j'allai*, *je ferai.*
ʒe ʒire ʒale ʒəfre

Mais on dit le plus souvent, à la forme interrogative :

ferai-je, fərɛ:ʒ
irai-je, irɛ:ʒ

6° Écrit *ai*, dans les deux mots :

gai et *quai*
ge ke

(naturellement aussi dans : *gais*, *gaie*, *gaies* et *quais*) :

7° Dans les mots latins qui sont devenus d'usage courant en français :

fac-simile, *vice versa;*
faksimile visevɛrsa

8° Dans les monosyllabes, le plus souvent :

les, *des*, *ces*, *mes*, *tes*, *ses*, *et*, *eh!*
le de se me te se e e

9° Dans quelques mots isolés :

clef, *clefs*, *pied*, *assied*, *marchepied.*
kle kle pje asje marʃəpje

II. En **syllabe inaccentuée**, on aura *é* fermé [e], généralement écrit *é*, dans des mots comme :

d**é**tester,	d**é**terrer,	**é**ternel,	r**é**veiller,	**é**veil.
detɛste	detere	etɛrnɛl	revɛje	evɛj

Dans des mots tels que :

effet,	efɛ	ou	ɛfɛ,
essai,	esɛ	—	ɛsɛ,

on entendra aussi bien *é* fermé [e] que *è* ouvert [ɛ]; de même dans :

d**e**ssiner,	desine	ou	dɛsine
effacer,	efase	—	ɛfase
examen,	egzamɛ̃	—	ɛgzamɛ̃
d**e**scendre,	desɑ̃:dr	—	dɛsɑ̃:dr

Mais on prononcera toujours *é* fermé dans quelques mots comme :

aigu,	**sai**sir,
egy	sezi:r

pour lesquels joue le phénomène d'harmonisation vocalique (v. p. 71).

eu **fermé.**

I. En **syllabe accentuée** (finale de mot), on peut distinguer les cas suivants :

1° Non suivi de consonnes prononcées, *eu* est toujours fermé :

feu,	*deux*,	*vieux*,	*pneu*,	*heureux*,	*queue*,
fø	dø	vjø	pnø	ørø	kø

banlieue,	*il peut*,	*je veux*,	*des bœufs*,
bɑ̃ljø	ilpø	ʒvø	debø

des œufs ;
dezø

2° Suivi de consonnes finales prononcées, *eu* est fermé :

a) Dans les terminaisons *euse*, *euge*, *eûne*, *eutre*, *eute*, *eudes* :

pieuse,	*Maubeuge*,	*jeûne*,	*neutre*,	*meute*,	*Eudes*;
pjø:z	mobø:ʒ	ʒøn	nøtr	møt	ød

b) Dans la terminaison *eugle*, et exclusivement dans deux mots :

meugle,	*beugle*;
møgl	bøgl

c) Dans la terminaison *eule*, dans deux mots :

meule,	*veule*;
møl	vøl

d) Dans quelques mots isolés (scientifiques ou savants) :

Zeus,	*Pentateuque*,	*Polyeucte*.
zøs	pε̃tatøk	pɔljøkt

II. En **syllabe inaccentuée**, *eu* sera fermé par analogie :

meute	donne	*ameuter*,	amøte
meugle	—	*meugler*,	møgle
neutre	—	*neutraliser*,	nøtralize

et dans quelques mots comme :

Eulalie,	*meunier*,	*jeudi*,	*eucalyptus*,	*euphonie*,
ølali	mønje	ʒødi	økaliptys	øfɔni

ou par harmonisation vocalique, le *eu* accentué ayant une influence sur le *eu* inaccentué :

heureux,	*peureux*,	*malheureux*.
ørø	pørø	malørø

L'harmonisation vocalique. — L'harmonisation vocalique est un phénomène de simplification de la prononciation, qui tend à rapprocher du point de vue du timbre deux voyelles, l'une inaccentuée et l'autre accentuée. La voyelle accentuée, plus forte, influence la voyelle inaccentuée. Cette harmonisation se fait, dans certaines conditions, entre deux *é*, [e] et [ɛ], ou entre deux *eu*, [œ] et [ø], mais ce n'est pas une règle générale.

Il est intéressant de constater qu'elle se produit presque toujours dans des verbes terminés en *-er* et composés de deux syllabes, avec un [e] dans la première, soit à l'infinitif, soit au participe passé, soit à la 2ᵉ personne du pluriel :

aimer,	*aimé,*	*aimez,*	eme
laisser,	*laissé,*	*laissez,*	lese
mêler,	*mêlé,*	*mêlez,*	mele

Mais le premier [ɛ] redeviendra ouvert dans les formes de l'imparfait (où, pourtant, sa prononciation est quelquefois moyenne) :

aimais,	ɛmɛ
laissais,	lɛsɛ
mêlais,	mɛlɛ

L'harmonisation vocalique peut aussi se produire entre le [e] et le [i] :

plaisir,	plezi:r
saisir,	sezi:r

Notons que certains verbes gardent leur premier *e* ouvert :

neiger, nɛʒe *blesser,* blɛse

Texte commenté n° 3.

Extrait de l'*Invitation au voyage*, de Baudelaire.

Des rêves! toujours des rêves! et plus l'âme est ambitieuse et délicate, plus les rêves l'éloignent du possible. Chaque homme porte en lui sa dose d'opium naturel, incessamment sécrétée et renouvelée, et, de la naissance à la mort, combien comptons-nous d'heures remplies par la jouissance positive, par l'action réussie et décidée? Vivrons-nous jamais, passerons-nous jamais dans ce tableau qu'a peint mon esprit, ce tableau qui te ressemble?

Ces trésors, ces meubles, ce luxe, cet ordre, ces parfums, ces fleurs miraculeuses, c'est toi. C'est encore toi, ces grands fleuves et ces canaux tranquilles. Ces énormes navires qu'ils charrient, tout chargés de richesses, et d'où montent les chants monotones de la manœuvre, ce sont mes pensées qui dorment ou qui roulent sur ton sein. Tu les conduis doucement vers la mer qui est l'Infini, tout en réfléchissant les profondeurs du ciel dans la limpidité de ta belle âme; — et quand, fatigués par la houle et gorgés des produits de l'Orient, ils rentrent au port natal, ce sont encore mes pensées enrichies qui reviennent de l'Infini vers toi.

derɛ:v ˈ tuʒurderɛ:v | epłyłɑ:m ˈ ɛtɑ̃bisjøzedełikat ˈ płylere:v ˈ łełwaŋdypɔsibł || ʃakɔm ˈ pɔrtɑ̃łɥi ˈ sadozdɔpjɔmnatyrɛł ˈ ɛ̃sɛsamɑ̃sekreteernuvłe || edłanɛsɑ̃: ˈ sałamɔ:r | kõbjɛ̃ ˈ kõtõnudœ:r ˈ rɑ̃płiparłaʒwisɑ̃:spoziti:v ˈ parłaksjõreysiedeside || vivrõnuʒamɛ | pɑsrõnuʒamɛ ˈ dɑ̃stabło ˈ kapɛ̃mɔnɛspri | sətabłokitrəsɑ̃:bł ||

setrezɔ:r ˈ semœbł ˈ sələyks ˈ sɛtɔrdr ˈ separfœ̃ | seflœrmirakyłø:z ˈ sɛtwa || sɛtɑ̃kɔrtwa ˈ segrɑ̃flœ:v ˈ esekanotrɑ̃kił || sezenɔrmənavi:r ˈ kiłʃari ˈ tuʃarʒedriʃɛs | edumõ:t ˈ łeʃɑ̃mɔnɔtɔndəłamanœ:vr | səsõmepɑ̃se ˈ kidɔrmukiruł ˈ syrtõsɛ̃ || tyłekõdɥidusmɑ̃ ˈ

verlamɛ:r ˈ kiɛlɛ̃fini | tutãrefleʃisãleprɔfõdœrdysjɛl ˈ dãlalɛ̃piditedtabɛla:m || ekã ˈ fatigeparlaul ˈ egɔrʒedeprɔdɥidlɔrjã ˈ ilrãtropɔrnatal | səsõtãkɔrmepãse ˈ ãriʃi ˈ kirvjɛndəlɛ̃fini ˈ vertwa ||

Premier paragraphe. — Ton général placé comme en attente, comme une méditation poétique, une pensée retenue, laissée en suspens : les deux premiers éléments sont sur des plans différents, le premier plus haut que le second, qui n'arrive pourtant pas au ton de la conclusion ; ainsi, on attend l'explication qui va suivre :

┌ *Des rêves!*

└ *toujours des rêves!*

La conclusion, placée plus bas, comporte deux parties très nettes, mais dont l'intonation est faible :

└ *et plus l'âme est ambitieuse et délicate,*

└ *plus les rêves l'éloignent du possible.*

La suite se développe sur un ton légèrement plus haut et avec la mélodie ordinaire de l'affirmation :

Chaque homme porte en lui sa dose d'opium naturel,

incessamment sécrétée et renouvelée...

Par contraste, une question très nuancée — et qui doit rester en suspens — se développe en descente depuis : *et de la naissance à la mort* jusqu'à : *réussie et décidée,* avec mouvement de montée interrogatif sur *combien;* elle est suivie d'une interrogation plus ferme, placée plus bas : *Vivrons-nous jamais*..., avec l'intention de la question sur les deux *jamais*, le second plus bas, et la voix remontant très légèrement sur *te ressemble.*

Deuxième paragraphe. — Une seule pensée : « toi », domine tout ce passage, description énumérative, rapide, ardente, un peu hachée. Dans la première phrase, *c'est toi* porte toute l'émotion et l'admiration contenue. Reprise voulue de cette pensée : *c'est encore toi*, avec insistance sur *encore toi* et allongement de [a] dans *toi;* déroulement très lent de la mélodie sur les deux éléments suivants :

ces grands fleuves
et ces canaux tranquilles,

car l'intensité est tout entière dans *encore toi.*

Reprise plus dense de la même idée, à laquelle s'ajoute le mouvement qui va nous conduire jusqu'à la fin du passage : insistance soutenue sur :

ces énormes navires
chargés de richesses

et légèreté adoucie de mélancolie sur :

et d'où montent les chants monotones...

Le même thème : *c'est toi, c'est encore toi*, revient encore avec : *ce sont mes pensées;* mouvement souligné par les sons dans :

dorment, *roulent.*

La phrase suivante doit être prise plus bas : c'est une conclusion, mais aussi une confidence intime, empreinte de l'idée de la fatalité :

Tu les conduis doucement...

Mouvement lent et très équilibré jusqu'à *ta belle âme*, la voix remontant sur *âme*. Respiration et arrêt très marqués, avant de continuer le développement de la pensée sur le même ton :

V *et quand...* *ils rentrent au port natal;*

souligner *port natal* par une grande douceur de la voix : le havre, le port.

La même image est évoquée une dernière fois :

ce sont encore mes pensées ;

observer un court arrêt sans respiration, puis enchaîner avec le mot *enrichies*, détaché, chaque mot plein de sens étant bien modelé dans :

qui reviennent de l'Infini vers toi.

Dans ce texte, les nuances d'accent et de débit, la voix soutenue et assouplie au maximum, doivent souligner toutes les variations du rêve ou de la pensée :

des rêves,
ce tableau qui te ressemble,
la mer qui est l'Infini,
enrichies.

CHAPITRE IV

LES VOYELLES ORALES (suite) : LE e MUET, LES DEUX *a*

I. — LE e MUET [ə]

Le *e* muet (*e* caduc), qui ne présente pas de difficulté essentielle de prononciation, est pourtant souvent sacrifié ou escamoté par les étrangers.

Cette voyelle neutre, jamais appuyée, très rarement accentuée, ne demande aucun effort. Proche de *eu* ouvert, mais prononcée avec la langue plus plate et les muscles relâchés, et différente quant au timbre, elle exige seulement que les lèvres, projetées en avant, prennent une forme arrondie.

Fig. 14. — Position des lèvres : *e* muet [ə].

Les étrangers omettent souvent d'exécuter ce mouvement; ils prononcent alors un mauvais *e* ouvert [ɛ]; de là vient qu'ils confondent parfois des mots comme :

le,	lə	et	*les*,	le
je,	ʒə	–	*j'ai*,	ʒe
de,	də	–	*des*,	de
te,	tə	–	*tes*,	te

Après avoir bien situé la voyelle, on prononcera quelques monosyllabes comme :

je,	*te*,	*de*,	*ce*,	*se*,	*ne*,	*me*,
ʒə	tə	də	sə	sə	nə	mə

et on placera ces monosyllabes dans des expressions ou des phrases courantes et naturelles :

le lundi,
ce soir,
il te voit,
ne r(e)viens pas d(e)main.

La prononciation du [ə] une fois précisée, on abordera les difficultés psychologiques. Ce [ə] va disparaître complètement dans certains cas, mais demeurer dans d'autres.

Le mot *petite*, par exemple, gardera le *e* de sa première syllabe dans :

une petite, ynpətit,

mais le perdra dans :

la p(e)tite, laptit ;

le mot *fenêtre* présentera la même particularité :

e prononcé dans : *un(e) fenêtre,* ynfənɛtr,
e supprimé dans : *la f(e)nêtre,* lafnɛtr ;

le mot *demain*, prononcé sans *e* dans :

Ne revenez pas d(e)main,

deviendra *demain*, avec *e* prononcé, dans :

Demain, je reviendrai.

Cette conservation ou cette suppression du [ə] ne sont pas de pure fantaisie. Elles sont fondées sur l'usage, mais cet usage lui-même s'est fixé d'après certaines règles qui seront exposées ci-après. Toutefois, ces règles n'expliquent pas tous les cas; c'est en apprenant des phrases courantes par cœur et en essayant de les prononcer avec aisance et naturel, comme un Français, que l'étranger arrivera à de bons résultats. Il devra former son oreille particulièrement pour ce *e* muet, car la suppression du *e* fait disparaître une syllabe, et ainsi le rythme de la phrase est modifié :

je ne peux pas

ʒənpøpa

(phrase de trois syllabes) donne une impression rythmique différente de :

je ne peux pas

ʒənəpøpa

(prononcé avec quatre syllabes, comme dans le midi de la France).

L'étranger, pourtant, devra agir avec mesure, car il est de très mauvais goût de tomber dans une prononciation trop familière ou relâchée tant qu'on ne possède pas une langue à fond. Entendre prononcer : [ʒsepa] *ou* [ʃɛpa] pour : *je ne sais pas* [ʒənsepa], ou bien : [tavy] pour : *tu as vu* [tyavy], par un étranger qui fait en outre de grosses fautes de sens, donne toujours une impression de vulgarité.

Quelques règles de prononciation du *e* muet. — Dans la prononciation courante d'une conversation familière entre gens cultivés, ou dans la lecture d'un texte littéraire, il semble que la prononciation acceptée réponde aux règles suivantes [1] :

1° Le *e* final d'un groupe rythmique n'est jamais prononcé :

Il faut que je part(e),
Des rêv(es), toujours des rêv(es)...
Tu n'as pas vu mon frèr(e)?

Nous ne faisons aucune différence non plus entre *ami* et *ami(e)*, *vu* et *vu(e)*.

---

[1] Il faut se garder de trop généraliser : nombreux sont ceux qui prétendent prononcer le *e* et qui, en réalité, le suppriment !

2° Placé entre deux consonnes, le *e* muet est en général supprimé :

la f(e)nêtre, la p(e)tite, ell(e) parle,
nous v(e)nons, un(e) montre, évén(e)ment.

Exceptions. — On peut prononcer le *e* :

a) Quand il tombe dans la première syllabe du groupe rythmique :

le *lendemain,*
demain, je *pars,*
le *lundi;*

b) Dans certains mots comme :

ceci, celui, cela, dehors;

c) Quand la syllabe contenant le *e* muet reçoit un accent d'insistance :

>
C'est demain ou aujourd'hui?
>
Il faut encore recommencer;

d) Dans les formes du conditionnel :

-e*rions*, -e*r ez,*

et les mots terminés en *-elier*, comme :

atelier, chandelier;

e) En général, devant le mot *rien :*

Je ne demande rien.

On remarquera que [ə] est toujours prononcé dans un monosyllabe placé devant *h* aspiré :

le *héros,* ce *hêtre.*

3° Quand on a un ensemble de trois consonnes entre lesquelles est placé un *e* muet, en principe celui-ci est conservé :

*il m*e *l'a dit,*	*la vast*e *maison,*
*appart*e*ment,*	*avec l*e *livre,*
*autr*e*ment,*	*pour l*e *temps,*
*libr*e*ment,*	*sur l*e *mur.*
*l'autr*e *jour,*	*just*e*ment.*

Deux cas méritent une mention spéciale :

a) Nous avons en français certaines consonnes qui se prononcent d'une seule émission de voix; elles forment des *groupes inséparables*, tels que :

bl, *br*, *cl*, *cr*, *dr*, *fl*, *fr*, etc.,

et :

ks, *sk*, *ps*, *sp*, etc.

Ces groupes nous permettent plus de souplesse dans la prononciation du *e* muet. Par exemple, si le *e* précédé d'une consonne est suivi d'un de ces groupes, il arrive fréquemment qu'il tombe complètement :

Elle a d(e) plus grands yeux,
Donne-lui c(e) travail,
J'en ai aussi d(e) très grands,
Je les ai r(e)pris,
Elle a mangé l(e) gros morceau;

b) Quand un *e* muet [ə] final, précédé de deux consonnes, est suivi d'un mot commençant par une consonne, comme dans :

l'autre jour, *votre maison,* *notre mère,*

on prononce ce *e* :

*autr*e, *votr*e, *notr*e.

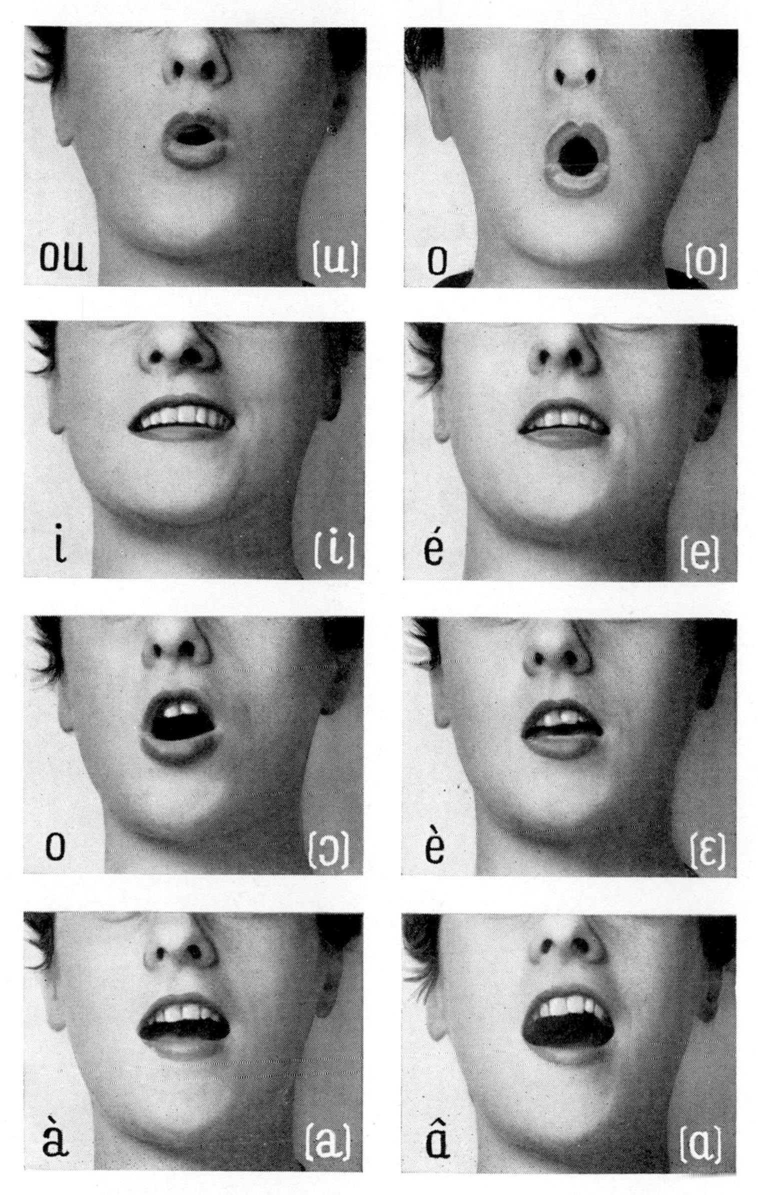

Position des lèvres dans l'émission des voyelles françaises.

Si l'on supprime ce *e* (ce qui est courant dans le langage familier, même dans un milieu cultivé), la consonne liquide tombe, et l'on a :

l'aut'jour, *vot'maison,* *not'mère,*

prononciation fréquente, que l'on doit signaler, mais que l'on ne saurait conseiller. Dès que la conversation devient plus lente, ou lorsqu'elle prend un caractère littéraire, les trois consonnes sont prononcées et le *e* est conservé de façon très nette.

Dans des groupes de mots comme :

la porte verte, *la vaste cour,*

le *e* peut être supprimé dans la conversation familière. Si la clarté du sens le demande, il doit être rétabli.

4° Dans une suite de monosyllabes avec *e* (*ce, de, je, le, me, ne, que, te*), par exemple dans la phrase :

parc(e) que je n(e) te l(e) red(e)mand(e)rai pas,

le principe serait de prononcer un *e* sur deux, à savoir : prononcer le premier, supprimer le deuxième, garder le troisième, etc., mais l'usage a consacré la prononciation de certains groupes que nous rencontrons couramment dans le langage. Ces groupes, qu'on appelle *groupes figés*, sont presque toujours prononcés de la même manière (il arrive pourtant qu'on les entende de temps en temps prononcés différemment) :

je me	se prononce en général	ʒəm
je ne	—	ʒən
je te	—	ʒtə
ce que	—	skə
parce que	—	parskə

On aura donc des phrases telles que les suivantes :

Je ne pense pas que ce que nous ferons vous intéresse.
ʒənpɑ̃spa ˈ kəskənufrɔ̃ ˈ vuzɛ̃terɛs
Je te reverrai demain avant le retour de Rose.
ʒtərveredmɛ̃ ˈ avɑ̃lrəturdəro:z
Je me suis souvent demandé si...
ʒəmsuisuvɑ̃dmɑ̃de ˈ si
C'est une question que je me pose.
sɛtynkɛstjɔ̃ ˈ kʒəmpo:z (ou : kəʒməpo:z)

On pourra tout de suite travailler cette prononciation du *e* dans certains textes :

Tu n'imagin(es) pas, Nathanaël, c(e) que *peut* de*v(e)nir enfin cet abreuv(e)ment d(e) lumièr(e); et la sensuell(e) extas(e)* que *donn(e) cett(e) persistant(e) chaleur... Un(e) branch(e) d'olivier dans l(e) ciel;* le *ciel au-d(e)ssus des collin(es); un chant d(e) flût(e) à la port(e) d'un café.*

(André Gide.)

*Une bell(e) têt(e) d'homm(e)... contiendra aussi quelq*ue *chos(e) d'ardent et d(e) trist(e), des* be*soins spirituels, des ambitions ténébreu-s(e)ment* re*foulées, l'idée d'un(e) puissanc(e) grondant(e) et sans emploi, quelq*ue*fois l'idée d'un(e) insensibilité veng(e)ress(e)...* le *mystèr(e), et enfin [pour* que *j'aie l(e) courag(e) d'avouer jusqu'à quel point* je *m(e) sens modern(e) en esthétiqu(e)]* le *malheur.*

(Baudelaire.)

II. — LES DEUX *a*

Il existe en français plusieurs timbres de *a*. On en retiendra deux dans l'enseignement aux étrangers : *a* antérieur [a] et *a* postérieur [ɑ].

La différence entre le *a* antérieur et le *a* postérieur semble tout d'abord inexistante pour les étrangers. Il faut exagérer légèment le timbre de ces deux voyelles pour qu'ils arrivent à la saisir. C'est en prononçant devant eux des mots comme :

[a]		[*a*]	
papa,	papa	*pâle*,	p*a*:l
bal,	bal	*Bâle*,	b*a*:l
ta,	ta	*tas*,	t*a*

qu'on parviendra à leur faire percevoir la différence entre les deux sons, mais leur oreille ne se formera que très lentement. On devra leur indiquer, d'ailleurs, les diverses prononciations de ces *a* suivant les régions : par exemple, *passe*, prononcé [p*a*s] à Paris, devient [pas] au sud de la Loire.

La prononciation à la suite des voyelles *antérieures* : [i], [e], [ɛ], [a], montrera le degré d'ouverture de plus en plus large de la bouche et permettra de vérifier que la langue, pour toutes ces voyelles, se trouve derrière les dents inférieures :

lit,	*les*,	*lait*,	*là*.
li	le	lɛ	la

Le même exercice, effectué avec les voyelles *postérieures* : [u], [o], [ɔ], [*a*], en passant de *ou* à *o* fermé, puis à *o* ouvert et à *a* postérieur, permettra de constater que la langue s'abaisse de plus en plus dans la partie postérieure de la bouche; ces démonstrations un peu schématisées aideront l'élève à situer mieux ces deux *a* par rapport aux voyelles déjà étudiées :

loup,	*l'eau*,	*l'or*,	*lasse*.
lu	lo	lɔ:r	l*a*:s

Le *a* antérieur : [a]. — Le *a* antérieur se prononce avec la langue plate et peu tendue. La pointe, derrière les dents inférieures, touche les alvéoles; les lèvres sont placées contre les gencives, et la bouche, vue de face, a une forme légèrement ovale.

Fig. 15. — Position des lèvres : *a* antérieur [a].

Après avoir prononcé quelques mots contenant des *a* antérieurs, tels que :

ma, ta, sa, papa, là,
tard, car, bal, sale, cave, chasse,
malle, il va, il sera,

on pourra tout de suite travailler ce *a* dans quelques phrases :

Là, tout n'est qu'ordre et beauté,
Luxe, calme et volupté.

La splendeur orientale,
Sa douce langue natale...

Mais déjà, les enfants s'échappent vers la plage.

Hélas, vous m'avez fait sage parmi les sages...

Accentué, le *a* antérieur est **long** devant [r], [ʒ] ou [v] final prononcé :

il est rare,	ilɛra:r	*elle est sage,*	ɛlɛsa:ʒ
dans la cave,	dãlaka:v	*la page,*	lapa:ʒ

Le *a* postérieur : [ɑ]. — Le *a* postérieur, plus ouvert que le *a* antérieur, se prononce avec les lèvres légèrement arrondies. La langue repose sur le plancher de la bouche et est légèrement soulevée en arrière. Ce son est plus grave, plus profond que les autres sons du français. Les Germaniques font en général un [*a*] qui n'est pas assez postérieur, et perçoivent mal la différence entre les deux *a*.

On trouve le *a* postérieur dans des mots comme :

base, passe, passion,
b*a*:z p*a*:s p*a*sjõ

âtre, pâle, mâle, glabre.
*a*t:r p*a*:l m*a*:l gl*a*:br

Fig. 16. — Position des lèvres : *a* postérieur [*a*].

Il est long devant toute consonne finale prononcée quand il est accentué :

j'ai vu un pâtre, *elle passe,* *elle est pâle.*
ʒevyœp*a*:tr ɛlp*a*:s ɛlɛp*a*:l

Dans les autres cas, il est **bref.**

Pour ce son encore, on travaillera de courtes phrases rythmées :

Ō pâle Ophéliā...

Elle brāme
Comme une āme...

Les extāses de toutes les āmes qui ont vécū.

La prononciation du *a* postérieur, si elle est nettement fixée dans certains cas, a souvent donné lieu à des controverses. Les règles que nous indiquons ci-après sont fondées sur la prononciation généralement acceptée à Paris, dans un milieu cultivé, mais nous avons essayé de nous limiter aux cas les plus tranchés et ne donnons ces indications qu'avec une certaine réserve.

Il faut distinguer deux graphies possibles pour le [*a*] : *a* et *oi*.

Graphie *a*. — 1° En *syllabe accentuée*, on a un *a* postérieur :

a) Dans les terminaisons *-abre*, *-adre*, *-afle*, *-afre*, *-affre*, *-ase*, *-aze*, *-az*, *-avre* :

macabre, *ladre*, *balafre*, *base*, *gaz*, etc. ;

b) Dans la terminaison *-as* :

bas, *tas*, *repas*, *lilas*, *compas*, etc.

Exceptions : *bras*, *chas*, *matelas*, *embarras*, *cadenas*, et les formes verbales : *tu as*, *tu vas*, *tu iras*, etc. ;

c) Dans les terminaisons *-acle*, *-ace*, *-asse*, *-aille* (en général) :

oracle, *délace*, *passe*, *paille*, etc.

Exceptions : *chasse*, *masse*, *place*, etc. ;

d) Dans la terminaison *-able*, exclusivement dans les mots :

sable, *diable*, *ensable*, *accable*, *érable*, *fable*;

e) Dans les mots où *â* est suivi de consonnes, prononcées ou non :

mât, *bât*, *pâle*, *âtre*, etc.

Exceptions : les terminaisons verbales *-âmes*, *-âtes*, *-ât*;

f) Dans quelques mots d'orthographe variée :

ah, *bah*, *chocolat*, *la*, *fa*, *Anne*, *damne*, *Pilate*, *gars*, *lacs*, *gare*, *climat*, *gagne*, *Jeanne*, *Jacques*, *déclame*, *proclame*, *dérape*, etc.

2° En *syllabe inaccentuée*, on a un *a* postérieur :

a) Par analogie, dans des mots tels que :

baser	dont la prononciation dérive de	*base*,
passer	—	*passe*,
accabler	—	*accable*,
diablement	—	*diable*, etc. ;

b) En général, dans les mots comportant un *â* :

château, *gâteau*, etc.;

c) Dans les terminaisons *-assion*, *-azon*, *-ason* :

passion, *gazon*, *blason*.

Exception : *diapason*.

Graphie *oi*. — 1° En *syllabe accentuée*, on a un *a* postérieur :

a) Lorsque *oi* est précédé de *r* :

roi, *droit*, *croix*, *froid*, *proie*, etc.

Exception : *-roi* suivi de *t* ou de *s* prononcé (*droite*, *paroisse*);

b) Lorsque *oi* n'est pas précédé de *r*, exclusivement dans les terminaisons :

-oi,	dans	*foi*, *loi*, *tournoi*, *aloi*, *aboi*, *émoi*, *Éloi*;
-oie,	—	*oie*, *joie*, *emploie*, *soie*;
-ois,	—	*mois*, *bois*, *pois*, *courtois*, *bourgeois*;
-oit,	—	*toit*, *avant-toit*;
-oix,	—	*choix*, *noix*, *poix*;
-oids,	—	*poids*, *contrepoids*.

2° En *syllabe inaccentuée*, on a un *a* postérieur par analogie, dans des mots tels que :

boiser	dérivé de	*bois*,
bourgeoisement	—	*bourgeois*,
choisir	—	*choix*.

Texte commenté n° 4.

Extrait des *Nourritures terrestres*, d'André Gide.

Tu n'imagines pas, Nathanaël, ce que peut devenir enfin cet abreuvement de lumière; et la sensuelle extase que donne cette persistante chaleur... Une branche d'olivier dans le ciel; le ciel au-dessus des collines :

un chant de flûte à la porte d'un café... Alger semblait si chaude et pleine de fêtes que j'ai voulu la quitter pour trois jours; mais à Blidah, où je me réfugiais, j'ai trouvé les orangers en fleurs...

Je sors dès le matin, je me promène, je ne regarde rien et vois tout...

...Il me semble alors à chaque instant nouveau n'avoir encore rien vu, rien goûté. Je m'éperds dans une désordonnée poursuite de choses fuyantes. Je courus hier au haut des collines qui dominent Blidah, pour voir un peu plus longtemps le soleil; pour voir se coucher le soleil et les nuages ardents colorer les terrasses blanches. Je surprends l'ombre et le silence sous les arbres; je rôde dans la clarté de la lune; j'ai la sensation souvent de nager, tant l'air lumineux et chaud m'enveloppe et mollement me soulève.

...Je crois que la route que je suis est ma route et que je la suis comme il faut.

tynimaʒinpɑ ' natanaɛl ' səkəpødəv(ə)nirɑ̃fɛ̃ ' sɛtabrœvmɑ̃dlymjɛ:r '
elasɑ̃sɥɛlɛkstɑ:z ' kədɔnsɛtpɛrsistɑ̃tʃalœ:r | ynbrɑ̃ʃdɔlivjedɑ̃lsjɛl '
ləsjɛlodsydekɔlin ' œ̃ʃɑ̃dflytalapɔrtdœ̃kafe || alʒe '
sɑ̃blɛsiʃodeplɛndəʃɛt ' kəʒevulylakitepurtrwɑʒu:r | mɛablida '
uʒəmrefyʒjɛ ' ʒetruvelezɔrɑ̃ʒeɑ̃flœ:r ||

ʒəsɔrdɛlmatɛ̃ ' ʒəmprɔmɛn ' ʒənrəgardərjɛ̃ ' evwatu ||

ilməsɑ̃blalɔ:r ' aʃakɛ̃stɑ̃nuvo ' navwarɑ̃kɔrrjɛ̃vy ' rjɛ̃gute || ʒəmepɛ:r '
dɑ̃zyndezɔrdɔnepursɥit ' dəʃozfɥijɑ̃:t || ʒəkuryjɛ:r ' oodekɔlin '
kidɔminblida ' purvwarœ̃pøplylɔ̃tɑ̃lsɔlɛj | purvwarsəkuʃelsɔlɛj '
elenɥaʒardɑ̃ ' kɔlɔreleterasblɑ̃:ʃ || ʒəsyrprɑ̃lɔ̃brelsilɑ̃:s ' sulezarbr '
ʒəroddɑ̃laklartedlalyn | ʒelasɑ̃sɑsjɔ̃ ' suvɑ̃ ' dənaʒe ' tɑ̃lɛrlyminøeʃo '
mɑ̃vlɔp ' emɔlmɑ̃məsulɛ:v ||

ʒəkrwɑ ' kəlarutkeʒəsɥi ' ɛmarut | ekəʒlasɥikɔmilfo ||

Premier paragraphe. — Groupes rythmiques bien découpés. La première phrase comporte deux points hauts :

lumière et *chaleur*,

sur lesquels la voix doit remonter. Les trois derniers éléments, traités comme les éléments d'une énumération, peuvent être placés sur des plans de plus en plus bas et dits avec une intonation peu marquée :

Une branche d'olivier dans le ciel;

le ciel au-dessus des collines;

un chant de flûte à la porte d'un café...

La voix sera laissée en suspens sur *café*, la pensée n'étant pas achevée.

La seconde phrase : *Alger... fleurs*, bien découpée du point de vue rythmique, sera dite sur un ton différent de ce qui précède : partie montante et partie descendante composées chacune de deux groupes; un léger accent placé sur *Alger*, le sujet devant être mis en relief :

Partie montante :

Alger semblait si chaude et pleine de fêtes

que j'ai voulu la quitter pour trois jours;

Partie descendante :

mais à Blidah, où je me réfugiais,

j'ai trouvé les orangers en fleurs...

La phrase suivante, divisée en groupes d'égale importance, apparaît comme l'aboutissement des précédentes et doit y être étroitement rattachée : ton plus bas, chaque groupe étant placé sur un plan légèrement décalé :

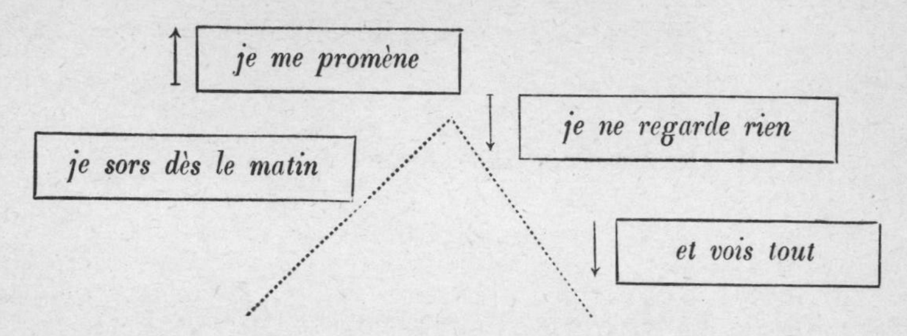

Deuxième paragraphe. — Sur un rythme vif, la pensée de l'auteur prenant un tour plus personnel et plus intime. Débutant assez haut : ⌈ *Il me semble alors*..., la première phrase retombe ensuite jusqu'à *rien goûté*. Plus bas : ⌊ *Je m'éperds ... fuyantes.* Remontée sur le début de la phrase suivante, qui est longue et doit être dite sur un ton moyen.

A partir de : *Je surprends l'ombre et le silence*..., et jusqu'à la fin, travailler par plans. La dernière phrase : ⌊ *Je crois que la route que je suis est... comme il faut*, doit être nettement plus basse, ayant le sens d'une conclusion ; le dernier élément sera très détaché : *et que je la suis comme il faut.*

La répartition des groupes rythmiques, très logique, est facile à suivre et permettra de travailler la régularité des syllabes en les détachant bien et en mettant en valeur la syllabe accentuée, plus longue et plus haute :

Tu n'imagines pās, '
Nathanaēl... '

Je sors dès le matīn, '
je me promēne, '
je ne regarde rīen... '

Je surprends l'ombre et le silence ' sous les arbres;'
je rôde dans la clarté de la lune...'

Les groupes, courts ou longs, soulignent tous, par leur cadence, le mouvement de la pensée ou de la rêverie de l'auteur.

On étudiera aussi les sons très clairs de :

imagines	i	a	i			
devenir	ə	ə	i			
abreuvement	a	œ	ɑ̃			
un chant de flûte	œ̃	ɑ̃	y			
la porte d'un café	a	ɔ	œ̃	a	e	
les orangers en fleurs	e	ɔ	ɑ̃	e	ɑ̃	œ

et la liaison de syllabe à syllabe, ainsi que l'agilité de l'articulation, surtout dans la phrase : *Je courus hier ... terrasses blanches*, qu'on aura avantage à apprendre par cœur en travaillant le mouvement rapide de la langue et en maintenant le rythme.

CHAPITRE V

LES VOYELLES NASALES

Généralités. — En dehors des consonnes nasales : [m], [n], [ŋ], qui sont étudiées plus loin, nous possédons en français quatre voyelles à résonance nasale : *an*, *on*, *in*, *un*, qui, en raison de leurs caractères très particuliers, présentent pour les étrangers de grandes difficultés de prononciation.

Ces voyelles, dites *nasales*, correspondent à certaines des voyelles orales ordinaires que nous avons déjà étudiées :

an	c'est *a*	postérieur nasalisé	:	[ã],
on	— *o*	fermé nasalisé	:	[õ],
in	— *è*	ouvert nasalisé	:	[ɛ̃],
un	— *eu*	ouvert nasalisé	:	[œ̃].

Pendant la prononciation d'une voyelle ordinaire, le voile du palais est relevé et ferme entièrement l'ouverture des fosses nasales. Au contraire, pendant la prononciation de la voyelle nasale correspondante, le voile du palais est abaissé et laisse libre l'ouverture des fosses nasales. Ainsi, l'air passe en partie par le nez et en partie par la bouche — en partie seulement, car il ne faut pas oublier que ces voyelles ne sont que partiellement nasales.

Il est difficile de faire comprendre à un étranger que ces voyelles nasales [ã, õ, ɛ̃, œ̃] ne sont que des voyelles. Le *n* ou le *m* qui accompagne la voyelle comme signe orthographique ne représente rien en phonétique. Le *an* [ã] est un *a* postérieur avec des vibrations nasales, et il ne doit y avoir, après cette voyelle, aucune trace de *n* ou de *m*. Pourtant, l'étranger a tendance à prononcer en finale de mot un son correspondant à peu près :

Pour	*an* [ã],	à	ã^{n}g;
—	*on* [õ],	—	õ^{n}g;
—	*in* [ɛ̃],	—	ɛ̃^{n}g;
—	*un* [œ̃],	—	œ̃^{n}g.

A l'intérieur du mot, il prolonge exagérément sa voyelle nasale, accompagnée de cette consonne (*m* ou *n*) mal formée, et ne détermine pas bien ses syllabes (coupe de syllabe mal tranchée) :

Pour	*tomber,*	tõbe,	il prononce	tõ^{mb}be,
—	*rompu,*	rõpy,	—	rõ^{mp}py,
—	*tampon,*	tãpõ,	—	tã^{mp}põ.

Attaque de la voyelle nasale. — Souvent, l'élève croit bien faire en attaquant durement les voyelles nasales. Cette attaque de la gorge, très dure, correspond à un mouvement de montée et de descente de la mâchoire inférieure et produit une sorte de diphtongue peu gracieuse. Au contraire, le son de la voyelle nasale doit rester clair et pur, comme d'ailleurs celui de toute autre voyelle française; l'étranger aura donc intérêt à travailler particulièrement ses attaques, en les prenant sur une respiration très régulière et aisée, et en s'assurant que ses organes occupent la position convenable. Il devra d'abord fixer chaque son dans son oreille par des exercices de répétition, puis le reproduire en attaquant doucement et en maintenant le son très uniforme.

Conseils pratiques :

Ouvrir la bouche très grande pour *an* [ã];
Bien projeter les lèvres pour *on* [õ] et pour *un* [œ̃];
Veiller à la position des lèvres (forme ovale) pour *in* [ɛ̃]; ne pas en faire un son trop nasal, trop tendu;
Pour les quatre voyelles, attaques très douces.

La voyelle *an* : [*ã*]. — La position des organes est la même que pour le *a* postérieur : la langue, reposant sur le plancher de la bouche, est légèrement gonflée dans sa partie postérieure, mais le passage reste large entre le palais et la langue. La bouche est très ouverte; le voile du palais s'abaisse pour laisser passer l'air en partie par le nez. Les lèvres ont aussi la même position que pour le *a* postérieur.

Fig. 17. — Position des lèvres : la voyelle *an* [*ã*].

Pour le *an* [*ã*] initial, l'attaque est en général trop dure, et pour le *an* final on entend souvent *ang* au lieu de [*ã*]. Pour le mot *enfant* [*ãfã*], on entend approximativement *ang-fang*, et l'on constate un mouvement de montée et de descente de la mâchoire.

L'orthographe de cette voyelle est variée : *an*, *en*, *am*, *em*, *ans*, *ant*, *and*, *end*, *ent*, *aon*, *anc*, etc. :

en allant, *rendant*, *rampant*, *tempe*, *dans*, *tant*, *grand*,
serpent, *pend*, *paon*, *banc*.

Cette voyelle est **longue** quand elle est accentuée et suivie d'une consonne finale prononcée :

elle est blanche;	*elle est grande;*	*dans la lande.*
ɛlɛblã:ʃ	ɛlɛgrã:d	dãlalã:d

Pour situer le son et le fixer, on pourra répéter des participes présents tels que :

entendant,	*chantant*,	*pendant*,	*tendant*,	*rendant*,
ãtãdã	ʃãtã	pãdã	tãdã	rãdã

en entendant,	*en rendant*,	*en dansant*,
ãnãtãdã	ãrãdã	ãdãsã

et des mots comme :

banc,	*sang,*	*rang,*	*tant,*	*temps,*	*blanche,*	*tante.*
bã	sã	rã	tã	tã	blã:ʃ	tã:t

On travaillera aussi sur des phrases rythmées, par exemple sur les vers suivants, pris chez Verlaine et chez Baudelaire :

Tout suffocant
Et blême quand
Sonne l'heure.

Des meubles luisants,
Polis par les ans,
Décoreraient notre chambre.

Entends, ma chère, entends la douce nuit qui marche. . .,

et sur des phrases présentant des contrastes de voyelles, comme chez Valéry :

Et le ciel chante à l'âme consumée
Le changement des rives en rumeur. . .

ou chez Gide :

J'ai vu la plaine, pendant l'été, attendre, attendre un peu de pluie. . .

La voyelle *on* : [õ]. — La position des organes, pour cette voyelle, peut être, suivant les individus, la même que pour *o* fermé ou que pour *o* ouvert; les lèvres, en général, sont placées de la même façon que pour *o* fermé [o]. Le voile du palais s'abaisse et l'air passe en partie par le nez. Les fautes de prononciation sont, comme pour *an* : l'attaque

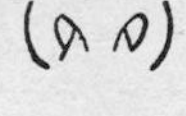

Fig. 18. — Position des lèvres : la voyelle *on* [õ].

trop dure et l'addition d'une consonne après la voyelle finale :

montons,	mõtõ,	devient	mõⁿtõⁿᵍ,
bon,	bõ,	—	bõⁿᵍ.

Les étrangers confondent souvent *an* et *on*. Ils devront vérifier devant un miroir la différence de forme des lèvres :

très ouvertes pour *an* [ã]
et arrondies pour *on* [õ]

et répéter, en insistant sur la *résonance*, des mots comme :

[ã]	[õ]	[ã] [ã]	[ã] [õ]
banc,	*bon*,	*chantant*,	*chantons*;
bã	bõ	ʃãtã	ʃãtõ
sans,	*son*,	*rendant*,	*rendons*;
sã	sõ	rãdã	rãdõ
Jean,	*jonc*,	*pensant*,	*pensons*;
ʒã	ʒõ	pãsã	pãsõ
rang,	*rond*,	*fendant*,	*fendons*;
rã	rõ	fãdã	fãdõ
dans,	*don*,	*dansant*,	*dansons*.
dã	dõ	dãsã	dãsõ

En syllabe accentuée, le *on* est long devant toute consonne finale prononcée :

elle est blōnde,	*mon ōncle*,	*pierre pōnce*.
ɛlɛblõ:d	mɔnõ:kl	pjɛrpõ:s

Les étrangers devront insister sur la différence de prononciation entre les finales *-on* et *-onne*, qu'ils ont souvent tendance à confondre à cause de leur prononciation défectueuse de la nasale (*bon*, *son*, *ton* : la syllabe se terminant sur une voyelle, la bouche reste ouverte) :

bon,	*bonne;*	*son,*	*sonne;*	*ton,*	*tonne.*
bõ	bɔn	sõ	sɔn	tõ	tɔn

On travaillera de petites phrases rythmées ou des poèmes :

*Leur essaim gr***onde**
*Ainsi prof***onde**
Murmure une **onde**
Qu'on ne voit pas.

Les sanglots **longs**
*Des viol***ons**
De l'automne . . .

des expressions courantes :

allons, bon, pardon, voyons, allons donc,

et des phrases où la voyelle *on* est en contraste avec des voyelles plus claires :

*. . . l'***om***bre* **ron***de que les pommiers* **f***on***t** *sur la terre* **en***sol***ei***ll***ée.**

la lune, toute **ron***de et couleur de p***ou***rpre . . .*

*au f***on***d de la* **p***rairie . . .*

. . . d'où **r**u**iss**el*aient, tout le* **l**on**g**, *des* **g**ou*ttes de diam***an***t* **en** *f***u***si***on**.

Les *riches plaf***on***ds,*
Les *miroirs prof***on***ds,*
*La spl***en***deur orientale . . .*

La voyelle *in* : [ɛ̃]. — La position des organes est la même que pour le *è* ouvert [ɛ] : la langue placée derrière les dents inférieures; les lèvres ayant une forme ovale dans le sens horizontal, mais étant largement ouvertes. Les muscles sont relâchés. Le voile du palais s'abaisse et l'air passe par le nez et par la bouche.

On constate que ce son est souvent fermé, tendu et trop nasal. Il faut le prononcer avec souplesse. On évitera, comme pour *an* et pour *on*, d'attaquer durement, ou de former une diphtongue et de prononcer *ing* au lieu de *in*. Comme pour les autres voyelles nasales, il faut fixer le son dans l'oreille, le situer et le stabiliser en maintenant la mâchoire inférieure immobile.

FIG. 19. — Position des lèvres : la voyelle *in* [ɛ̃].

Cette voyelle, en français, peut être écrite : *in*, *im*, *ain*, *aim*, *ein*, *en*, ou *ym*; on la trouve dans des mots comme :

matin, *fin*, *importe*, *bain*, *faim*, *feint*, *rein*, *peint*, *bien*, *examen*, *lien*, *mien*, *moyen*, *thym*, etc.

Elle est **longue**, en syllabe accentuée, devant toute consonne finale prononcée :

le timbre, *le peintre*, *feindre*, *plainte.*
lətɛ̃:br lәpɛ̃:tr fɛ̃:dr plɛ̃:t

On fera de nombreux exercices avec des mots comportant les finales : *-ain*, *-aine;* par exemple :

américain, *américaine;* *sain*, *saine;* *sien*, *sienne;*
amerikɛ̃ ameriken sɛ̃ sɛn sjɛ̃ sjɛn

Les Américains ne précisent pas assez ces finales et, prolongeant inutilement leur *in* par un *n* et un *g*, ils confondent *-ain* et *-aine*. Ils auront intérêt à prononcer d'abord :

ain [ɛ̃], *ain* [ɛ̃],

en prolongeant le son [ɛ̃] de façon régulière; puis : *aine* (*ène*), en détachant le *è* ouvert et le *n*, très nettement :

è - ne, *è - ne*, *è - ne.*
ɛ - nə ɛ - nə ɛ - nə

Travailler les vers suivants en insistant sur les nasales :

C'est la plainte,
Presque éteinte,
D'une sainte,
Pour un mort.

Telle au jardin céleste...
La jeune Ève, sous les divins gérofliers...
Loin des sentiers charmants...
Et loin du ciel natal...

Dans cette seconde série, on insistera sur les contrastes entre voyelles :

Le frais matin dorait de sa clarté première...

Ainsi, toujours poussés vers de nouveaux rivages...

Couronnés de thym et de marjolaine...

Et des esclaves nus, tout imprégnés d'odeurs...

Enfin, on achèvera par ces quelques phrases — vers et prose — contenant différentes nasales :

Fuyons sous la spirale
De l'escalier profond.
Déjà s'éteint ma lampe,
Et l'ombre de la rampe,
Qui le long du mur rampe,
Monte jusqu'au plafond.

... le soleil moribond
s'endormir sous une arche
et, comme un long linceul
traînant à l'Orient...

...les soleils couchants, qui colorent si richement la salle à manger ou le salon, sont tamisés par de belles étoffes, ou par ces hautes fenêtres ouvragées que le plomb divise en nombreux compartiments.

... ce sont mes pensées qui dorment ou qui roulent sur ton sein...

La voyelle *un* : [œ̃]. — Cette voyelle, prononcée comme *eu* ouvert [œ], mais avec le voile du palais abaissé, est particulièrement délicate à situer. A vrai dire, comme *eu* ouvert ou *e* muet, elle ne présente pas une grande difficulté en elle-même (voyelle peu tendue : lèvres ouvertes et arrondies; langue, comme pour *e* ouvert et *eu* ouvert, derrière les dents inférieures); pourtant, le son [œ] restant souvent défectueux, il faudra s'exercer à le situer, en répétant, avec les lèvres souples et arrondies (éviter les attaques dures) :

Fig. 20. — Position des lèvres : la voyelle *un* [œ̃].

eu - un, eu - un, eu - un.
œ - œ̃ œ - œ̃ œ - œ̃

Le son doit être placé *en avant*, souple et musical, et ne présenter aucune résonance défectueuse.

L'article indéfini masculin, étant inaccentué, est en général sacrifié, ce qui entraîne les étrangers à confondre *un* et *une*. Il importe cependant de bien distinguer les deux sons :

un - une, un - une, un - une,
œ̃ - yn œ̃ - yn œ̃ - yn

devant une voyelle surtout :

un ami, une amie; un élève, une élève,
œ̃nami ynami œ̃nelɛ:v ynelɛ:v

puis en syllabe accentuée :

*quelqu'*un, *chac*un, *les* un*s*, *quelques-*un*s*, un *à* un,
*les parf*um*s*, *Mel*un, *Verd*un, *il est br*un,

et dans des phrases courantes :

j'en veux un, *vingt et* un, *en 1951*, *l'*un *ou l'autre.*

En syllabe accentuée, [œ̃] est **long** devant toute consonne finale prononcée :

humble, *défunte.*
œ̃:bl defœ̃:t

Révision. — Parvenu maintenant à la fin de l'étude détaillée des voyelles, on pourra travailler quelques passages contenant un ensemble de voyelles très variées. On développera l'agilité de la langue et la mobilité des lèvres en révisant les différents points d'articulation; passant d'une voyelle *ouverte* à une voyelle *fermée*, d'une voyelle *nasale* à une voyelle *claire*, on travaillera les timbres et les résonances, par exemple dans les phrases :

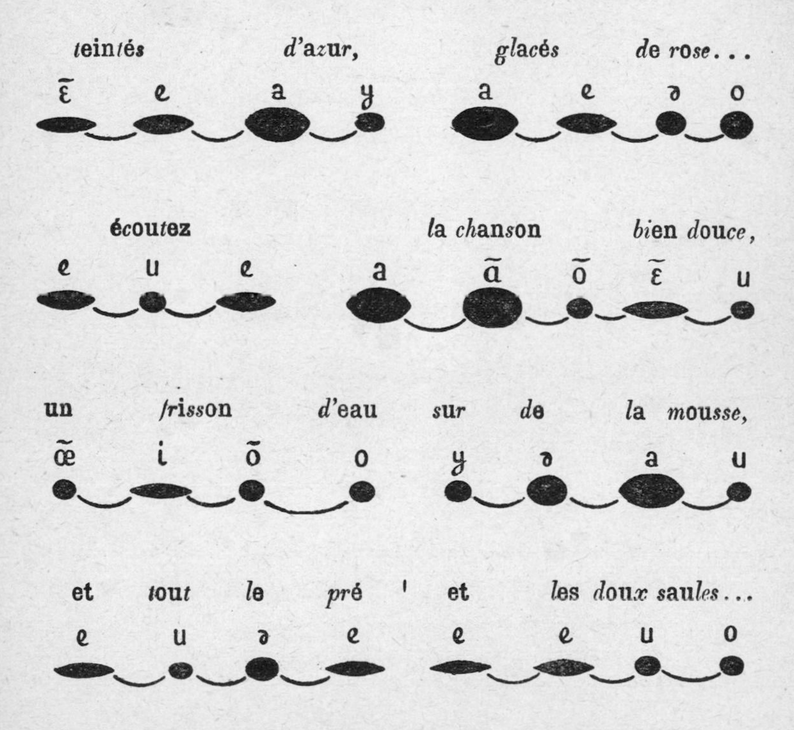

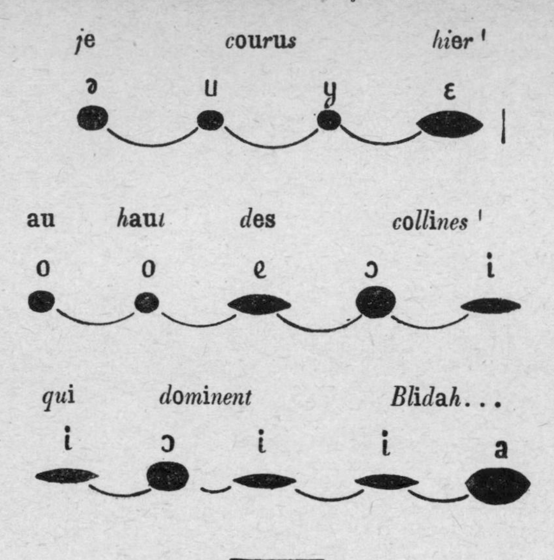

Texte commenté n° 5.

Recueillement, de BAUDELAIRE.

Sois sage, ô ma Douleur, et tiens-toi plus tranquille.
Tu réclamais le Soir; il descend; le voici :
Une atmosphère obscure enveloppe la ville,
Aux uns portant la paix, aux autres le souci.

Pendant que des mortels la multitude vile,
Sous le fouet du Plaisir, ce bourreau sans merci,
Va cueillir des remords dans la fête servile,
Ma Douleur, donne-moi la main; viens par ici,

Loin d'eux. Vois se pencher les défuntes Années,
Sur les balcons du ciel, en robes surannées;
Surgir du fond des eaux le Regret souriant;

Le Soleil moribond s'endormir sous une arche,
Et, comme un long linceul traînant à l'Orient,
Entends, ma chère, entends la douce Nuit qui marche.

rəkœjmã ||

swasa: ˈ ʒomadułœ:r ˈ etjɛ̃twapłytrãkił |
tyreklamɛłəswa:r | iłdesã ˈ łəvwasi ||
ynatmɔsfɛrɔpsky: ˈ rãvəłɔpəłavił |
ozœ̃ ˈ pɔrtãłapɛ ˈ ozo: ˈ trəłəsusi ||

pãdãkədemɔrtɛł ˈ łamyłtitydəvił ˈ
sułəfwɛdypłezi:r ˈ səburosãmɛrsi |
vakœjirderəmɔ:r ˈ dãlafɛtəsɛrvił |
madułœ:r ˈ dɔnəmwałamɛ̃ ˈ vjɛ̃parisi ˈ

łwɛ̃dø || vwa:səpãʃe ˈ ledefœ̃təzane ˈ
syrłebałkõdysjɛł ˈ ãrɔbəsyrane |
syrʒi:r ˈ dyfõdezo ˈ łərəgrɛsurijã |

łəsɔłɛjmɔribõ ˈ sãdɔrmirsuzynarʃ |
e ˈ kɔmœ̃łõłɛ̃sœł ˈ trɛnãtałɔrijã |
ãtã ˈ maʃɛ: | rãtã ˈ ładusənɥi ˈ kimarʃ ||

Ce poème, traduisant un sentiment intime, sera dit sur un ton grave. Le mouvement général est lent, très posé, dans le premier quatrain et dans les deux tercets, les trois premiers vers du deuxième quatrain devant être accélérés d'après le sens.

Premier quatrain. — Le premier vers, très rythmé, est remarquable par l'allongement des voyelles, accentuées dans *sage* et *douleur;* le deuxième hémistiche : *et tiens-toi plus tranquille*, sera dit plus rapidement.

Le deuxième vers se décompose en deux parties, une question :

Tu réclamais le Soir,

placée plus haut pour marquer l'interrogation, et la réponse, composée de deux éléments :

il descend;
le voici...,

sur deux plans plus bas.

Le troisième vers, un peu plus rapide, comporte des accents sur *obscure* et sur *ville;* le quatrième vers contient deux mots mis en parallèle :

aux uns...,
aux autres...,

dits plus lentement que les groupes qui complètent leur sens :

...portant la paix,
...le souci.

Deuxième quatrain. — Il est marqué par une accélération régulière : voyelles moins allongées, rythme très soutenu, mots accentués par les détentes des consonnes :

Pendant que des mortels ' la multitude vile...'

Au quatrième vers, lié au début du premier tercet, on revient au mouvement du premier quatrain :

Ma Douleur, donne-moi la main; viens par ici,

Loin d'eux (note très basse).

Les deux tercets. — A partir de cet endroit, le ton est un peu plus élevé; le mouvement reste lent, la voix comme assourdie évoquant un rêve. Le mot *Vois*, bien que lié à *se pencher*, est placé haut et doit être dit sur un ton contenu; il introduit les trois images suivantes, douces et pourtant précises :

. . . **se pencher** *les défuntes Années,*
Sur les balcons du ciel, en robes surannées;

Surgir *du fond des eaux le Regret souriant;*

Le soleil moribond **s'endormir** *sous une arche . . .*

Les trois verbes seront soulignés par le ton, qui leur donnera leur sens plein :

se pencher (très nuancé),
surgir (plus haut, comme le sens l'indique),
s'endormir (légèrement ralenti et plus bas).

Les deux derniers vers du second tercet sont encore plus lents :

Et, comme un long linceul traînant à l'Orient,
Entends, ma chère, entends la douce Nuit qui marche.

Tous les mots demandent l'allongement, et *entends*, répété deux fois, fait contraste avec *vois* du premier tercet. Le second *entends* est placé plus bas, comme un écho du premier.

On peut travailler ce poème, riche en expression contenue, en l'analysant du point de vue du sens; on notera que l'analyse du rythme et des plans correspond à l'analyse logique des phrases et au déroulement de la pensée. Par la suite, en travaillant le mouvement et la hauteur pour préciser l'expression, l'étude pourra être reprise et complétée. Mais, dès maintenant, on peut voir très en détail l'articulation des voyelles et des consonnes dans chaque groupe : les voyelles claires, les voyelles nasales, un timbre juste, des consonnes précises et fermes permettront le maximum d'expression.

Tableau des voyelles françaises.

VOYELLES FERMÉES	VOYELLES OUVERTES
—	—
u	ɔ
o	ɛ ɛ̃
õ	œ œ̃
i	ə
e	a
y	ɑ ɑ̃
ø	

VOYELLES SIMPLES	VOYELLES COMPOSÉES
—	—
i u	y
e o	ø
ɛ ɔ	œ

VOYELLES ANTÉRIEURES	VOYELLES POSTÉRIEURES
—	—
i y	u
e ø	o
ɛ œ ə	ɔ
↓ a	ɑ ↓

CHAPITRE VI

LES SEMI-CONSONNES

Le français possède trois semi-consonnes : [w], [ɥ], [j], sons intermédiaires entre voyelle et consonne. En réalité, ces phonèmes sont plus proches des consonnes, et, du point de vue qui nous occupe, c'est-à-dire les moyens pratiques de bien prononcer, les fautes que font les étrangers dans la prononciation de ces trois phonèmes sont du même ordre que les fautes faites dans la prononciation des consonnes.

L'articulation même de ces semi-consonnes ne présente pas une grande difficulté, sauf celle du [ɥ], pour les étrangers qui ne savent pas bien articuler la voyelle [y] dont il est formé. C'est ainsi qu'on constate fréquemment des fautes de prononciation dans des mots comme :

lui,	*et puis,*	*ensuite,*	*huit.*
lɥi	epɥi	ãsɥit	ɥit

Certains étrangers, d'ailleurs, ne saisissent pas bien la différence entre [ɥi] et [wi], quand on leur fait entendre des phrases comme celles-ci :

Et lui, Louis ?
elɥi ˈlwi
J'en ai acheté huit, oui, huit.
ʒãneaʃteɥit ˈwi ˈɥit

Des mots comme : *écueil*, *accueil*, *recueil*, *fouilles*, et les différentes formes des verbes : *mouiller*, *accueillir*, *cueillir*, ainsi que des mots très courants comme : *voyons*, *voyez*, *soyons*, *soyez*, demandent aussi à être étudiés de près.

La semi-consonne [w]. — Plaçant la langue comme pour *ou* [u], on passe directement à la voyelle suivante en formant une syllabe :

ou-i, *ou-i*, *ou-i*, puis : *oui*, wi ;

oui,	*louis*,	*louer*,	*louange*,	*soi*,	*trois*,	*doit*,	*soin*,	*loin*.
wi	lwi	lwe	lwɑ̃:ʒ	swa	trwɑ	dwa	swɛ̃	lwɛ̃

Ce passage rapide d'une voyelle à l'autre forme une sorte de son intermédiaire entre voyelle et consonne (plutôt consonne, à notre sens), comparable à la fermeture d'une porte sous l'action d'un courant d'air.

La faute la plus courante est de prononcer ce [w] avec un souffle trop fort. Le mouvement des lèvres et de la langue doit être rapide et souple, sans heurt ; on entend alors une sorte de frottement, de résonance contre le palais.

Règles pour la prononciation de [w]. — On trouve la semi-consonne [w] :

1° Dans les mots où la voyelle *ou* est suivie d'une autre voyelle et précédée d'une seule consonne :

louer,	*louange*,	*nouer*,	*bouée* ;
lwe	lwɑ̃:ʒ	nwe	bwe

2° Dans les mots où la voyelle *oi* est précédée d'une ou de plusieurs consonnes :

loi,	*bois*,	*doit*,	*froid*,	*trois*,	*croix*.
lwɑ	bwɑ	dwa	frwɑ	trwɑ	krwɑ

Oin est prononcé [wɛ̃] dans des mots tels que :

loin,	*soin*,	*point*.
lwɛ̃	swɛ̃	pwɛ̃

Lorsque *ou* est suivi d'une voyelle et précédé de deux consonnes, le mot est décomposé en deux syllabes; il n'y a pas de semi-consonne :

trouer,	*écrouer,*	*brouette,*	*éblouir.*
tru-e	ekru-e	bru-ɛt	eblui:r

Signalons enfin une faute fréquente, qui se produit dans la prononciation des mots comme :

soyeux, *croyant,* *voyant,* *soyons,*

où le son [w] est suivi par un [j]. Lorsque le souffle nécessaire à l'émission du [w] est trop fort, le [j] est formé par un jeu brusque des organes. Il s'agit alors de bien délimiter les deux syllabes, de les répéter chacune séparément avec le maximum de douceur, puis de les ajouter l'une à l'autre en évitant un mouvement de mâchoire inutile :

swa-jø, krwa-jɑ̃, vwa-jɑ̃, swa-jɔ̃.

La semi-consonne [ɥ]. — Pour [ɥ], nous plaçons les organes dans la même position que pour *u* [y], et nous passons rapidement à la voyelle suivante en formant une seule syllabe. Ce [ɥ] est toujours difficile à prononcer; il faudra donc insister sur son articulation très exacte. L'étranger a tendance à prononcer *ou* [u] au lieu de *u* [y]. Le passage rapide de [y] à la voyelle fait entendre comme une sorte de bruissement d'aile (son comparable aussi au cri aigu d'un oiseau tel que les enfants l'imitent souvent). C'est le mouvement rapide des lèvres qui nous donne cette impression, tandis que le [w] est plus lourd, plus lent, plus palatal.

On prononcera d'abord les mots suivants :

lui,	*nuée,*	*nuage,*	*suave,*	*buis,*	*bruit,*	*pluie;*
lɥi	nɥe	nɥa:ʒ	sɥa:v	bɥi	brɥi	plɥi

puis on les rapprochera de mots avec la semi-consonne [w] :

nuée,	nɥe	*nouer*,	nwe
suave,	sɥa:v	*soi*,	swa
lui,	lɥi	*louis*,	lwi

Il faudra surtout insister sur le passage de [y] à [i], le rapprochement de ces deux sons étant le plus fréquent :

lui, *suis*, *buis*, *pluie*, *fruit*, *truie*,

et répéter :

u-i, *u-i*, *u-i*,

en veillant au jeu des lèvres; c'est ce bruit de passage rapide, direct, qui forme la semi-consonne.

Règles pour la prononciation de [ɥ]. — 1° Le groupe *-ui* est toujours prononcé en une seule syllabe :

lui,	*suis*,	*fuite*,	*puissant*,	*bruit*,	*fruit*,	*pluie*.
lɥi	sɥi	fɥit	pɥisɑ̃	brɥi	frɥi	plɥi

2° Le groupe formé de *u* et d'une voyelle autre que *i* est prononcé en une seule syllabe lorsqu'il est précédé d'une seule consonne :

tuer,	*nuage*,	*sueur*,	*buée*;
tɥe	nɥa:ʒ	sɥœ:r	bɥe

il est prononcé en deux syllabes, sans semi-consonne, quand il est précédé de deux consonnes :

truelle,	*cruel*.	*cruauté*.
try-ɛl	kry-ɛl	kry-o-te

Remarquons que les mots *tuyau* et *bruyant* se prononcent [tɥijo] et [bryjɑ̃]; qu'*aiguille* se prononce [egɥij], tandis qu'*anguille* se prononce [ɑ̃gij].

Les mots comme *nuage*, *nuée*, *suave*, etc., sont prononcés nettement en une seule syllabe à Paris. Partout ailleurs, en France, on a tendance à faire presque deux syllabes; on a alors les deux prononciations :

nɥa:ʒ	ou	nya:ʒ
nɥe	–	nye
sɥa:v	–	sya:v

La semi-consonne [j] (*yod*). — La langue est placée comme pour [i] : la pointe contre les dents inférieures, le dos remonté contre le palais; l'air, en passant, produit un frottement qui forme le son *yod* [j], que nous avons en français dans des mots tels que :

hier,	*fier,*	*ciel,*	*bien,*	*travail,*	*soleil,*	*treille,*
jɛ:r	fjɛ:r	sjɛl	bjɛ̃	travaj	sɔlɛj	trɛj
bail,	*cueille,*	*souille,*	*houille,*	*ail,*	*fenouil,*	
baj	kœj	suj	uj	aj	fənuj	
paille,	*crier,*	*prier,*	*trier,*	*ayant,*	*voyez.*	
pɑj	krije	prije	trije	ɛjɑ̃	vwaje	

Pour s'entraîner à former ce son avec exactitude, on prononcera le *i* et le *yod* l'un après l'autre :

i-j, i-j, i-j,

puis des mots comme :

fille,	*famille,*	*brille,*	*trille,*
fij	famij	brij	trij

en décomposant les deux sons [i] et [j], pour mieux distinguer celui de la semi-consonne : c'est, comme nous l'avons dit, une sorte de frottement mouillé.

Les étrangers prononcent en général trop lourdement et trop lentement le *yod*. Au lieu de s'attarder, il faut au contraire, par un rapide mouvement de la langue, glisser sur ce son de passage :

fier,	*ciel,*	*biais,*	*tiers.*
fjɛ:r	sjɛl	bjɛ	tjɛ:r

Dans les finales :

travail,	*bail,*	*maille,*	*cueille,*	*orgueil,*	*souille,*
travaj	baj	maj	kœj	ɔrgœj	suj

la syllabe n'étant pas décomposée, les sons se confondent dans une sorte de diphtongue mal définie. C'est pourquoi les syllabes doivent être nettement déterminées et tranchées :

tra-va-j, ba-j, ma-j, kœ-j, ɔr-gœ-j, su-j.

On se heurte à une difficulté semblable dans les mots où une syllabe avec *yod* est précédée immédiatement de [w]. Comme nous l'avons signalé à propos de ce dernier phonème, il convient de séparer nettement les syllabes pour éviter l'écueil :

soyons,	*voyons,*	*croyons.*
swa-jõ	vwa-jõ	krwa-jõ

Les mots tels que *rien, sien, mien,* sont en général prononcés trop serrés; le [j] doit être souple et la voyelle doit rester ouverte :

rjɛ̃, sjɛ̃, mjɛ̃.

Règles pour la prononciation de [j] (*yod*). — 1° *i* suivi d'une voyelle se prononce en une seule syllabe avec *yod*, quand il est précédé d'une seule consonne :

fier,	*pied,*	*lien,*	*biais.*
fjɛ:r	pje	ljɛ̃	bjɛ

Exceptions : les formes du verbe *rire* :

rions,	rijõ
riez,	rije
riant,	rijã

et du verbe *lier* :

lions,	lijõ
liant,	lijã

Quand le groupe *i* + voyelle est précédé de deux consonnes, on a deux syllabes : [i] + [j] + voyelle :

crier,	*trier*,	*oublier*,	*friand*,	*prieur*.
krije	trije	ublije	frijã	prijœ:r

2° Dans les finales en *-ille*, on prononce en général [-ij] :

fille,	*brille*,	*trille*,	*quille*,	*famille*.
fij	brij	trij	kij	famij

Font exception les mots :

ville,	*mille*,	*tranquille*,
vil	mil	trãkil

et les dérivés de ces mots :

Abbeville,	*Deauville*,	*village*. etc.,
abvil	dovil	vila:ʒ

ainsi que des mots techniques ou savants tels que :

bacille,	*pupille*.
basil	pypil

On notera que les mots savants ou techniques en *-ille* sont en général prononcés [-il]; mais, quand ils entrent dans la langue courante, ils évoluent en général vers la prononciation [ij].

Les noms propres ne suivent pas de règle absolue; c'est en général l'usage qui décide :

Villon s'entend [vilõ] ou [vijõ]
Millet — [milɛ] — [mijɛ]

3° Dans les terminaisons en *-ail*, *-aille*, *-euil*, *-euille*, *-ouil*, *-ouille*, on prononce d'abord la voyelle, puis *yod*, soit :

aj, œj, uj;

travail,	*travaille*,	*seuil*,	*cueille*,	*fenouil*,	*souille*;
travaj	travaj	sœj	kœj	fənuj	suj

dans les terminaisons en *-eil*, *-eille*, le *i* semble prononcé deux fois : ɛ (pour *-ei*) + j (pour *-il*) = ɛj :

soleil,	*veille*,	*treille*,	*pareil*.
sɔlɛj	vɛj	trɛj	parɛj

On retrouve la même prononciation dans les mots dérivés :

travailler,	*oreiller*,	*accueillir*,	*houillère*.
travaje	ɔrɛje	akœji:r	ujɛ:r

Pour éviter une prononciation molle et vague dans ces terminaisons, il convient de déterminer exactement les syllabes et de retrouver les sons justes; on répétera :

a-j, u-j, œ-j, ɛ-j,

sans introduire de [i] entre la voyelle et le *yod* :

a-i-j, u-i-j, œ-i-j, ɛ-i-j.

4° *y* entre deux voyelles, dans des mots tels que :

ayant, *ayez*, *soyons*, *voyant*, *soyeux*,

se décompose en deux sons (deux [i], le second ayant le son *yod*) :

ayez	devient	*ay - yez,*	ɛje
ayant	—	*ay - yant,*	ɛjã
soyons	—	*soy - yons,*	swajõ
balayer	—	*ba - lay - yer,*	balɛje

Décomposer très nettement et répéter à plusieurs reprises, sans mouvement de mâchoire :

ay - yez,	ɛ-je	*ay - yant,*	ɛ-jã
soy - yons,	swa-jõ	*ba - lay - yer,*	ba-lɛ-je

Quelques cas particuliers se présentent au point de vue de la prononciation :

abbaye,	abɛi	*Bayard,*	baja:r
faïence,	fajã:s	*ennuyer,*	ãnɥije
naïade,	najad	*gruyère,*	gryjɛ:r
païen,	pajɛ̃	*mayonnaise,*	majɔnɛ:z
haïr,	air	*yacht,*	jɔt
bruyère,	bryjɛ:r	*yole,*	jɔl
bruyant,	bryjã	*hyène,*	jɛn

A ces mots, il faut ajouter quelques formes verbales du subjonctif :

que je paye,	kəʒpɛj
que tu essayes,	kətyesɛj
que je m'asseye,	kəʒmasɛj

Enfin, il ne sera pas inutile de préciser la prononciation de certains mots pour lesquels souvent les étrangers font des fautes :

aile	se prononce	ɛl
ail	—	aj
vile	—	vil

Révision. — Quelques phrases contenant des semi-consonnes pourront être travaillées :

Loin des oiseaux, des troupeaux, des villageoises,
w w w
Je buvais, accroupi dans quelque bruyère
j
Entourée de tendres bois de noisetiers,
w w j
Par un brouillard d'après-midi tiède et vert.
j j

Et le poète dit qu'au rayon des étoiles
j w
Tu viens chercher, la nuit, les fleurs que tu cueillis...
j ɥ j

Voici des fruits, des fleurs, des feuilles et des branches,
w ɥ j
Et puis, voici mon cœur qui ne bat que pour vous...
ɥ w

Ô doux bruit de la pluie,
ɥ ɥ
Par terre et sur les toits.
w
Pour un cœur qui s'ennuie,
ɥ
Ô le chant de la pluie.
ɥ

Cueillez, cueillez votre jeunesse...
j j

Rien, ni les vieux jardins reflétés par les yeux,
j   j   j
Ne retiendra ce cœur qui dans la mer se trempe, ô nuits...
j   \ ɥ

Texte commenté n° 6.

Brise marine, de Stéphane Mallarmé (*Poésies*).

La chair est triste, hélas! et j'ai lu tous les livres.
Fuir! là-bas fuir! Je sens que des oiseaux sont ivres
D'être parmi l'écume inconnue et les cieux!
Rien, ni les vieux jardins reflétés par les yeux
Ne retiendra ce cœur qui dans la mer se trempe
Ô nuits! ni la clarté déserte de ma lampe
Sur le vide papier que la blancheur défend
Et ni la jeune femme allaitant son enfant.
Je partirai! Steamer balançant ta mâture,
Lève l'ancre pour une exotique nature!
Un Ennui, désolé par les cruels espoirs,
Croit encore à l'adieu suprême des mouchoirs!
Et, peut-être, les mâts, invitant les orages
Sont-ils de ceux qu'un vent penche sur les naufrages
Perdus, sans mâts, sans mâts, ni fertiles îlots...
Mais, ô mon cœur, entends le chant des matelots!

laʃɛrɛtrist ˈ ela:s ˈ eʒelytuleli:vr |
fɥi:r ˈ labafɥi:r || ʒəsɑ̃ ˈ kədezwazosɔ̃ti:vr ˈ
dɛtrəparmileky ˈ mɛ̃kɔny ˈ elesjø ||
rjɛ̃ ˈ nilevjøʒardɛ̃ ˈ rəfleteparlezjø ˈ

nərətjɛ̃drasəkœ:r ˈ kidɑ̃lamɛ:r ˈ sətrɑ̃:p ˈ
o:nɥi || nilaklartedezɛr ˈ tədəmalɑ̃:p ˈ
syrləvidəpapje ˈ kəlablɑ̃ʃœrdefɑ̃ ˈ
enilaʒœnəfa ˈ malɛtɑ̃sɔnɑ̃fɑ̃ ||
ʒəpartire || stimœ:r ˈ balɑ̃sɑ̃tamaty:r |
lɛvəlɑ̃: ˈ krəpurynɛgzɔtikənaty:r ||
œ̃nɑ̃nɥi ˈ dezɔle ˈ parlekryɛlzɛspwa:r ˈ
krwatɑ̃kɔ: ˈ raladjøsyprɛ ˈ mədemuʃwa:r ||
epœtɛ ˈ trəlema ˈ ɛ̃vitɑ̃ ˈ lezɔra:ʒ ˈ
sɔ̃tildəsø ˈ kœ̃vɑ̃ ˈ pɑ̃: ˈ ʃəsyrlenofra:ʒ ˈ
pɛrdy | sɑ̃ma | sɑ̃ma ˈ nifɛrti ˈ ləzilo ||
mɛ ˈ omɔ̃kœ: | rɑ̃tɑ̃ ˈ leʃɑ̃dematəlo ||

Débuter sur un ton moyen; rythme très marqué, accents sur :

triste, *hélas*, *livres*;

débit régulier et articulation précise sur les voyelles fermées aiguës :

triste,	*j'ai lu*,	*les livres*.
i	e y	e i

L'émotion, empreinte de tristesse, de mélancolie, de nostalgie, sera d'abord traduite par l'allongement du *a* de *hélas* :

elɑ:s,

puis, devenant soudain plus intense, elle sera portée sur *fuir* (*f* allongé et *i* tenu); enchaîner immédiatement avec la répétition : *là-bas fuir* (même temps sur les deux groupes) :

Fuir !	fɥi:r
là-bas fuir ! V	labafɥi:r

Après une profonde respiration, on reprendra, sur un ton bas et mélancolique, la phrase suivante, en marquant bien les accents :

...Je sens | que des oiseaux sont ivres |
D'être parmi l'écume inconnue | et les cieux, |

et en observant un léger ralentissement sur *écume inconnue* (accent posé sur *écume*).

Le mouvement devient plus vif et la hauteur est plus marquée sur le thème qui s'amorce avec *rien*..., allongé; enchaîner immédiatement avec *ni* jusqu'à *nuits*, en indiquant nettement les accents :

rien, jardins, yeux, cœur, trempe, nuits;

courte respiration, puis continuer sur un ton plus doux, plus léger, jusqu'à *son enfant,* mais selon un rythme soutenu :

déserte, lampe, papier, défend, femme, enfant;

l'accent de longueur placé sur *défend* sera plus appuyé.

Ton assuré, hardi, désespéré sur : ⌜*Je partirai* V, détaché et articulé : syllabes égales, voix laissée en suspens. La suite doit être dite rapidement, sur le ton de la prière, de l'invocation : ⌜*Steamer* placé plus haut et suivi tout de suite de *balançant ta mâture;* le vers suivant sera souligné uniquement par les accents :

steamer, mâture, ancre, nature V,

ce dernier mot restant en suspens. Un arrêt large, puis reprise plus bas, avec l'accent de la désolation :

⌞*Un Ennui,*
désolé
par les cruels espoirs,
Croit encore
à l'adieu suprême
des mouchoirs!

La voix remontera sur le vers suivant, l'espoir renaissant :

⌈ *et, peut-être,* placé plus haut, les accents marquant une sorte de cadence sur un ton soutenu :

> ⌈ *Et, peut-être,*
> *les mâts,*
> *invitant les orages*
> *Sont-ils de ceux*
> *qu'un vent*
> *penche*
> *sur les naufrages*
> *Perdus,*
> *sans mâts . . .*

Marquer un court arrêt et reprendre sa respiration avant de répéter le groupe V *sans mâts*, puis enchaîner : *ni fertiles îlots . . .*

Le dernier vers sera pris plus bas : allongement du mot ⌊ *mais,* suivi de *ô mon cœur* dit sur le même ton; ⌈ *entends* placé plus haut. La voix doit descendre graduellement sur le groupe de la fin : *le chant des matelots,* et rester en suspens pour produire un effet de nostalgie, d'attente, d'espoir non défini.

On s'efforcera de marquer les changements de plans fréquents, les accents d'émotion très nuancés et peu affirmés, le texte étant d'un sens profond et dense.

L'articulation sera précise, le débit très régulier :

> *La chair est triste . . .*
> a ɛ ɛ i
>
> *et j'ai lu tous les livres.*
> e e y u e i

Le jeu des consonnes sera souligné, les détentes claires donnant l'impression d'un « tip-tap » dans les mots suivants :

parmi l'écume ' *inconnue* ' *et les cieux*...
a i e y ɛ̃ ɔ y e e ø

Puis une articulation très étudiée, le jeu des lèvres précis sur les deux lignes suivantes, très lentes :

Un Ennui, ' *désolé par les cruels espoirs,*
œ̃ ɑ̃ i e ɔ e a e y ɛ ɛ a
Perdus, ' *sans mâts,* ' *ni fertiles îlots*...
ɛ y ɑ̃ ɑ i ɛ i ə i o

CHAPITRE VII

LES CONSONNES

Généralités. Rôle de la consonne dans la syllabe. — En français, la consonne, nette et ferme, se prononce avec une faible dépense d'air. Les étrangers, qui ont souvent des consonnes molles ou indécises, dépensent pourtant une grande énergie. Ils font des mouvements musculaires très marqués et laissent échapper d'un coup une quantité d'air bien supérieure à celle qui est normalement nécessaire à la formation de la consonne.

Le rôle des consonnes est de caler l'articulation et d'offrir des points d'appui. La souplesse, ici encore, est de règle, et la consonne ne doit pas devenir une entrave. Elle se marie avec la voyelle. Elle servira à donner certains accents, soit qu'on la fasse attendre, s'il s'agit d'une momentanée, soit qu'on la prolonge, s'il s'agit d'une continue. Nous verrons par la suite comment nous les utiliserons en vue de l'expression, mais dès maintenant il convient de souligner l'importance des détentes, qui doivent être précises.

L'émission de la consonne, qui résulte d'une fermeture, complète ou partielle, de la bouche, suivie d'une ouverture qui permet à l'air de sortir, se divise en trois temps :

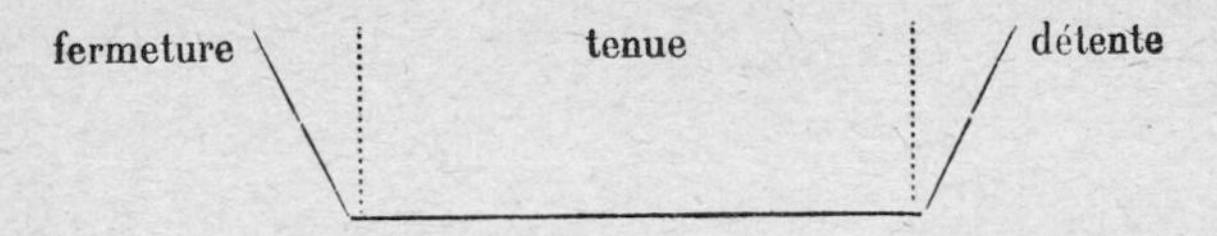

En finale, la consonne sera claire et coupante, et la détente très caractéristique dans des mots comme :

nette,	*tante,*	*autre,*	*noble,*	*porte,*	*robe.*
nɛt	tɑ̃:t	o:tr	nɔbl	pɔrt	rɔb

Mais, au début du mot ou de la syllabe, la dépense d'air sera faible et le bruit consonantique peu important. Le rôle de la consonne est de fixer la syllabe : au moment où elle est émise, les lèvres sont déjà formées, modelées pour la voyelle qui va suivre; par exemple, pour :

faux,	*sous,*	*pont,*	*tout,*	*ton,*	*rue,*	*seul,*
o	u	õ	u	õ	y	œ

dès le début du mot, les lèvres se préparent pour la voyelle arrondie. On peut d'ailleurs s'exercer de la façon suivante : poser la voyelle sur une respiration bien prise, puis pousser le son, le prolonger, l'assouplir, et enfin ajouter la consonne :

o ⟼ o ⟼ o ⟶ o ⟼, puis [fo],
u ⟼ u ⟼ u ⟼ u ⟼, puis [su],
õ ⟼ õ ⟼ õ ⟼ õ ⟶, puis [põ], etc.

On aura ainsi une syllabe bien formée.

Dans des mots comme :

rouler,	*tousser,*	*monter,*	*tunique,*	*tomber,*	*camper,*
rule	tuse	mõte	tynik	tõbe	kãpe

la coupe syllabique intervient après la voyelle[1] :

1re SYLLABE		2e SYLLABE	
rou-	ru	*-ler*	le
tou-	tu	*-sser*	se
mon-	mõ	*-ter*	te
tu-	ty	*-nique*	nik
tom-	tõ	*-ber*	be
cam-	kã	*-per*	pe

---

[1] Les indications que nous donnons ici sont d'ordre purement pratique et visent à un seul but : la correction des fautes chez les étrangers. On lira, sur ce sujet, les passages s'y rapportant dans : Maurice Grammont, *Traité pratique de prononciation française*, pp. 101, 102, 103; Jeanne Varney-Pleasants. *Pronunciation of French*, pp. 8, 85, 86, 87.

Les étrangers, surtout les Anglo-Saxons et les Germaniques, divisant mal leurs syllabes, placent souvent la coupe après la consonne; leur dépense d'air étant trop forte, la faute est très marquée et donne à peu près ceci pour les mots cités ci-dessus :

roull' ler,	*tunn' nique,*
touss' ser	*tombb' ber,*
montt' ter	*campp' per,*

ce qui change complètement le rythme, en même temps que l'articulation proprement dite, et cause une déperdition de souffle.

Il est à remarquer qu'en français la syllabe ne se termine pas toujours par une voyelle. Dans certains mots comprenant deux ou plusieurs consonnes consécutives, la division syllabique peut se placer entre deux consonnes, par exemple dans :

es-pérer,	*détes-ter,*	*ter-miner.*
ɛs-pere	detɛs-te	tɛr-mine

Les différentes consonnes. — 1° Les consonnes formées par une fermeture complète de la bouche sont appelées **occlusives** ou « momentanées ».

Les occlusives *sourdes* (sans vibrations des cordes vocales) sont :

[p], [t], [k];

les occlusives *sonores* (avec vibrations) :

[b], [d], [g].

Ces consonnes sont en général prononcées d'une manière trop forte par les étrangers; il en résulte un débit saccadé qui convient mal au ton habituel de la phrase française.

2° Pour les consonnes produites par la fermeture partielle de la bouche, appelées **constrictives** ou « continues », parce que l'air passe constamment entre les organes rapprochés, la dépense d'air est beaucoup plus faible. Mais les Germaniques — et, en fait, presque tous les étrangers — émettent ces consonnes avec une détente très forte, entraînant un mouvement de plongée de la mâchoire inférieure; par contrecoup, la voyelle est déformée.

Les constrictives *sourdes* sont :

[ʃ], [s], [f];

les constrictives *sonores :*

[ʒ], [z], [v].

3° Certaines consonnes ont une résonance nasale. C'est de cette particularité qu'elles tirent leur nom de consonnes **nasales**. Ce sont :

[m],	articulé comme	[p]	et	[b];
[n]	—	[t]	et	[d];
[ŋ]	—	[k]	et	[g].

4° Quant aux consonnes **liquides**, leur prononciation s'accompagne de vibrations très rapides, qui donnent une impression de fluidité, d'où leur nom. Ce sont :

[r] et [l].

Pour toutes les consonnes, les étrangers font les mêmes *fautes :*

une dépense d'air trop importante,
une tension trop grande,
une pression trop forte.

I. — LES OCCLUSIVES

Rappelons qu'elles sont ainsi appelées à cause de la fermeture de la bouche, qui est complète.

Suivant le mode de fermeture de celle-ci, on distingue :

Les *bilabiales :* [p], [b];
Les *dentales :* [t], [d];
Les *palatales :* [k], [g].

Les bilabiales : [p], [b]. — Ces deux consonnes sont articulées en appuyant légèrement les deux lèvres l'une contre l'autre. Lorsque les lèvres sont trop fortement pressées — défaut commun aux Allemands, aux Anglais, aux Hollandais, aux Scandinaves —, l'air force cette fermeture et s'échappe brusquement; il en résulte une chute de la mâchoire qui produit une sorte de choc.

Pour se corriger de ce fâcheux mouvement, l'élève, dans ses exercices, pourra maintenir sa mâchoire inférieure avec une main placée sous le menton. A l'aide d'un miroir disposé devant ses lèvres, il contrôlera l'air sortant de sa bouche et formant une légère buée sur la glace.

En prononçant plusieurs fois la même syllabe, il se rendra mieux compte de ses fautes :

pa - pa - pa - pa - pa - pa - pa,
pon-pon-pon-pon-pon-pon-pon.

[p] est sourd, mais [b], sonore, est accompagné de vibrations des cordes vocales.

Les lèvres seules prononcent la consonne; la langue est prête pour la voyelle qui suit [1]. Il faut vérifier aussi que les joues ne soient pas gonflées, comme elles le sont souvent chez les Anglo-Saxons (en particulier lorsqu'ils prononcent le [p]). En appuyant avec un doigt au milieu de la joue, on la creusera légèrement, et le son sera meilleur, l'articulation plus précise, dégagée et claire.

On travaillera tout de suite de courtes phrases, en étudiant de près l'articulation de la consonne :

. . . Il p*arlait,* p*ilant son chemin, à sa* p*ieuse* p*etite escorte.*

---

[1] Voir les schémas dans le livre du Dr J. Tarneaud, *Traité pratique de phonologie et de phoniatrie*, Maloine.

...Ce maudit, ce **b***énit,* **b***oitant,* **b***attait le sol du lourd* **b***âton des vaga***b***onds et des infirmes.*

Il **p***leure dans mon cœur*
Comme il **p***leut sur la ville.*

Ô doux **b***ruit de la* **p***luie.*

Les dentales : [t], [d]. — Pour ces deux consonnes, la pointe de la langue est appuyée contre les dents supérieures, fermant complètement le passage de l'air. Les étrangers commettent les mêmes erreurs quand ils prononcent [t], dentale sourde, que lorsqu'ils prononcent [p], bilabiale sourde : excès d'air et de tension, et, au moment de la détente de la consonne, mouvement tombant de la mâchoire; l'explosion, trop violente, déforme la voyelle :

ta,	*tant,*	*ton,*	*tout,*	*tenter,*	*tâter.*
ta	tã	tõ	tu	tãte	tate

La faute est encore plus apparente dans les mots où il y a répétition de la même consonne. Prononcer plusieurs fois la même syllabe :

ta - ta - ta - ta - ta,
té - té - té - té - té,

en supprimant tout mouvement de montée et de descente de la mâchoire inférieure.

[d], dentale sonore, est plus doux et moins difficile à prononcer, excepté pour les Germaniques et les Scandinaves, qui, en général, confondent consonnes sourdes et consonnes sonores. Un bon exercice consiste à prononcer à la suite deux consonnes, sourde et sonore, accompagnées de la même voyelle, en insistant sur la

consonne sonore, dont on peut vérifier la sonorité en appuyant légèrement deux doigts sur le larynx :

tout - *doux*, *thé* - *des*,
t d t d

pas - *bas*, *pont* - *bon*, etc.
p b p b

On travaillera pour le [t] et le [d] les textes ci-après :

J'ai longtemps habité sous de vastes portiques...

Tes pas, enfants de mon silence,
Saintement, lentement comptés...

Les palatales : [k], [g]. — Le dos de la langue, appuyé contre le palais dur, ferme complètement la bouche. Comme pour les autres occlusives, l'air presse fortement contre la langue; celle-ci s'abaisse et l'air sort. La palatale sourde [k] est peut-être la consonne la plus dure lorsqu'elle est prononcée par les étrangers. Plus que pour les autres occlusives, la détente de [k] comporte une sortie d'air violente, qui provoque la chute de la mâchoire dont nous avons parlé plusieurs fois déjà.

Vérifier la stabilité de la mâchoire et répéter la même syllabe :

ké - *ké* - *ké* - *ké*,
ki - *ki* - *ki* - *ki*,

ou :

cou - *cou* - *cou* - *cou*,
quand - *quand* - *quand* - *quand*,

et des mots comportant un [k] en finale :

pic, *sac*, *roc*, *bec*, *sec*.
pik sak rɔk bɛk sɛk

[g], articulé comme [k], mais accompagné de vibrations des cordes vocales, est plus facile à prononcer parce qu'il nécessite une pression moins grande. Les Scandinaves et les Allemands doivent veiller à ce que la différence entre [g] et [k] soit très sensible :

quai - *gai*,	*qui* - *gui*,	*coup* - *goût*.
k g	k g	k g

Le [g] final demande à être travaillé, car il est souvent prononcé trop lourdement. Le mouvement de la langue doit être rapide :

ligue,	*rogue*,	*bègue*,	*figue*,	*bague*.
lig	rɔg	bɛg	fig	bag

II. — LES CONSTRICTIVES

Les constrictives, qui ont été définies au début du chapitre (v. ci-dessus, p. 125), peuvent être classées en trois groupes. Suivant le mode de fermeture de la bouche, on distingue :

Les *chuintantes* : [ʃ], [ʒ];
Les *sifflantes* : [s], [z];
Les *labio-dentales* : [f], [v].

Les chuintantes : [ʃ], [ʒ]. — Pour ces deux consonnes, la langue est relevée vers le palais et tirée en arrière; les dents sont très rapprochées, mais un mince passage est laissé entre les incisives. La pointe de la langue est derrière les alvéoles supérieurs; le dos de la langue, remonté vers le palais, touche les molaires supérieures. Il se forme ainsi trois résonateurs dans la bouche : un entre le dos de la langue et la pointe, un autre entre la pointe de la langue et les dents presque fermées, et un troisième entre les dents et les lèvres, très projetées en avant.

Les étrangers négligent souvent la formation de ces trois résonateurs et leur son sort mal. Les Germaniques, surtout, pressent trop la langue contre les dents, et l'air, en s'échappant, produit un choc qui déforme la voyelle suivante, par exemple dans des mots comme :

chant, *chercher*, *chaud*, *charmer*, *chasser*.
ʃɑ̃ ʃɛrʃe ʃo ʃarme ʃase

[ʒ] est formé comme [ʃ], mais accompagné de vibrations des cordes vocales :

Jean, *j'ai*, *j'ose*, *jaune*, *Jeanne*.
ʒɑ̃ ʒe ʒo:z ʒo:n ʒɑ:n

Les Scandinaves et les Allemands auront intérêt à répéter des mots ou des suites de mots où la différence entre sourde et sonore est particulièrement sensible, par exemple :

changer, *échanger*, *neiger*, *sécher*, *jauger*, *charger*.
ʃ ʒ ʃ ʒ ʒ ʃ ʒ ʒ ʃ ʒ

Les sifflantes : [s], [z]. — Pour ces deux consonnes, un passage très étroit est laissé entre les dents; la pointe de la langue est appuyée contre les incisives inférieures; les lèvres occupent à peu près la même position que pour [i]. L'air, en passant entre le dos de la langue et le palais, produit une sorte de sifflement. L'*s* français est bref. Souvent, les étrangers, principalement les Germaniques, le font trop lourd et trop lent, et l'accompagnent d'une détente de la mâchoire, surtout devant une voyelle ouverte, et plus particulièrement devant une nasale :

sans, *son*, *sentir*, *saisi*, *saisissant*, *ici*, *laisse*.
sɑ̃ sɔ̃ sɑ̃ti:r sezi sezisɑ̃ isi lɛs

Même articulation pour [z], mais les cordes vocales vibrent :

aisé, *base*, *nausée*, *oser*, *cause*, *phrase*.
eze bɑ:z noze oze ko:z frɑ:z

Les Scandinaves et les Allemands s'essaieront à marquer la différence entre la sourde [s] et la sonore [z] :

saisir,	*saison,*	*assaisonné,*	*saisissant.*
s z	s z	s z	s z s

Travailler le [z] dans les liaisons :

les uns,	*les autres,*	*vous arrivez.*
lezœ̃	lezo:tr	vuzarive

Les labio-dentales : [f], [v]. — Pour ces deux consonnes, les incisives supérieures sont légèrement appuyées sur le bord intérieur de la lèvre inférieure. Le [v], accompagné de vibrations, n'est jamais assez sonore chez les Germaniques; le [f] est trop serré et a une détente trop forte :

étouffer,	*feinte,*	*font,*	*affirmer,*	*affoler,*	*philosophe,*
etufe	fɛ̃:t	fɔ̃	afirme	afɔle	filɔzɔf
vanité,	*vin,*	*vont,*	*vent,*	*vive,*	*œuvre.*
vanite	vɛ̃	vɔ̃	vɑ̃	vi:v	œ:vr

Révision. — Nous donnons ci-après quelques extraits — prose et poésie — dans lesquels on trouvera, rapprochées de façon heureuse, toutes les consonnes constrictives; on pourra étudier ces textes en insistant sur le modelé de la voyelle qui accompagne la consonne et sur la vivacité des mouvements :

... *à cause de cet anachronisme qui empêche si souvent le calendrier des faits de coïncider avec celui des sentiments.*

... *incapable de recréer un moment réel de la vie et obligé de lui substituer des(z)images conventionnelles et indifférentes.*

Je savais que je pouvais attendre des(z)heures après des(z)heures, qu'elle ne serait plus jamais auprès de moi.

...la terre se gerçait de sécheresse comme pour plus d'accueil de l'eau.

Laisse brûler la lampe et pleurer la clepsydre,
Car le jardin autour de notre maison vide
Se fleurira de jeunes fleurs sans que reviennent
Mes lèvres pour reboire encore à la fontaine...

Ouvrez, les gens, ouvrez la porte;
Je frappe au seuil et à l'auvent,
Ouvrez, les gens, je suis le Vent
Qui s'habille de feuilles mortes.

Que le vent qui gémit, le roseau qui soupire,
Que les parfums légers de ton air embaumé,
Que tout ce qu'on entend, l'on voit, ou l'on respire,
Tout dise : ils(z)ont aimé!

III. — LES NASALES

La consonne [m]. — Les lèvres sont appuyées légèrement l'une contre l'autre, fermant la bouche; le voile du palais, abaissé, permet à l'air de passer par le nez, et les cordes vocales vibrent. Cette consonne doit être prononcée rapidement et fermement, mais sans brutalité. Elle ne présente pas, à vrai dire, de grande difficulté pour les étrangers, qui ont tendance, pourtant, à la faire un peu lourde; d'autre part, ils déforment souvent la voyelle qui précède, car ils ne séparent pas bien les deux sons.

Dans des mots comme :

homme, pomme, dame, sème, femme, forme, ferme,
ɔm pɔm dam sɛm fam fɔrm fɛrm

les vibrations nasales ne doivent commencer que pour le [m].

La voyelle doit être claire et sans nasalité; on prononcera, en séparant bien les syllabes :

ɔ ⟼ mə	fa ⟼ mə
pɔ ⟼ mə	fɔ (r) ⟼ mə
da ⟼ mə	fɛ (r) ⟼ mə
sɛ ⟼ mə	

Les étrangers, les Américains surtout, font de la voyelle précédant le *m* prononcé un son nasal, parce que leurs vibrations nasales commencent dès le début de la voyelle. Ils prononcent :

[õm] pour [ɔ-m]	[dãm] pour [da-m]
[põm] — [pɔ-m]	[sɛ̃m] — [sɛ-m]

Entre les mots *amener* [amne] et *emmener* [ãmne], par exemple, ils ne font presque pas de différence, alors que les Français prononcent clairement :

a-m(ə)-ne   ã-m(ə)-ne;

ils doivent donc s'exercer à prononcer clairement deux syllabes : [a-mə], [ã-mə], en les détachant bien, et habituer leur oreille à percevoir la différence.

La consonne [n]. — La pointe de la langue est appuyée contre les incisives supérieures, comme pour les dentales, et ferme complètement le passage de l'air. Le voile du palais, abaissé, permet à l'air de sortir par le nez. Écart très étroit entre les dents.

En général, les étrangers font un [n] un peu lourd, mais ce son n'est pas réellement difficile pour eux. Cependant, comme pour le [m], ils ne savent pas séparer nettement la consonne de la voyelle précédente (surtout après le *o* ouvert et le *è* ouvert), dans des mots tels que :

laine,	*reine,*	*mine,*	*lune,*	*donne,*	*sonne.*
lɛn	rɛn	min	lyn	dɔn	sɔn

Les Américains, dont la prononciation manque de netteté dans la terminaison de mots tels que :

américain, *américaine*, *bon*, *bonne*,
amerikɛ̃ amerikɛn bɔ̃ bɔn

auront intérêt à placer le *è* ouvert et le *o* ouvert très en avant; après s'être assurés qu'ils ont bien assimilé ces sons, ils répéteront lentement, en séparant bien voyelle et consonne :

ai-ne, *ai-ne*, *o-nne*, *o-nne*,
ɛ-nə ɛ-nə ɔ-nə ɔ-nə

syllabes qu'ils pourront comparer alors avec *ain* et *on* :

sain, *saine*, *bon*, *bonne*,
lin, *laine*, *son*, *sonne*, etc.

On étudiera de très près les mots :

sien, sjɛ̃ *sienne*, sjɛn
mien, mjɛ̃ *mienne*, miɛn
tien, tjɛ̃ *tienne*, tjɛn
viens, vjɛ̃ *vienne*, vjɛn, etc.

Dans des phrases courantes, telles que :

j'en‿ai, *je n'en‿ai pas*, *en‿avez-vous ?*
en‿un‿an, *on n'en‿a pas*, *on‿en‿a*,

on étudiera aussi la coupe des syllabes et on insistera sur chaque voyelle :

ʒɑ̃-ne, ʒə-nɑ̃-ne-pa, ɑ̃-na-ve-vu,
ɑ̃-nœ̃-nɑ̃, ɔ̃-nɑ̃-na-pa, ɔ̃-nɑ̃-na.

La consonne [ŋ]. — Pour cette consonne, le dos de la langue est relevé contre le palais et ferme complètement le passage de l'air. Il se forme donc une palatale, mais l'air passe par le nez, le voile du palais étant abaissé, et ce son est accompagné de vibrations des cordes vocales. On le trouve écrit *gn*, dans des mots comme :

montagne, *bagne*, *peigne*, *saigne*, *ligne*,
mõtaŋ baŋ pɛŋ sɛŋ liŋ
cogne, *campagne*, *châtaignier*, *gagner*.
kɔŋ kãpaŋ ʃatɛŋe gaŋe

Cette consonne appelle les mêmes remarques que les deux nasales précédentes : émise par les étrangers, elle est un peu lourde et souvent informe, car ils hésitent devant un son qu'ils saisissent mal. Ils se corrigeront de ce défaut en entraînant leur langue à plus de mobilité par la prononciation rapide de mots contenant la consonne [ŋ].

Ils pourront également s'exercer à délimiter les vibrations nasales dans des mots comme *montagne*, qui comporte deux syllabes phonétiques :

mon-tagne,
mõ - taŋ

en observant que les vibrations nasales qui accompagnent *mon-* se retrouvent dans *-gne*, mais cessent complètement dans *-ta-* :

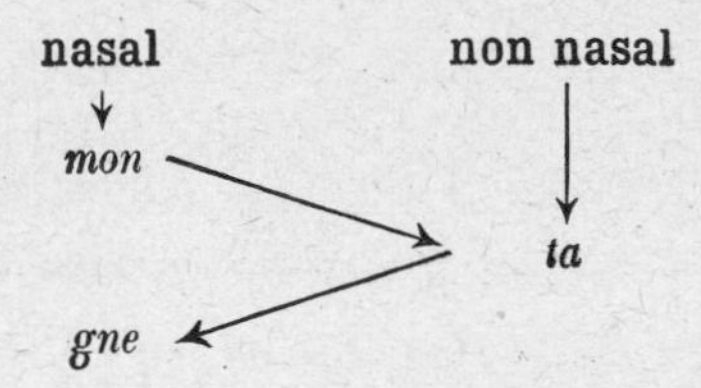

IV. — LES LIQUIDES

La consonne [r]. — Cette consonne donne en général beaucoup de difficultés aux étrangers. Chez les Slaves, mais aussi chez les Américains du Nord, elle semble recouvrir toute la phrase, parce qu'ils produisent une sorte de résonance qui influe sur les sons même éloignés du [r].

Pour se corriger de cette prononciation défectueuse, il faut tout d'abord circonscrire le [r] et limiter la durée de son émission. Les Anglais, les Américains et les Germaniques font durer leur [r] trop longtemps, ou bien exagèrent l'effort musculaire de prononciation.

En français, on distingue trois sortes de [r] : le [r] *roulé*, le [r] *parisien* et le [r] *uvulaire*.

Le [r] *roulé*, formé par des vibrations de la pointe de la langue relevée vers les dents supérieures, ne doit pas être aussi sonore que le [r] italien ou le [r] espagnol. Le nombre des vibrations étant très réduit, la consonne doit se prononcer légèrement et rapidement.

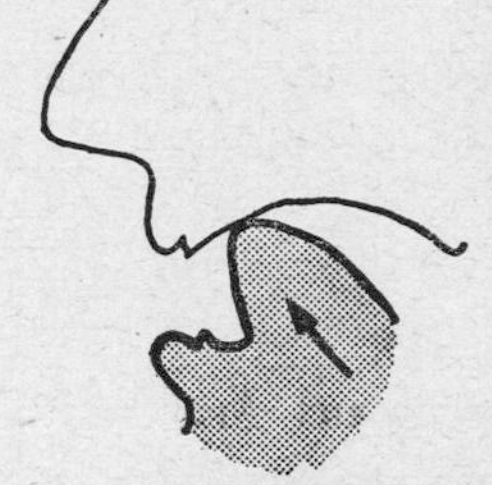

Fig. 21. — Position de la langue dans la prononciation du *r* roulé.

Les étrangers préfèrent en général essayer d'acquérir le [r] parisien; le [r] roulé est pourtant prononcé par un très grand nombre de Français, dont tous les habitants du Midi.

Le [r] *parisien* est prononcé en laissant la pointe de la langue reposer derrière les dents inférieures, tandis que le dos de la langue s'élève contre le palais. L'air, en passant, frotte contre la langue et le palais et produit le [r]. Son point d'articulation peut varier légèrement suivant la voyelle qui l'accompagne. Par exemple, le [r] de *pour* [pur] sera situé plus en arrière que le [r] de *pire* [pir], le *ou* étant

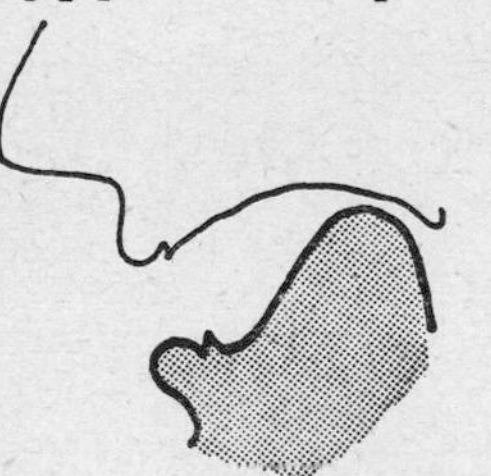

Fig. 22. — Position de la langue dans la prononciation du *r* parisien.

articulé en arrière de la bouche, et le *i* très en avant au contraire. Le bruit produit par ce frottement contre le dos de la langue et le palais peut se comparer à un bruit de gargarisme, mais le mouvement d'articulation doit être vif, léger et rapide.

Le [r] *uvulaire* est formé par des vibrations de la luette retournée contre le dos de la langue.

Les lèvres ne jouent aucun rôle dans l'articulation du [r]. Elles sont prêtes à former la voyelle qui suit. On n'insistera jamais assez sur ce point dans l'enseignement aux étrangers. Ils devront immobiliser leur mâchoire, former la voyelle, et prononcer alors le [r] sans remonter la mâchoire inférieure, comme ils le font en général trop souvent :

ɔ-r, u-r, a-r,
ɔ-r, u-r, a-r.

Quant aux Américains ou aux Anglais, il faudra leur faire entendre ce bruit de frottement du [r] parisien très nettement formé, et leur montrer par de nombreux exercices combien leur [r] est différent du nôtre.

On commencera alors à prononcer les voyelles suivies du [r], en insistant sur la forme des lèvres et sur l'ouverture de la mâchoire, caractéristiques pour la voyelle.

Insister sur le [a] dans :

ar, ar, ar, ar, ar, ar, [ar]

sur le [ɔ] dans :

or, or, or, or, or, or, [ɔr]

sur le [œ] dans :

eur, eur, eur, eur, eur, eur, [œr]

sur le [i] dans :

ir, ir, ir, ir, ir, ir, [ir]

sur le [y] dans :

ur, ur, ur, ur, ur, ur, [yr]

puis prononcer des mots qui contiennent ces phonèmes, en respectant la netteté du mouvement et en évitant de produire une diphtongue ou un souffle inutile :

part, car, tard, fard, mare, lèvres dans la position de [a]
pa:r ka:r ta:r fa:r ma:r

tort, corps, sort, Laure, Faure, lèvres dans la position de [ɔ]
tɔ:r kɔ:r sɔ:r lɔ:r fɔ:r

cœur, sœur, fleur, mœurs, lèvres dans la position de [œ]
kœ:r sœ:r flœ:r mœ:r

lire, pire, cuir, tire, lèvres dans la position de [i]
li:r pi:r kɥi:r ti:r

pur, mur, cure, lèvres dans la position de [y]
py:r my:r ky:r

Une fois le [r] obtenu, gauche encore mais réel, on le placera entre deux voyelles semblables :

iri, éré, oro, ara, ourou, etc.,

et dans des mots :

iris, errer, aurore, Arabe, irriguer, courroux.
iris ere ɔrɔ:r arab irige kuru

Ce [r], placé entre deux voyelles sonores, s'adoucit de lui-même et, grâce à cet exercice, qu'on peut répéter un certain nombre de fois en variant les combinaisons, les élèves réaliseront de rapides progrès. On obtient également de bons résultats en s'exerçant sur de petites phrases prises dans des poèmes, et où le rythme aide à ne pas donner au [r] une importance trop grande. Par exemple, dans :

Ainsi, ' toujours poussée ' vers de nouveaux rivages .. ', il y aura lieu de marquer une insistance plus soutenue sur :

tu-ʒur-pu-se,

qui demande à être prononcé avec une grande égalité de syllabes (l'élève peut s'aider en battant la mesure); de même pour :

ne pourrons-nous jamais...
nə-pu-rõ-nu-ʒa-mɛ

Alors, des exercices sur le *r* initial de mot seront faits :

rose,	*rire,*	*rare,*	*rang,*	*rond,*
ro:z	ri:r	ra:r	rɑ̃	rõ

en préparant les lèvres pour la voyelle avant de prononcer le [r].

En réalité, dans la plupart des cas, le *r* initial devient intervocalique, quand on dit par exemple :

la rose,	*le rire,*	*il est rare,*	*les deux rangs,* etc.
laro:z	ləri:r	ilɛra:r	ledørɑ̃

C'est seulement quand l'élève sera maître de son [r] qu'il abordera des groupes de consonnes avec *r*, particulièrement difficiles à prononcer, même pour les Français; l'attention portée à la prononciation de la consonne ne devra pas nuire à la formation de la voyelle :

autre,	*âcre,*	*libre,*	*être,*	*mordre,*	*sourdre,*	*ordre,*
o:tr	ɑ:kr	libr	ɛtr	mɔrdr	surdr	ɔrdr

désordre,	*tordre.*
dezɔrdr	tɔrdr.

Dans certains mots tels que :

forcer,	*porter,*	*encorder,*	*emporter,*	*amorcer,*	*terminer,*
fɔr-se	pɔr-te	ɑ̃-kɔr-de	ɑ̃-pɔr-te	a-mɔr-se	ter-mi-ne

sertir,	*fertile,*
sɛr-ti.r	fɛr-til

c'est la délimitation des syllabes qui est délicate; il en est de même dans les terminaisons de mots avec *-rieux* [rjø], comme :

glorieux,	*mystérieux*,	*furieux*, etc.
glɔrjø	misterjø	fyrjø

Les croquis de la figure 23 montrent, pour trois voyelles différentes : [u], [a], [ɛ], le mouvement de la langue passant de la prononciation de la voyelle à celle du [r].

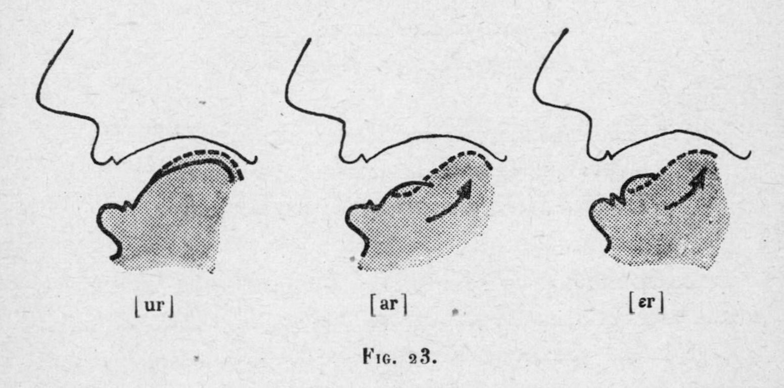

Fig. 23.

On remarque, chez nombre d'étrangers, la tendance à transformer simplement le [r] de leur propre langue, ce qui les conduit généralement à un son assez éloigné du [r] français. Il est préférable, croyons-nous, d'aborder l'étude du *r* comme celle d'un son entièrement nouveau — à la manière des Français qui commencent l'étude du *th* anglais. En partant du bruit de « gargarisme » dont nous avons parlé, en l'adoucissant, puis en essayant de garder un son pur, les élèves obtiennent habituellement, après quelques leçons, un [r] très acceptable.

Les Américains et les Anglais doivent, dès le début, par de nombreux exercices, s'attacher à éliminer les résonances de gorge ou de mâchoire et à limiter la durée de l'émission du [r].

On pourra prononcer des mots avec [r] inclus dans de petites phrases :

Il m'a suffi
De ce petit r*oseau cueilli*
*A la fontaine où vint l'Amou*r
*Mi*r*er un jou*r
*Sa face g*r*ave,*
*Et qui pleu*r*ait,*
*Pour fai*r*e pleu*r*er ceux qui passent*
*Et t*r*embler l'he*r*be et f*r*émi*r *l'eau...*

*Les pa*r*fums ne font pas f*r*issonner sa na*r*ine.*
*Il do*r*t dans le soleil, la main su*r *la poit*r*ine,*
*T*r*anquille. Il a deux t*r*ous* r*ouges au côté d*r*oit.*

La consonne [l]. — Pour le [l], la langue se soulève et est en contact avec les dents en avant et en arrière. Elle laisse un étroit passage latéral par lequel s'écoule l'air. Le [l] français est bref et léger. Les étrangers le prononcent souvent trop lourdement, en appuyant fortement la langue contre les dents. Les Anglais, et aussi les Américains, font le [l] trop en arrière, avec la langue retournée, et ils déforment la voyelle qui précède, surtout dans certaines finales telles que :

bal,	*belle,*	*ciel,*	*folle,*	*col.*
bal	bɛl	sjɛl	fɔl	kɔl

Il faut émettre le [l] avec rapidité et légèreté; pour développer la souplesse de l'articulation, on prononcera des mots comme :

allongé,	*facilité,*	*modeler,*	*Lille,*	*ville,*	*habileté.*
alɔ̃ʒe	fasilite	mɔdle	lil	vil	abilte

Uni à une autre consonne, le [l] des étrangers est souvent trop lent et trop lourd.

Prononcer :

diable,	*meuble,*	*noble,*	*sable,*	*flamme.*
dj*a*:bl	mœbl	nɔbl	s*a*bl	fl*a*:m

Révision. — Après avoir étudié en détail les voyelles et les consonnes françaises, on reverra avec le plus grand profit la coupe de la syllabe à l'intérieur du mot ou du groupe rythmique.

Dans l'exemple ci-après :

...dans la limpidité de ta belle âme...,

on travaillera le mot :

lim-pi-di-té,
lɛ̃-pi-di-te

en faisant porter l'effort sur la coupe de la syllabe, le mouvement des lèvres et la durée de la syllabe par rapport au rythme; on procédera de la même façon pour les phrases suivantes :

...c'est là qu'il faut aller vivre...
sɛlakilfotalevi:vr

...cette angoisse de la curiosité...
sɛtɑ̃gwasdəlakyrjozite

Tableau général des consonnes françaises.

		SOURDES	SONORES
OCCLUSIVES	bilabiales	p	b
	dentales	t	d
	palatales	k	g
CONSTRICTIVES	chuintantes	ʃ	ʒ
	sifflantes	s	z
	labio-dentales	f	v
NASALES	bilabiales		m
	dentales		n
	palatales		ŋ
LIQUIDES	dentales	l	
	palatales	r	

Texte commenté n° 7.

Extrait de *l'Europe galante*, de Paul MORAND.

La nuit tombe plus vite que je n'aurais cru. Je n'ai pas l'habitude de ces phares américains, qui tournent comme des yeux. Nous crevons. Je change ma roue, en y laissant mes ongles. On dîne au Mans. Nous n'arriverons pas à Paris avant minuit. Et pourtant ne dois-je pas repasser le Plaisir et la Douleur avant demain?

La lune a disparu. Maintenon... Rambouillet. Je mets toute l'avance; la voiture craque, bondit aux caniveaux, le pare-brise gémit, les portières tremblent. Aux virages le pont arrière se plaint; drôle d'odeur; j'avais oublié de desserrer les freins. J'allume : nous sommes dans la forêt; nous roulons à cent vingt; avec ces sacrés moteurs modernes on n'entend rien, on ne se rend pas compte de la vitesse; de chaque côté de la route les arbres font comme un coup de bâton qui vous manquerait de peu et vous passe aux oreilles. Des lapins. Saint-Cyr... les pavés... un claquement sec du côté des ressorts. J'ai dû rompre ma lame maîtresse. Je n'arrête pas pour si peu, sinon je n'aurai plus le temps de revoir les sensualistes anglais.

Voici la côte de Picardie. Il est deux heures du matin. Comme les autos sont nombreuses... Elles allument et éteignent leurs phares. On dirait une sorte de conversation lumineuse. On voit passer sous les feuilles, des ombres, des couples. Des moustiques se heurtent, les rayons lumineux roulent, s'abattent, puis la nuit, de nouveau, fauche tout. Nous traversons les bois de Saint-Cloud; des Citroën nous escortent, nous longent, frôleuses; des femmes se penchent; une grosse conduite intérieure nous dépasse, prend la file, siffle comme pour nous montrer le chemin.

łanɥi ˈ tõbpłyvit ˈ kəʒnɔrɛkry ‖ ʒ(ə)nepɑłabityd ˈ dəsefaramerikɛ̃ ˈ kiturnkɔmdezjø ‖ nukrəvõ ‖ ʒəʃɑ̃ʒmaru ˈ ɑ̃nilesɑ̃mezõ:gł ‖ õdinomɑ̃ ‖ nunarivrõpɑzapari ˈ avɑ̃minɥi ‖ epurtɑ̃ ˈ nədwaʒpɑrəpɑselplezireładułœ:r ˈ avɑ̃dmɛ̃ ‖

łałyn ˈ adispary ‖ mɛ̃tnõ ˈ rɑ̃bujɛ ‖ ʒəmɛtutłavɑ̃:s ‖ łavwatyrkrak ˈ bõdiokanivo | łəparbri:zʒemi ˈ łepɔrtjɛ:rtrɑ̃:bł ‖ ovira:ʒ ˈ łəpõarjɛ:rsəpłɛ̃ ‖ drołdɔdœ:r ‖ ʒavɛublijeddeserełefrɛ̃ ‖ ʒałym | nusɔmdɑ̃łafɔrɛ ˈ nurułõasɑ̃vɛ̃ ‖ avɛksesakremɔtœrmɔdɛrn ˈ õnɑ̃tɑ̃rjɛ̃ | õnsərɑ̃pɑkõtdəłavitɛs ‖ dəʃakkotedłarut ˈ łezarbr ˈ fõkɔmœ̃kudbɑtõ ˈ kivumɑ̃krɛdpø ˈ evupɑsozɔrɛj ‖ delapɛ̃ ˈ sɛ̃si:r ˈ łepave | œ̃kłakmɑ̃sɛk ˈ dykotedersɔ:r ‖ ʒedyrõprəmałammɛtrɛs ‖ ʒɔnarɛtpɑpursipø | sinõ ˈ ʒənɔrepłyłtɑ̃ ˈ dərvwa:r ˈ łesɑ̃sɥałistɑ̃głɛ ‖

vwasi ˈ łakotdəpikardi ‖ iłɛdøzœrdymatɛ̃ ‖ kɔmłezɔto ˈ sõnõbrø:z ‖ ɛłzałym ˈ eetɛɲłœrfa:r ‖ õdirɛ ˈ ynsɔrtdəkõvɛrsɑsjõłyminø:z ‖

õvwapɑsesuleſœj ˈdezõ:br ˈdekupl || demystik ˈsəœrt | lerɛjõlyminørul sabat | pɥilanɥi ˈdənuvo ˈfoʃtu || nutravɛrsõ ˈlebwɑdsɛ̃klu || desitrɔɛn ˈnuzɛskɔrt ˈnulõ:ʒ ˈfrolø:z || defam ˈsəpɑ̃:ʃ || yngroskõdɥitɛ̃terjœ:r ˈnudepɑ:s ˈprɑ̃lafil ˈsifl ˈ kɔmpurnumõtrelʃəmɛ̃ ||

Premier paragraphe. — Suite rapide de phrases courtes et sèches, indiquant un mouvement vif. Division de la phrase en groupes rythmiques nets.

La première phrase, très affirmative, sera prise sur un ton moyen. Accent sur le substantif sujet : *la nuit*, le verbe et ce qui le suit formant la partie descendante de la phrase. Deuxième phrase sur un ton sec : c'est une réflexion personnelle. Incident immédiat : *Nous crevons*. Action précise, puis phrase courte : *On dîne au Mans*. Nouvelle réflexion personnelle, teintée de regret. Phrase plus longue, dite comme une conclusion, et donnant la première touche de sentiment. Le dessin de l'intonation peut être représenté par plans successifs répondant à la ligne mélodique de l'ensemble.

Insister sur le jeu des voyelles très aiguës :

vite, *cru*, *habitude*, *des yeux*, *Paris*, *minuit*, *plaisir*,
i y i y e ø i i i e i

et des voyelles graves, surtout nasales :

tombe, *tournent*, *crevons*, *change*, *laissant*, *ongles*, *Mans*,
õ u õ ɑ̃ ɛ ɑ̃ õ ɑ̃

qui donne un rythme un peu syncopé, haché, et précise tout de suite le caractère du mouvement : l'action et la vitesse.

Deuxième paragraphe. — Combinaison habile de phrases courtes, descriptives, situant le paysage, et d'autres phrases courtes, interrompues ou sonores, indiquant l'action, la vitesse.

Ces quelques phrases, depuis *La lune a disparu* jusqu'à *tremblent* forment un ensemble. Premier groupe : rapide, catégorique. Arrêts très nets après *Maintenon*|, après *Rambouillet*| et après *avance*|. Les trois groupes suivants :

la voiture craque,
bondit aux caniveaux,
le pare-brise gémit...,

doivent être très découpés; marquer une légère montée sur *caniveaux* et une descente sur *gémit;* plus bas, le dernier groupe :

les portières tremblent.

Rapidité et coupes très nettes entre les groupes depuis *aux virages* jusqu'à *vitesse.*

Montée marquée sur *aux virages* et sur *plaint,* qui s'achève par une note assez haute; puis, par des paliers en descente, placer chaque phrase courte sur un plan différent :

drôle d'odeur

j'avais oublié de desserrer les freins

j'allume

nous sommes dans la forêt

plus bas, et très égal, comme une conclusion :

nous roulons à cent vingt

puis encore plus bas, et comme pour soi-même :

avec ces sacrés moteurs modernes,| *on n'entend rien,*|
on ne se rend pas compte de la vitesse...|

Mouvement plus rapide, bien qu'il s'agisse d'un passage descriptif, depuis *de chaque côté* jusqu'à *oreilles*.

Égalité de mesure dans les groupes suivants, décrivant le paysage qui défile :

Des lapins. '
Saint-Cyr... '
les pavés... '
un claquement sec du côté des ressorts. |

Puis plus bas, en aparté, mais aussi rapide :

└ *J'ai dû rompre ma lame maîtresse.*

Comme pour soi-même encore, mais sur un rythme toujours très vif :

└ *Je n'arrête pas pour si peu,* '

└ *sinon* ' *je n'aurai plus le temps* ' *de revoir les sensualistes anglais.* ||

Troisième paragraphe. — Plus lent que ce qui précède : phrases courtes, mais plus allongées, situant mieux le paysage et les mouvements divers; travail par plans :

┌ *Voici la côte de Picardie.* ||
└ *Il est deux heures du matin.* ||
└ *Comme les autos sont nombreuses...* ||
┌ *Elles allument* ' *et éteignent leurs phares.* ||
└ *On dirait une sorte de conversation lumineuse.* ||

Description sur un ton moyen et égal jusqu'à *fauche tout*, puis reprise du mouvement : phrases courtes sur des plans différents, images se détachant comme sur un écran :

┌ *Nous traversons les bois de Saint-Cloud;*

└ *des Citroën* { *nous escortent,* / *nous longent,* / *frôleuses;*

└ *des femmes se penchent;*

└ *une grosse conduite intérieure* { *nous dépasse,* / *prend la file,* / *siffle*

└ *comme pour nous montrer le chemin. . .*

Le rythme de la fin est légèrement ralenti.

Travailler, dans ce texte, les plans très fixés et certains mots indiquant, par leur consonance même, la vitesse ou l'action :

craque, *bondit*, *gémit*, *tremblent*,

et insister sur la voyelle finale, qui doit être tenue dans les mots :

plaint,	*freins*,	*cent vingt*,	*bâton*,	*lapins*,	*pavés*,	*sinon.*
ɛ̃ ⟶	ɛ̃ ⟶	ɛ̃ ⟶	õ ⟶	ɛ̃ ⟶	e ⟶	õ ⟶

Bien respecter l'égalité des syllabes dans :

disparu, *Picardie*, *lumineux*, *Saint-Cloud*, *moustiques.*

CHAPITRE VIII

LE RYTHME

Le groupe rythmique. — L'étude des sons articulés, des phonèmes, doit être accompagnée de l'étude du rythme. Les sons s'ajoutent les uns aux autres et s'enchaînent pour former la syllabe, le mot, la phrase. Cette phrase se découpe, suivant le sens, en un certain nombre de *groupes rythmiques.*

L'accent tombe, en français, sur la dernière syllabe de chacun de ces groupes rythmiques, et c'est le retour de cet accent à intervalles plus ou moins réguliers qui donne le rythme à la phrase.

Par exemple, la phrase d'Anatole FRANCE :

Mademoiselle Lefort, qui tenait, dans le faubourg Saint-Germain, une pension pour des enfants en bas âge, consentit à me recevoir de dix heures à midi et de deux heures à quatre...

se découpera en groupes rythmiques de cette façon :

Mademoiselle Lefort, | *qui tenait,* ¦ *dans le faubourg Saint-Germain,* | *une pension* ¦ *pour des enfants* ¦ *en bas âge,* | *consentit à me recevoir* | *de dix heures à midi* | *et de deux heures* ¦ *à quatre...* ||

Le groupe vocal ou groupe phonique. — Mais, dès que l'élève aura acquis une connaissance moins superficielle de notre langue, il aura avantage à travailler sur ce que nous appellerons le *groupe vocal* ou *groupe phonique,* groupe formé par un ensemble de mots se rapportant à une idée, une image, un symbole ou une action unique, qu'on peut isoler et qui n'a qu'un seul mouvement mélodique, un seul élan.

Dans l'exemple donné ci-dessus, la barre verticale | indique la fin d'un groupe phonique.

Ce groupe est souvent composé de plusieurs éléments rythmiques et comporte alors, à côté de son accent principal tombant sur la syllabe finale, un ou même plusieurs accents secondaires, mais il pourra aussi être formé d'un nombre de syllabes restreint et ne porter alors qu'un seul accent.

Par exemple, nous aurons des groupes ainsi formés.

les parfums,
les parfums des fleurs,
les parfums des fleurs rouges,
les parfums des fleurs de la lande...

Une phrase de Proust sera décomposée comme suit :

Parfois,
dans le ciel de l'après-midi,
passait la lune,
blanche comme une nuée,
furtive,
sans éclat,
comme une actrice
dont ce n'est pas l'heure de jouer
et qui,
de la salle,
en toilette de ville,
regarde un moment ses camarades,
s'effaçant;

et une phrase d'Alphonse Daudet :

Quand la chèvre blanche
arriva dans la montagne,
ce fut un ravissement général.

Pratiquement, ces groupes correspondent aux groupes logiques de la phrase et sont formés soit d'un sujet complet :

cet enfant,
cet enfant blond,
quand cet enfant blond,
quand la chèvre blanche, etc.;

soit d'un verbe accompagné de son pronom sujet :

Ils arrivaient tous,
Nous ne pourrons partir;

soit du verbe et d'un complément :

(*Ta sœur*)	*partira demain,*
(*Nos amis*)	*reviendront chaque jour,*
(*Quand les enfants*)	*répéteront cette leçon,*
(*Une actrice*)	*dont ce n'est pas l'heure de jouer*
	regarde un moment ses camarades;

soit d'un complément seul (lieu, temps, manière, etc.) :

tous les jours,
dans le ciel de l'après-midi,
de la salle,
en toilette de ville,
sans éclat,
comme une actrice.

Le travail sur le groupe phonique présente un très grand avantage, surtout dans les cours avancés. L'élève est souvent entraîné malgré lui par le mouvement musical du groupe phonique, tandis qu'en isolant systématiquement le groupe rythmique il a tendance à retomber sur un rythme et une mélodie monotones, ramenant toujours sa syllabe accentuée au même point, comme le montre le croquis ci-dessous :

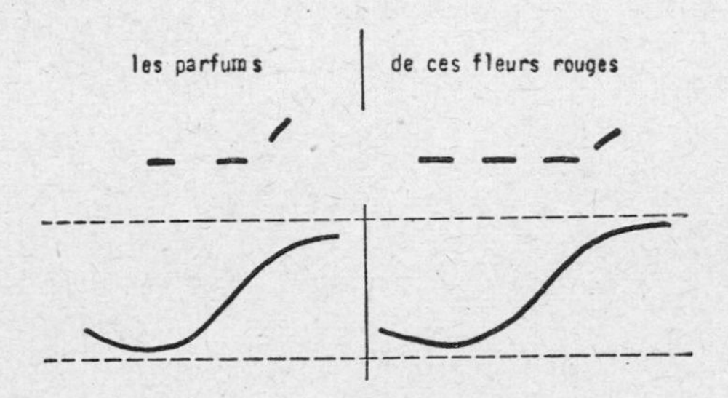

en revanche, le groupe complet donnera la ligne mélodique suivante.

Rapports entre la syllabe et les groupes. — Au début, l'élève devra travailler sur des groupes très courts, jusqu'à ce qu'il soit familiarisé avec le jeu des syllabes phonétiques (la syllabe *phonétique* est l'ensemble formé par une voyelle et les consonnes qui l'accompagnent) :

Quand la chèvre blanche ' *arriva dans la montagne*... '
kãlaʃɛvrəblã:ʃ arivadãlamõtaŋ

L'étude portera d'abord sur la délimitation des syllabes à l'intérieur des groupes, puis sur la comparaison des différents groupes, enfin sur le mouvement rythmique de ces groupes. Nous donnons ci-dessous un certain nombre d'exemples sur lesquels l'élève pourra s'exercer :

les parfums des fleurs de la lande
devenaient presque intolérables ;
sous le soleil
tout se pâmait,

la lune,
blanche comme une nuée,

la lune blanche
luit dans les bois,

dans le ciel de l'après-midi . . .

c'est toi,
c'est encore toi,
ce sont mes pensées,
ce sont encore mes pensées.

La division des groupes en syllabes peut être rendue plus suggestive par la disposition suivante :

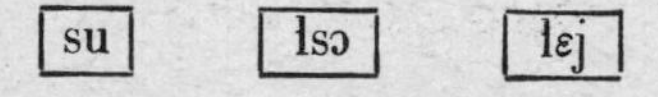

le *groupe* formant un tout encadré comme ci-dessous :

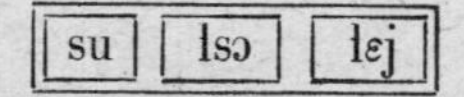

Nous pourrons alors représenter ainsi les exemples précédents :

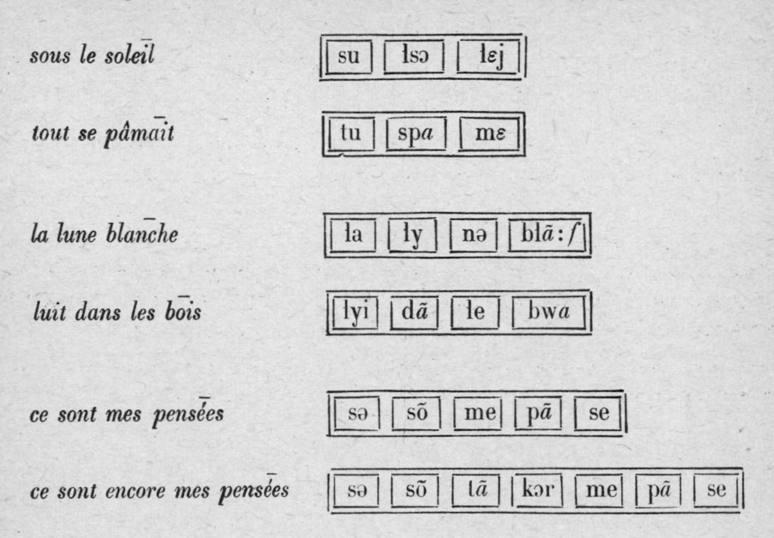

sous le soleil
su | lsɔ | lɛj
tout se pâmait
tu | spa | mɛ
la lune blanche
la | ly | nə | blɑ̃:ʃ
luit dans les bois
lyi | dɑ̃ | le | bwa
ce sont mes pensées
sə | sõ | me | pɑ̃ | se
ce sont encore mes pensées
sə | sõ | tɑ̃ | kɔr | me | pɑ̃ | se

On procédera de la même façon pour la phrase de Baudelaire :

Il est un pays superbe, un pays de Cocagne, dit-on, que je rêve de visiter avec une vieille amie.

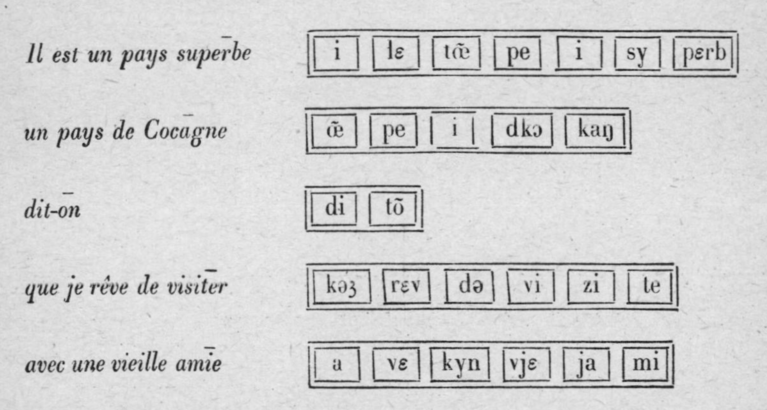

Il est un pays superbe
i | lɛ | tœ̃ | pe | i | sy | pɛrb
un pays de Cocagne
œ̃ | pe | i | dkɔ | kaŋ
dit-on
di | tõ
que je rêve de visiter
kəʒ | rɛv | də | vi | zi | te
avec une vieille amie
a | vɛ | kyn | vjɛ | ja | mi

L'accent rythmique. — Faible en français, il tombe sur la dernière voyelle du groupe. C'est un accent de *hauteur*, de *longueur*, d'*intensité*, donc un accent surtout *musical*.

Il est à remarquer que *e*, *es*, en finale, ainsi que *ent* dans les terminaisons verbales, ne comptent pas dans le nombre de syllabes; seule, dans nos explications, entre en ligne de compte la consonne précédant l'une de ces terminaisons :

il cherch(e)	*tu cherch(es)*	*ils cherch(ent)*
ilʃɛrʃ	tyʃɛrʃ	ilʃɛrʃ
la têt(e)	*les livr(es)*	*ils pens(ent)*
latɛt	leli:vr	ilpɑ̃:s

La voyelle accentuée est haute et légère; finale, elle est *tenue*, c'est-à-dire qu'elle n'est pas arrêtée brusquement : les organes restant dans leur position, la voyelle s'éteint doucement en gardant son ton musical, comme le son de la cloche demeure encore dans l'air après qu'elle a cessé de vibrer. La souplesse de la voyelle accentuée, ainsi que le mouvement mélodique qui va se développer sur la phrase éviteront la sécheresse ou la raideur qu'un rythme aussi logique, aussi net que le rythme français, risquerait de créer :

Tu réclamais le Soir,	a ⟶ r
il descend,	ɑ̃ ⟶
le voici. . .	i ⟶
. . . Et puis est retourné,	e ⟶
plein d'usage et raison,	ɔ̃ ⟶
Vivre entre ses parents	ɑ̃ ⟶
le reste de son âge.	*a* ⟶ ʒ

Afin d'acquérir cette douceur dans l'expression de la voyelle accentuée, on pourra s'entraîner à tenir, à prolonger les diverses voyelles sur un souffle égal, sans fléchissement :

a ⟼ o ⟼ ɛ ⟼

Bien respirer, puis émettre la voyelle et la prolonger, respirer de nouveau et recommencer :

C'est là a ⟼
qu'il faut aller vivre i ⟼

A côté de cet accent final, il faudra, le cas échéant, travailler les accents secondaires et en étudier la valeur par rapport au mouvement du groupe.

L'attaque du groupe doit être douce. Il faut éviter de produire une sorte d'« arrachement » de la voyelle initiale. La respiration doit être bien prise et libre, l'air dépensé avec économie, puisque l'accent, avec toute son énergie, ses nuances, tombe en fin de groupe seulement. On pourra travailler l'attaque des groupes sur des voyelles comme :

V *Enfin*, V *A la longue*, V *Autour de lui*, V *Eh bien!*

Une longue reprise de la respiration précédera l'attaque du groupe et la rendra plus douce :

V —∿∿∿ V —∿∿∿ V —∿∿∿ V —∿∿∿

[ã] [a] [o] [e]

L'air doit être expiré lentement et couler comme l'eau d'une rivière au débit régulier (v. *fig.*, p. 30). Ainsi porté par les sons bien modelés et unis entre eux, on arrivera sur la dernière syllabe, qui, allongée, filée, poussée, amplifiée, doit renfermer toute la musicalité de la phrase et traduire l'élan, la force ou la grâce voulus par l'auteur.

On pourra travailler sur un débit régulier des phrases rythmées :

Vivez,
si m'en croyez,
n'attendez à demain,
Cueillez dès aujourd'hui
les roses de la vie...

Le frais matin dorait
de sa clarté première
La cime des bambous...

Je ne saurais
pour un empire
vous la nommer...

... une branche d'olivier dans le ciel,
le ciel au-dessus des collines,
un chant de flûte à la porte d'un café...

ou des phrases simples, empruntées à la conversation courante et dont le dernier son porte toute l'émotion :

Vous l'avez vu, vous? — Non?
Oh, quel dommage! Lui? C'est à désespérer.

Les Anglo-Saxons, les Germaniques, les Scandinaves — d'une façon générale, tous les Nordiques —, équilibrent mal leur dépense d'air et attaquent le groupe avec rudesse. Ils tombent littéralement sur le début de la phrase avec une forte sortie de souffle, et la voyelle accentuée, située en fin de groupe, est affaiblie et comme écrasée. Manquant de souffle, ils coupent brusquement l'émission de la voyelle, et le mouvement rythmique semble stoppé. L'accent paraît alors porter sur le début du groupe ou sur l'avant-dernière syllabe. Cette impression est encore renforcée lorsque le groupe contient une consonne dure et forte, qu'ils accentuent inévitablement.

Dans des phrases comme :

si m'en croyez,
— — — /
n'attendez à demain . . .
— — — — — /

au lieu du rythme français indiqué ci-dessus, on aura chez les étrangers :

si m'en croyez,
— / — —
n'attendez à demain . . .
— / — — / —

Les exercices — qu'il ne faudra pas hésiter à faire nombreux — devront tendre à préciser et à assouplir le rythme, en même temps qu'à régulariser le souffle et le débit. L'élève pourra isoler les voyelles du groupe, les former, puis y ajouter les consonnes en donnant son rythme à l'ensemble; au début de chacun des groupes, il prendra une respiration profonde :

tu n'imagines pas y i a i a	tynimaʒinpa
Nathanaël a a a ɛ	natanaɛl
un petit roseau œ̃ ə i o o	œ̃pətirozo

quand vous serez bien vieille kãvusərebjɛ̃vjej
ã u ə e ɛ̃ ɛ

au soir oswa:r
o a

à la chandelle alaʃãdɛl
a a ã ɛ

On soulignera la liaison douce entre les syllabes à l'intérieur du groupe.

L'accent d'insistance. — Un *accent d'insistance*, ou *accent d'émotion*, vient, dans certains cas, s'ajouter à l'accent rythmique. Il traduit une émotion ou un sentiment très marqué. Il porte sur la première consonne du mot :

C'est é pouvantable,

C'est terrible,

C'est stupide,

Quel im bécile,

Ô la mignonne créature,

Un a mour de petite chèvre,

Ô ma douce lumière.

Cet accent, qui n'intervient que dans les cas où une émotion motivée et violente doit être soulignée, fait que la consonne sur laquelle il porte est plus forte que d'ordinaire; fréquemment, pour les occlusives, une légère hésitation avant la détente fera en quelque sorte «attendre» la consonne, lui donnant ainsi plus de poids.

Les arrêts. — La longueur, l'importance, la densité, si l'on peut dire, de l'arrêt qui sépare deux groupes jouent aussi un rôle dans le rythme et souvent, comme nous le verrons, dans l'expression. Dans une phrase longue et nuancée, il faudra étudier les arrêts avec soin. Les trois signes utilisés : ' | ||, correspondent à des pauses de valeur croissante, qui doivent être scrupuleusement observées, car leurs différences, même ténues, aideront à souligner et à renforcer le rythme.

Pratiquement, la barre courte ' correspond à la fin d'un groupe vocal sans arrêt dans la respiration; la barre plus longue | correspond à une pause respiratoire, et la double barre || correspond à la fin de la phrase. Ce dernier signe, surtout, devra retenir l'attention des étrangers, qui, le plus souvent, ne s'arrêtent pas suffisamment entre deux phrases. La reprise de souffle qu'indique V doit être profonde et largement faite.

On pourra travailler les deux passages de Chateaubriand que nous donnons ci-après; on insistera sur la valeur des arrêts et sur la structure des groupes phoniques et des groupes respiratoires :

Une brise embaumée ' que cette reine des nuits amenait de l'Orient avec elle | semblait la précéder dans les forêts ' comme sa fraîche haleine. ||

Ces nues, ' ployant et déployant leurs voiles, | se déroulaient en zones diaphanes de satin blanc, | se dispersaient ' en légers flocons d'écume, | ou formaient dans les cieux ' des bancs d'une ouate éblouissante, | si doux à l'œil ' qu'on croyait ressentir leur mollesse ' et leur élasticité. ||

Le groupe respiratoire. Correspondance des idées et des rythmes. — Entre deux respirations, il peut y avoir un ou plusieurs groupes phoniques, mais il n'y a jamais qu'un *groupe respiratoire*. Ce groupe respiratoire doit être traité comme un tout.

S'il s'agit d'un seul groupe phonique, comme :

Une heure après le coucher du soleil...,

le groupe phonique correspond au groupe respiratoire; comme pour tout autre groupe, les syllabes égales seront liées entre elles sur un même souffle.

Mais, lorsque plusieurs groupes phoniques forment le groupe respiratoire, comme dans :

... la lune se montra au-dessus des arbres,' à l'horizon opposé ||,

nous aurons une liaison entre deux groupes phoniques consécutifs, et la fin du premier sera marquée seulement par un allongement de la voyelle accentuée, plus haute.

Par exemple, dans :

Si vous croyez ' que je vais dire ' qui j'ose aimer |

... krwaje ⟼

~~~~ (vibrations du e)

kəʒəvedi:r

ou dans :

Je savais que Mademoiselle Swann ' allait souvent à Laon ' passer quelques jours ||

... lã ⟼

~~~~ (vibrations du ã)

pase...

la dernière voyelle d'un groupe rythmique non suivi de reprise de souffle sera prolongée, assouplie, et la première syllabe du groupe suivant prendra sur cette fin nuancée non encore éteinte.

On pourra travailler de la même manière la liaison entre deux groupes phoniques à l'intérieur du groupe respiratoire, dans les exemples suivants :

parfois ' dans le ciel de l'après-midi '
a ⟼

(rythme marqué par l'allongement et la musicalité du [a] et les ondes vibrantes de cette voyelle qui se prolonge);

Ami ' le hibou pleure'
i ⟼

(rythme marqué par l'allongement du [i]);

Sois sage ' ô ma douleur'

(noter la coupe de la syllabe : swasa ⟼ ʒomadulœ:r] et la liaison *complète* qui se fait entre . . .*ge* et *ô*);

. . .*où tout est beau '*
o ⟼
riche '
i ⟼
tranquille et honnête. |

. . .*sur des panneaux luisants '*
ã ⟼
ou sur des cuirs dorés. |
u

Quelquefois '
a ⟼
l'hiver. . . |

Soit à analyser, selon ces principes, les deux phrases de CHATEAUBRIAND que nous avons données plus haut; pour la première, on aura la division suivante :

Premier groupe respiratoire.....	*Une brise embaumée* ' *que cette reine des nuits* ' *amenait de l'Orient avec elle* | V
Deuxième groupe respiratoire.....	*semblait la précéder dans les forêts* ' *comme sa fraîche haleine...* ||,

soit cinq groupes *phoniques*, mais deux groupes *respiratoires* seulement.

Dans la seconde, on aura cinq groupes *respiratoires*, composés chacun d'un ou de deux groupes *phoniques* :

GROUPES RESPIRATOIRES	GROUPES PHONIQUES
1	*Ces nues,* ' *ployant et déployant leurs voiles,* |
2	*se déroulaient* ' *en zones diaphanes de satin blanc,* |
3	*se dispersaient* ' *en légers flocons d'écume,* |
4	*ou formaient dans les cieux* ' *des bancs d'une ouate éblouissante,* |
5	*si doux à l'œil* ' *qu'on croyait ressentir leur mollesse* ' *et leur élasticité.* ||

On voit que la division de la phrase en ses différents groupes permet seule de déterminer la valeur des accents et la durée des arrêts, le rythme de la respiration et la rapidité du débit, contribuant ainsi à dégager le caractère d'ensemble d'un texte et à préciser les nuances de son expression. On trouvera ci-après quelques exemples de rythme, pris dans des œuvres appartenant à des genres littéraires différents :

Je sors dès le matin, '
je me promène, |
je ne regarde rien, '
et vois tout... ||

Tu les conduis doucement ' *vers la mer* '
qui est l'Infini, |
tout en réfléchissant les profondeurs du ciel '
dans la limpidité de ta belle âme... ||

A intervalles symétriques, '
au milieu de l'inimitable ornementation de leurs feuilles, '
qu'on ne peut confondre ' *avec la feuille d'aucun autre arbre fruitier,* |
les pommiers ' *ouvraient leurs larges pétales de satin blanc* '
ou suspendaient les timides bouquets '
de leurs rougissants boutons... ||

Dans cette phrase de Bossuet, on a un seul groupe respiratoire

Toute la vaste étendue de la terre '
et les profondeurs des mers '
et toute l'immensité du monde '
n'est qu'un point devant ses yeux... ||

et dans ce passage, pris chez Paul Morand, le rythme rapide du mouvement alterne avec des périodes plus nuancées, plus descriptives :

La nuit ' tombe plus vite que je n'aurais cru. |
Je n'ai pas l'habitude ' de ces phares américains '
qui tournent comme des yeux. ||
Nous crevons. |
Je change ma roue ' en y laissant mes ongles. |
On dîne au Mans. |
Nous n'arriverons pas à Paris ' avant minuit. ||
Et pourtant '
ne dois-je pas repasser le Plaisir et la Douleur ' avant demain? ||

On peut travailler ainsi, en les analysant, nombre de constructions. Correspondances entre la longueur des groupes ou, au contraire, contrastes voulus pour souligner un mouvement, images isolées dominant un ensemble, périodes descriptives réclamant un rythme plus lent : tels sont les principaux éléments qui, si on les utilise avec discernement, permettront de donner à la phrase sa structure, son squelette, son équilibre, son harmonie rythmique et sa mélodie.

Texte commenté n° 8.

Une nuit dans les forêts du Nouveau Monde
(extrait du *Génie du christianisme*, de Chateaubriand).

La scène sur la terre n'était pas moins ravissante : le jour bleuâtre et velouté de la lune descendait dans les intervalles des arbres et poussait des gerbes de lumière jusque dans l'épaisseur des plus pro-

fondes ténèbres. La rivière qui coulait à mes pieds tour à tour se perdait dans le bois, tour à tour reparaissait brillante des constellations de la nuit, qu'elle répétait dans son sein. Dans une savane, de l'autre côté de la rivière, la clarté de la lune dormait sans mouvement sur les gazons : des bouleaux agités par les brises et dispersés çà et là formaient des îles d'ombres flottantes sur cette mer immobile de lumière. Auprès, tout aurait été silence et repos, sans la chute de quelques feuilles, le passage d'un vent subit, le gémissement de la hulotte; au loin, par intervalles, on entendait les sourds mugissements de la cataracte du Niagara, qui, dans le calme de la nuit, se prolongeaient de désert en désert, et expiraient à travers les forêts solitaires.

ynnɥi ˈ dɑ̃lefɔrɛdynuvomɔ̃:d ||

lasɛnsyrlatɛ:r ˈ nɛtɛpamwɛ̃ravisɑ̃:t || ləʒurbløatrevlutedlalyn ˈ
desɑ̃dedɑ̃lezɛ̃tɛrvaldezarbr | ɛpusɛdɛʒɛrbdəlymjɛ:r ˈ
ʒyskədɑ̃lepɛsœ:r ˈ deplyprɔfɔ̃dtenɛbr || larivjɛ:r ˈ kikulɛamepje ˈ
turatu:r ˈ səpɛrdɛdɑ̃lbwa | turatu:r ˈ rəparɛsɛ ˈ
brijɑ̃tdekɔ̃stɛlasjɔ̃dlanɥi ˈ kɛlrepetɛdɑ̃sɔ̃sɛ̃ || dɑ̃zynsavan ˈ
dəlotrəkotedlarivjɛ:r | laklartedlalyn ˈ dɔrmɛ ˈ sɑ̃muvmɑ̃ ˈ syrlegazɔ̃ ||
debulo ˈ aʒiteparlebri:z ˈ edispɛrsesaela | fɔrmɛdezildɔ̃brəflɔtɑ̃:t ˈ
syrsɛtmɛrimɔbildəlymjɛ:r || oprɛ ˈ tutɔrɛetesilɑ̃sɛrpo |
sɑ̃laʃytdəkɛlkəfœj ˈ ləpasaʒdœvɑ̃sybi ˈ ləʒemismɑ̃dlaylɔt || olwɛ̃ ˈ
parɛ̃tɛrval | ɔ̃nɑ̃tɑ̃dɛlesurmyʒismɑ̃ ˈ dəlakataraktədynjagara | ki ˈ
dɑ̃lkalmdəlanɥi ˈ səprɔlɔ̃ʒɛdədezɛrɑ̃dezɛ:r ˈ eɛkspirɛ ˈ
atravɛrlefɔrɛsɔlitɛ:r ||

Ce passage est un exemple parfait de l'équilibre de la phrase : étudier les groupes rythmiques, puis les groupes respiratoires, la valeur des arrêts et le mouvement mélodique de l'ensemble.

Travail du mouvement mélodique sinueux et non pas travail par plans différents, comme dans les textes d'écrivains contemporains, Proust, Gide ou Paul Morand, par exemple.

Chaque phrase décrit un tableau précis, où l'on doit mettre en évidence les lignes, les formes et les couleurs.

Le début se présente comme une **introduction** :

⌈ *La scène sur la terre n'était pas moins ravissante...*,

dont le dernier mot, laissé en suspens, sera placé légèrement plus haut que pour une phrase finie, car il annonce la suite de la description.

Une **première image** apparaît dans la proposition suivante, débutant plus bas que ce qui précède ; la première partie :

⌊ *le jour bleuâtre et velouté de la lune*

⌈ *descendait dans les intervalles des arbres...*

monte lentement jusqu'à *arbres*, qui représente le point le plus haut de la phrase ; puis la seconde partie redescend graduellement jusqu'à la fin :

⌊ *et poussait des gerbes de lumière*

⌊ *jusque dans l'épaisseur des plus profondes ténèbres.*

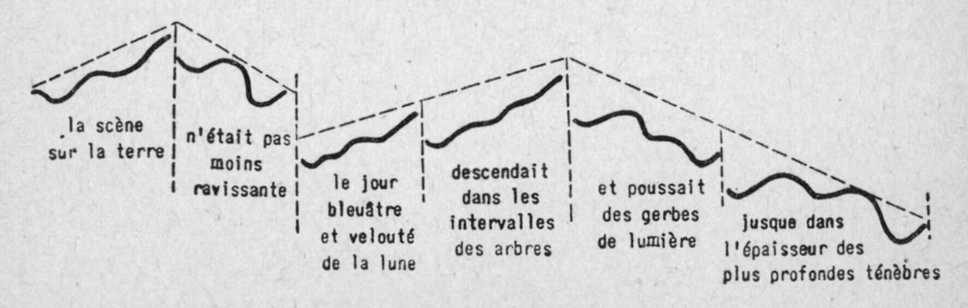

La phrase suivante introduit une **deuxième image** : accent léger mis sur le mot *rivière*, souligné par les deux *tour à tour*, suggérant le mouvement et le miroitement de la lumière qui se cache et reparaît; la voix descend graduellement vers la fin, avec rebondissement et allongement des éléments liés les uns aux autres :

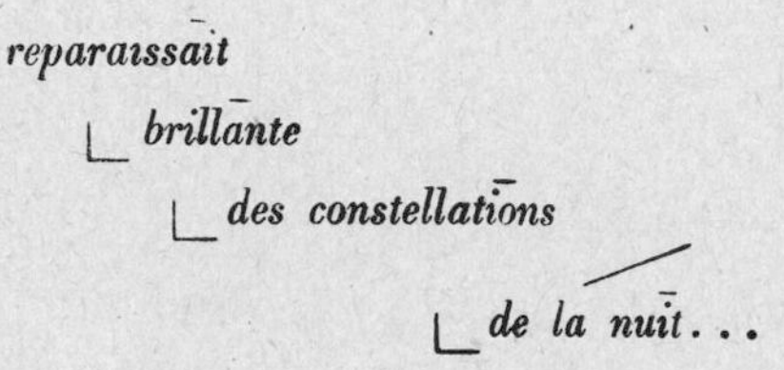

Le dernier élément :

qu'elle répétait dans son sein,

est marqué par la ligne descendante finale.

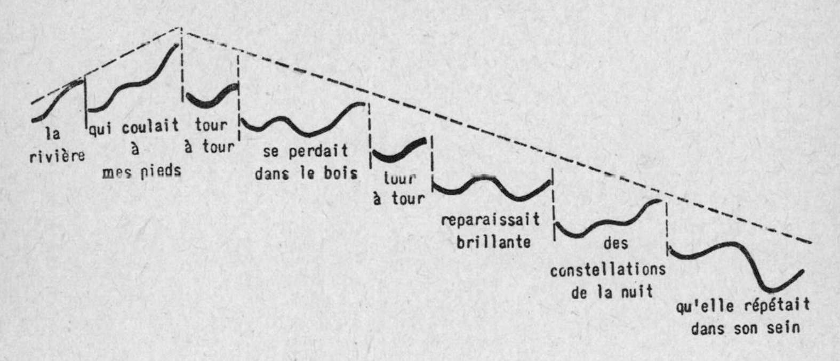

Une **troisième image** se présente alors à nous; le premier groupe :

Dans une savane

doit être lié au groupe suivant :

de l'autre côté de la rivière.

qui sera placé légèrement plus bas; puis, apparition de la clarté de la lune; accent d'insistance sur *dormait*, soutenu :

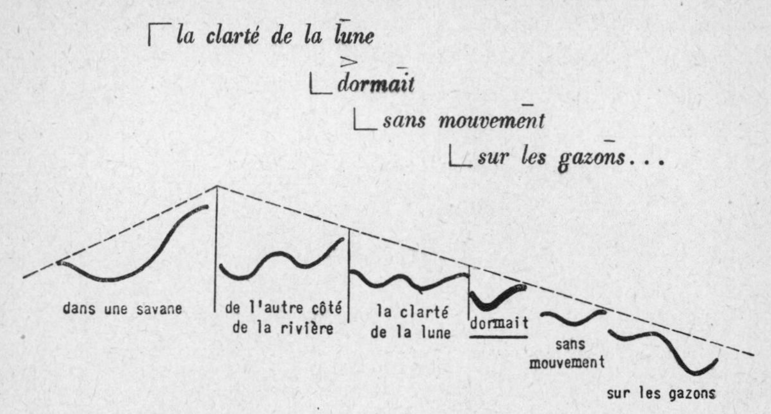

La **quatrième image** montre le léger mouvement des bouleaux : voix contenue, mélodie montante mais peu marquée, jusqu'à *çà et là;* puis descente sur la deuxième partie de la phrase, avec rebondissement léger sur *flottantes* et *immobile :*

des bouleaux'

agités par les brises'

et dispersés çà et là |

formaient des îles d'ombres flottantes'

sur cette mer immobile de lumière. ||

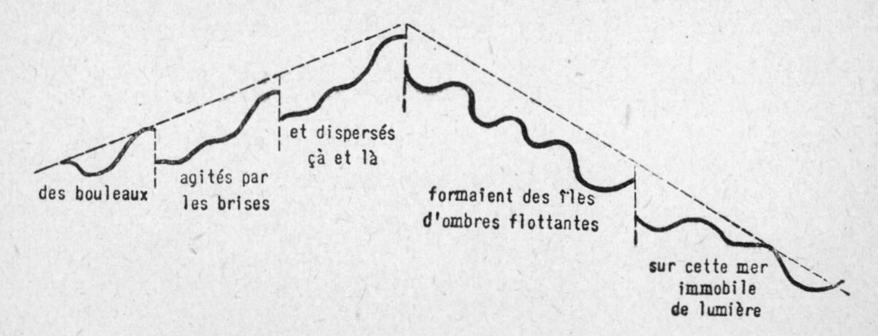

La fin doit être dite comme une **conclusion** : voix plus douce, plus basse, plus contenue sur *auprès*, suivi d'un léger arrêt, et auquel répond *au loin*, affecté du même accent. Après *tout aurait été silence et repos*, descente par plans jusqu'à *hulotte. Au loin*, placé plus bas, introduit une description plus sonore, qui sera à peine soulignée, les mots s'enchaînant régulièrement à l'intérieur de chaque groupe et donnant eux-mêmes la sonorité voulue.

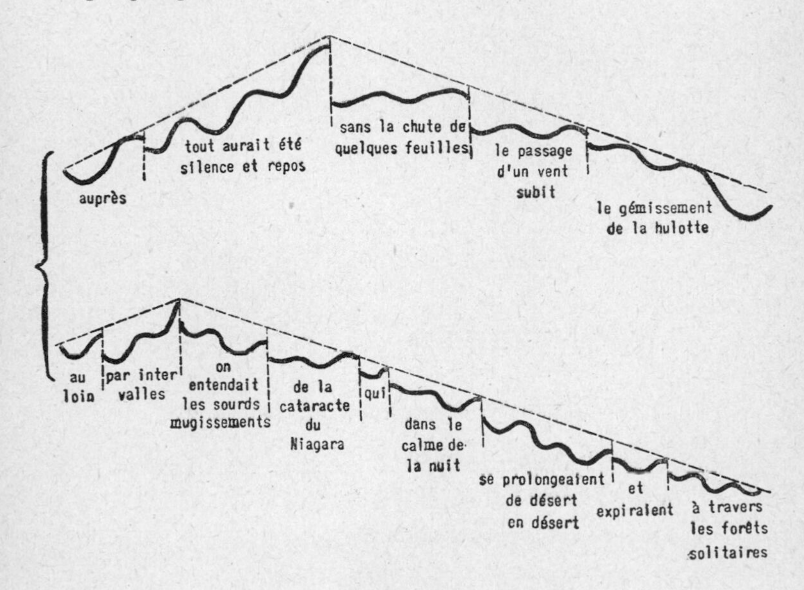

Dans cette étude, deux points sont importants : les arrêts plus ou moins longs; la tenue très douce de la voyelle en fin de groupe, qui doit être liée à ce qui suit :

la rivière ‿ *qui coulait à mes pieds*
ε⟶

des bouleaux ‿ *agités par les brises* ‿ *et dispersés . . .*
o⟶ i⟶

Les étrangers ont toujours tendance à couper le mot accentué et à enchaîner trop vite ce qui suit.

Déterminer très exactement les pauses et travailler les sons :

ravissante,	*savane,*
de la lune,	*rivière,*
des arbres,	*lune,*
lumière,	*mouvement,*
ténèbres,	*gazons,*

en insistant plus particulièrement sur certains groupes de sons :

dans son sein,	ã õ ɛ̃
dans une savane,	ã y a a
sur les gazons,	y e a õ
le passage d'un vent subit,	ə a a œ̃ ã y i
on entendait,	õ ã ã ɛ
les sourds mugissements...	e u y i ã

On travaillera également les groupes un peu longs :

les sourds mugissements de la cataracte du Niagara... '
se prolongeaient de désert en désert... '
à travers les forêts solitaires. ||

CHAPITRE IX

LA LIAISON ET L'HIATUS

Généralités. — « Quand, dans une même phrase, deux mots se suivent, dont le second commence par une voyelle alors que le premier finit par une consonne qui ne se prononce pas dans toutes les positions, on dit qu'il y a *liaison* si la consonne se prononce, *hiatus* si elle ne se prononce pas. » (Maurice GRAMMONT, *la Prononciation française*.)

EXEMPLES DE LIAISON :

les‿enfants,
les‿autres‿amis,
nous‿avons,
ils‿auront.

EXEMPLES D'HIATUS :

*un savant*ˡ *aveugle*,
*un chat*ˡ *énorme*,
*un enfant*ˡ *heureux*.

La difficulté est de savoir quand on doit faire la liaison et quand il ne faut pas la faire. Question délicate, car, en ce domaine, l'usage évolue constamment. Nombre de liaisons, qu'on faisait encore il y a vingt ou trente ans, ne se font plus aujourd'hui. Il y a également des différences suivant les milieux et suivant les régions. Le plus souvent, les jeunes ont tendance à ne garder que les liaisons absolument indispensables, soit du point de vue du sens, soit du point de vue grammatical.

La règle générale, qui était suivie même dans la conversation familière, il y a une quarantaine d'années, était de faire la liaison à l'intérieur du *groupe rythmique* et de ne pas la faire d'un groupe rythmique au suivant.

En français, des mots tels que les pronoms personnels sujets (*ils*, *elles*, *nous*, etc.), les prépositions, les conjonctions, les articles, n'ont pas un sens complet en eux-mêmes. Ils n'auront de sens dans la phrase que lorsqu'ils accompagneront un autre mot. Donc, ils formeront toujours un groupe rythmique avec d'autres mots auxquels ils seront intimement liés par le sens :

les‿élèves,
ils‿arrivent,
nous‿avons faim,
sans‿eux,
chez‿elle,
quand‿elle entre.

Par conséquent, selon la règle des liaisons fondée sur le groupe rythmique, on fera la liaison dans les exemples suivants :

leurs‿enfants,
de grands‿amis,
très‿heureux,

mais on ne la fera pas dans :

Leurs‿enfants | *étaient avec eux*,
De grands‿amis | *habitaient ensemble;*

de même, on fera la liaison dans :

Il faut | *qu'elle soit‿à Paris demain*,

mais on ne la fera pas dans :

Trouvez-la | *où qu'elle soit*, | *à Paris ou ailleurs.*

A l'heure actuelle, si cette règle est à peu près suivie dans la conversation recherchée ou la lecture soignée, elle ne l'est pas toujours dans la conversation familière. On dira, par exemple, en lisant un passage de CHATEAUBRIAND :

Ces nues ' ployant‿et déployant leurs voiles...,

mais dans la conversation familière:

Elle restait là, lisant ' et relisant cette lettre;

dans *la Chèvre de M. Seguin*, on lira :

En somme, ' ce fut‿une bonne journée...,

mais, dans la conversation, on entendra souvent :

En somme, ' ce fut (ou *c'était*) ' *une bonne journée...*

Lorsqu'il n'y a pas de liaison à proprement parler, il se fait néanmoins, d'une syllabe à l'autre, une sorte de liaison douce et atténuée. Si deux voyelles se suivent, en passant d'une voyelle à l'autre la glotte ne cesse pas de vibrer; le passage se fait par une sorte de modulation de timbre et de hauteur, avec un léger fléchissement de la voix. C'est pourquoi, dans des groupes de mots tels que :

pas ' assez,
mais ' alors,
pas ' heureuse,
il faut ' aller,

où la liaison est omise de façon courante, on passera doucement d'une voyelle à l'autre sans arrêter les vibrations de la glotte, produisant ainsi une sorte de liaison vocalique agréable à l'oreille: un étranger, dans le même cas, séparera les deux voyelles par un arrêt brusque.

Il est à remarquer aussi que, même devant ce qu'on appelle un *h* aspiré, en français. il n'y a jamais d'arrêt brusque ni d'aspiration. Dans des groupes de mots tels que :

la haine,
le héros, les héros,
la hauteur, les hauteurs,
un hibou.

il se fait, entre la voyelle qui précède le *h* et celle qui le suit, une liaison intervocalique, et l'on n'entend aucune aspiration, l'on ne remarque aucun arrêt. Si l'on observe, dans des cas particuliers, une sorte d'arrêt voulu — quelquefois même très marqué —, c'est pour renforcer le sens; il y aura alors sur la syllabe commençant par *h* aspiré un accent d'insistance ou accent d'émotion :

<
un regard ˈ *haineux,*

<
des paroles ˈ *haineuses.*

ou, dans le style oratoire, un léger arrêt avant le mot que l'on veut mettre en évidence :

la ˈ *Haine* (par opposition à l'Amour).

D'autre part, quand la liaison proprement dite se fait d'un mot à un autre — d'une consonne à une voyelle —, elle doit être franche. C'est souvent un bref arrêt ou une hésitation qui trahit l'étranger. Par exemple, dans la prononciation de :

les‿amis, ces‿enfants, ces‿heureux‿enfants,

on devra entendre :

lezami, sezãfã, sezørøzãfã;

la consonne qui se lie à la voyelle initiale du mot suivant doit faire corps avec elle et ne former qu'une syllabe.

Dans cette question des liaisons, on ne peut formuler de *règle absolue*, puisque, comme on l'a dit plus haut, l'usage n'est pas fixé. Cependant, il est possible de préciser le sens dans lequel s'est poursuivie l'évolution observée dans ce domaine, et de donner quelques indications générales d'ordre pratique, qui auront pour but d'aider l'étranger ou le provincial à choisir, dans les cas épineux, la prononciation qui ne choquera jamais une oreille avertie. Souvent, dans l'enseignement, surtout à l'étranger, on a tendance à se fonder sur des règles périmées ou sur des habitudes provinciales. Pourtant, les fautes de liaison sont particulièrement choquantes en français, où elles dénotent une prononciation provinciale ou étrangère, voire pédante et prétentieuse.

Si, négligeant l'évolution du langage et de la prononciation, on prétend conserver les usages qui régissaient les liaisons il y a trente ans et plus, on s'expose évidemment à parler d'une façon désuète. Pour un professeur, enseigner ces règles anciennes reviendrait à traiter le français comme une langue morte. Or, s'il semble plus *fixé* que d'autres langues, le français n'est pas pour autant figé. Tout en gardant les qualités essentielles du français classique, sa netteté, sa clarté, son équilibre, son harmonie, la langue évolue avec le temps et constamment. Grâce à cette adaptation continuelle, elle reste propre, tout comme les autres langues — et souvent mieux —, à exprimer les multiples aspects de la vie moderne (sport, industrie, cinéma, mouvement), avec exactitude et réalisme, sans rien perdre de sa beauté et de sa grâce.

La liaison dans le langage littéraire et dans le langage familier. — Pourtant, s'il importe de ne pas faire trop de liaisons, il ne faut pas non plus les supprimer toutes. Les étrangers, en particulier, devront se garder d'un excès de recherche, qui les conduirait à une prononciation affectée et artificielle. S'il y a des liaisons qu'on doit absolument ne pas faire, il en est aussi qu'un Français ne fera pas d'ordinaire, mais qui ne choqueront pourtant pas. On doit se fonder, en ce qui concerne les liaisons, sur l'*usage actuel* avant tout.

Pour rester fidèle à l'esprit de la langue française, on tiendra compte de ces transformations du langage, qui ont d'ailleurs toujours des raisons profondes d'ordre psychologique et qui tiennent à l'évolution constante d'un pays, de sa pensée, de sa civilisation. Ce serait trahir notre langue que d'en enseigner seulement certains aspects et de ne tenir aucun compte de transformations réelles.

Pour toute règle de phonétique de la langue française, on prend toujours comme français type le français parlé dans un milieu cultivé, à Paris et dans la région parisienne, qui peut apparaître comme représentatif de la prononciation française. D'ailleurs, même à l'intérieur d'une région déterminée, on trouvera difficilement une prononciation absolument uniforme. En ce qui concerne les liaisons, on constatera, d'une façon générale, qu'on en supprime plus à Paris qu'en province.

Les règles et indications générales qui sont données plus loin sont établies de telle façon qu'en s'y conformant un étranger sera assuré de ne pas choquer par sa prononciation une oreille cultivée, et de se rapprocher le plus possible de la prononciation communément entendue à Paris dans un milieu cultivé et sans affectation.

Précisons encore qu'il y a bien des liaisons qu'on supprime dans la conversation familière et qu'on garderait soit dans une conversation plus étudiée, soit dans une lecture soignée ou dans une conférence. En poésie, on les conservera presque toutes, à l'intérieur des groupes — à moins qu'elles ne soient choquantes à l'oreille —, surtout dans la poésie classique et romantique. Dans la poésie moderne, on se permettra plus de liberté et on pourra supprimer davantage de liaisons.

Tandis que, dans le style de la conversation, on dira souvent :

j'étais ˈ enchanté,
j'étais ˈ heureux,

dans un passage de CHATEAUBRIAND, par exemple, lu à haute voix, on dira :

un soir, je m'étais‿égaré dans une forêt;

dans le langage familier, on dira :

mon fils qui était ˈ auprès de moi,

les fenêtres ˈ ouvertes,

mais dans CHATEAUBRIAND encore, lu à haute voix :

. . . la rivière qui coulait‿à mes pieds,
. . . dans les langues‿humaines;

dans la conversation, on dira :

elle lisait ˈ et relisait cette lettre . . .,

mais dans la lecture soignée :

ces nues, ployant‿et déployant leurs voiles, etc.

I. — LIAISONS A FAIRE
(même dans le langage familier).

1° Entre les, des, un, ces, et le mot suivant qu'ils définissent :

les‿enfants, les‿uns et les‿autres, les‿heureux parents;
des‿amis, des‿heures;
un‿ami, un‿ennemi, un‿artiste;
ces‿années, ces‿êtres, ces‿ardents patriotes.

2° Entre l'**adjectif qualificatif**, l'**adjectif possessif**, l'**adjectif indéfini**, l'**adjectif numéral**, et le mot suivant auquel ils se rapportent :

un bon‿ami, un grand t‿ami, de beaux‿enfants;
mes‿enfants, mon‿oncle, mon‿amical souvenir;
certains‿hommes, aucun‿ami;
trois‿heures, six‿enfants, dix‿animaux.

3° Entre les **pronoms personnels sujets**, **on**, **tout**, et le verbe qui suit dont ils sont sujets :

nous‿avons, vous‿arrivez, ils‿aiment;
on‿a, on‿aborde;
tout‿arrive, tout‿est prêt.

4° Entre les **pronoms personnels compléments** et le verbe qui suit dont ils sont compléments :

il vous‿aime, vous les‿avez vus, nous vous‿apportons ceci.

5° Entre **dont** et le mot suivant :

ce dont‿il parle, ce travail dont‿elles sont fières.

(Mais on ne fait pas la liaison entre *dont* et un nom propre; ex. : *le livre dont | André vous a parlé.*)

6° Entre le **verbe** et le **pronom sujet**, à la forme interrogative :

ont-‿ils eu? avaient-‿elles? peuvent-‿ils?

(On ajoute même une consonne quand elle n'existe pas; ex. : *va-t-elle? ira-t-il? aime-t-elle?*)

7° Entre **quand** conjonction et le mot suivant :

quand t‿il arrivera, quand t‿on est là.

8° Entre **soit . . . soit**, **tant . . . (que)** et le mot suivant :

soit‿à la maison, soit dehors,
tant‿en ville qu'à la campagne.

9° Entre un **substantif** (employé sans article) ou un **adjectif pluriels** et les conjonctions **et**, **ou**, lorsque celles-ci unissent ce substantif ou cet adjectif à un autre substantif ou à un autre adjectif :

grands‿et petits, *blonds‿ou bruns,* *hommes‿et femmes.*

10° Entre **tout, très, bien**, et le mot modifié :

il est tout‿heureux,
elles sont très‿aimables,
il est bien‿aimable.

(On remarque une tendance à supprimer cette liaison dans le langage familier.)

11° Dans l'expression **quant à** :

quant‿à ce que vous m'avez confié. . .,
quant‿à Paul, je n'en ai aucune nouvelle.

12° Entre **comment** et le mot suivant dans :

comment‿allez-vous?

13° Dans des expressions toutes faites comme :

mot‿à mot,
deux‿à deux,
de temps‿en temps,
d'un bout‿à l'autre,
un pis‿-‿aller,
de mieux‿en mieux,
les Champs‿-‿Élysées, etc.

14° **Entre une préposition** et le mot suivant :

sous‿une table,
avant‿eux,
dans‿une chambre,
devant‿elle,
pendant‿une année,
sans‿espoir,
en‿allant.

Exceptions : après *selon, vers, hors, moyennant, nonobstant,* on ne fait jamais la liaison :

selon | *eux,*
vers | *une maison,*
moyennant | *un franc.*

(On remarque une tendance à supprimer la liaison après certaines prépositions dans le langage courant.)

15° Entre les **auxiliaires avoir** et **être** à la 3ᵉ personne et le mot suivant :

ils ont‿eu, ils ont‿appris,
il est‿heureux, il est‿arrivé,
ils sont‿allés, ils sont‿à Paris.

(Mais on entend ces expressions sans liaison dans le langage familier.)

16° Entre le **verbe auxiliaire** et l'infinitif suivant :

nous devons‿aller, ils feront‿attendre.

(Mais on entend aussi ces expressions sans liaison.)

Remarques. — *a*) Entre les **adverbes terminés en -ment** et le mot suivant, la liaison est encore très fréquente :

il est extrêmement‿heureux.

b) Entre **fort** et l'adjectif qui suit, la liaison paraît déjà vieillie dans le langage courant :

elle est fort |‿ heureuse.

c) Entre **deux adverbes**, comme :

pas |‿ encore,
mieux |‿ encore,

la liaison se fait dans la lecture ou dans la conversation soignée, mais on l'entend peu dans le langage familier.

II. — LIAISONS A NE PAS FAIRE
(ni dans le langage familier, ni dans le langage recherché).

1° Entre le **nom** et **l'adjectif** qui suit :

lit | immense,
enfant | étourdi.

Exception : *accent‿aigu.*

2° Entre les pronoms sujets **ils**, **elles**, **on**, placés après le verbe à la forme interrogative, et le mot suivant :

sont-elles | arrivées ?
ont-ils | aperçu quelque chose ?
a-t-on | amené les enfants ?
font-ils | un voyage ?

3° Entre le **sujet** et le **verbe** qui suit (le sujet étant un nom, un pronom ou un mot employé comme nom, sauf les pronoms personnels sujets déjà mentionnés) :

le fermier ' est aux champs,
ces enfants ' ont des livres,
le chat ' est sur la fenêtre,
chanter ' est un bonheur pour elle,
trois ' est le nombre que je préfère,
le tout ' est de ne rien dire.

4° Dans un **nom composé** au pluriel :

des arcs ' en-ciel,
des salles ' à manger,
des pots ' à eau.

5° Devant les mots **oui**, **oh** et **ah** :

des ' oui, *un ' oui,*
des ' oh ! et des ' ah ! d'admiration.

6° Devant les mots **uhlan**, **ululer**, **ululement** :

un ' uhlan, *des ' ululements.*

7° Devant les mots commençant par **y** (mots généralement d'origine étrangère) :

des ' yachts,
les ' yoles.

(Mais on dit : *les_yeux.*)

8° **Entre et** et le **mot suivant**:

ma sœur et ' une amie,
vivre et ' aimer.

9° Entre **comment** et le mot qui suit (sauf dans : *comment_allez-vous?*) :

comment ' êtes-vous venu?
je ne sais pas comment ' il ira à Paris.

10° Devant **un**, **huit** et **onze** :

j'en voyais ' un,
ils seront ' huit,
vous serez ' onze,
quatre-vingt'-un,
quatre-vingt'-onze,
quatre-vingt'-huit.

EXCEPTIONS : *dix_-_huit,*
vingt_-_huit,
soixante-dix_-_huit,
quatre-vingt-dix_-_huit.

11° Devant un mot commençant par un **h** aspiré :

un ' héros,
les ' hiboux,
ces ' hauteurs.

12° Par **euphonie**, lorsque la liaison serait désagréable à l'oreille:

vous avez ' osé,
six_heures ' et demie,
nez ' à nez,
pot ' à tabac,
chaud ' et froid.

13° Après un mot terminé par **-rd**, **-rt**, la liaison se fait avec le *r* et non avec le *d* ou le *t* :

de part et d'autre,
vert et jaune,
bord à bord,
nord-est, *nord-ouest.*

EXCEPTIONS :

Dans les verbes à la forme interrogative :

sert - elle? *sert - il?*

Après *fort* (comme on l'a vu précédemment), où la liaison peut se faire :

fort heureux.

III. — LIAISONS FACULTATIVES

(faites généralement dans le langage recherché
et dans la lecture, mais omises dans la conversation courante).

1° **Entre un substantif pluriel** employé avec l'article indéfini et les conjonctions **et**, **ou**, lorsque celles-ci l'unissent à un autre substantif :

des hommes ' et des femmes,
des tables ' ou des chaises.

2° **Entre un substantif pluriel** et l'adjectif qui suit :

des femmes ' aimables,
des hommes ' heureux,
des femmes ' âgées.

3° Entre le **verbe auxiliaire** et le **participe passé** qui suit :

je suis ‿ allé,
nous avons ‿ eu,
nous serions ‿ enchantés,
nous avons ‿ aperçu.

4° **Entre le verbe** et le mot suivant (relié au verbe par le sens) :

nous avons ‿ un livre,
il chantait ‿ une chanson,
nous jouons ‿ avec eux,
monter ‿ à cheval,
jouer ‿ aux échecs.

5° Entre le **participe passé** et le mot suivant (relié au participe passé par le sens) :

remis ‿ à neuf,
mis ‿ en demeure,
pris ‿ en flagrant délit.

6° Entre **l'adjectif** et le mot suivant (relié à l'adjectif par le sens) :

heureux ‿ au jeu,
malheureux ‿ en amour.

7° Entre le **participe présent** et le mot qui suit :

en allant ‿ à Paris,
en parlant ‿ avec ma mère,
ployant ‿ et déployant,
regardant ‿ et rêvant.

8° Entre **mais** et le mot suivant :

mais ‿ on peut penser,
mais ‿ il faut croire.

(Entre *mais* et *oui*, toutefois, il ne doit jamais y avoir de liaison : *mais ' oui.*)

9° Entre **jamais** et le mot suivant :

il n'a jamais ‿ été.

IV. — CAS PARTICULIERS

1. Liaison entre un mot terminé par une consonne nasale et un mot commençant par une voyelle.

1° **En**, pronom, préposition ou adverbe, se lie avec le verbe qui le suit et garde le son nasal :

il en‿a,	ilãna
il s'en‿est aperçu,	ilsãnɛtapersy
il en‿apprend deux pages,	ilãnaprãdøpaʒ
il en‿arrive,	ilãnari:v
en‿apportant,	ãnapɔrtã

mais il ne se lie pas avec le mot suivant quand il est placé après le verbe :

donnez-m'en ' une tasse,
donnez-lui en ' un peu.

2° **Mon**, **ton**, **son**, se lient avec le mot qui suit (la voyelle peut se prononcer nasale ou comme *o* ouvert) :

mon‿ami,	mõnami *ou* mɔnami
ton‿heureux père,	tõnørøpɛ:r *ou* tɔnørøpɛ:r
son‿école,	sõnekɔl *ou* sɔnekɔl

3° L'adjectif **bon** se lie avec le substantif qu'il qualifie quand celui-ci est placé après (la voyelle de *bon* se prononce dans ce cas comme un *o* ouvert) :

un bon‿enfant, bɔnɑ̃fɑ̃
un bon‿ami, bɔnami

mais on ne fera pas la liaison dans :

bon ' à tirer,
bon ' à prendre,
bon ' à rien.

(On entend aussi *bon‿à rien,* avec *o* ouvert.)

4° **Rien** et **bien** se lient avec le mot suivant quand ils lui sont étroitement unis par le sens, et ils gardent le son nasal *in* [ɛ̃] :

je n'ai rien‿à faire,
je n'ai rien‿apporté,
ils sont bien‿en retard,
il est bien‿arrivé,
bien‿entendu;

mais on ne fera pas la liaison dans :

ils sont bien ' ensemble,
vous ne trouverez rien ' au marché,
je suis très bien ' à la maison.

5° Dans l'expression **divin enfant**, on fait la liaison, mais on prononce [i] (et non pas [ɛ̃]), comme à la forme féminine *divine :* [divinɑ̃fɑ̃].

6° **Ancien**, **certain**, **hautain**, **humain**, **lointain**, **moyen**, **plein**, **prochain**, **soudain**, **souverain**, **vain**, **vilain**, se lient avec le nom qu'ils accompagnent, mais la voyelle se prononce comme *è* ouvert :

un ancien‿ami (comme *ancienne amie*),
un certain‿âge,
un vilain‿enfant,
le moyen‿âge,
le prochain‿anniversaire,
un lointain‿avenir,
un soudain‿éclat de rire.

7° **Aucun** et **un** se lient avec le nom qu'ils accompagnent et gardent le son nasal :

aucun‿enfant,	okœ̃nɑ̃fɑ̃
un‿ami,	œ̃nami

ils se lient aussi avec l'adjectif qui précède le nom :

un‿heureux ami,
un‿aimable compagnon,

mais on ne fait pas la liaison dans :

y en a-t-il un ' *avec vous?*
je n'en vois aucun ' *avec lui.*

8° La liaison se fait dans :

commun‿accord, kɔmœ̃nakɔːr

9° **Un**, adjectif numéral, se lie avec le nom qui suit quand il le multiplie :

vingt et un‿amis,
trente et un‿élèves,
quarante et un‿ans.

Dans les dates, on peut faire la liaison ou ne pas la faire :

vingt et un‿ǀ avril.

Mais on ne fait pas la liaison dans les autres cas :

un ǀ et trois font quatre.

10° On peut faire la liaison ou ne pas la faire après **un**, dans les expressions suivantes :

un‿ǀ à un,
l'un‿ǀ ou l'autre,
l'un‿ǀ avec l'autre,
l'un‿ǀ et l'autre,
l'un‿ǀ auprès de l'autre,
l'un‿ǀ après l'autre.

2. *En marge des liaisons : prononciation des mots* donc, plus, sens, tous, tandis que, puisque.

1° **Donc** est prononcé *donk* [dõk] quand il implique l'idée de conséquence ou de causalité :

donc(k), *je lui ai dit,*
je pense, donc(k) *je suis.*

Dans un sens exclamatif, le [k] peut se prononcer ou ne pas se prononcer :

allons donc !	alõdõ *ou*	alõdõ:k
dites donc !	ditdõ *ou*	ditdõ:k
comment donc !	kɔmãdõ *ou*	kɔmãdõ:k
ne pleure donc pas !	nəplœrdõpa *ou*	nəplœrdõkpa

2° **Plus** se prononce avec le *s* [plys] dans les cas suivants :

a) Quand *plus* indique l'addition :

1 plus 1, *2 plus 3*,
100 plus 10 pour 100;

b) Quand *plus* a le sens de « davantage » et suit le verbe :

elle en veut plus	plys
elle n'en veut pas plus	–
il en faut plus	–

c) Dans le mot *plus-que-parfait*.

La prononciation du *s* est facultative dans les expressions :

tout au plus,
un peu plus.

Le *s* de *plus* n'est pas prononcé dans les cas suivants :

a) A la forme négative :

il n'y va plus,
je n'en veux plus;

b) A la forme comparative (devant une consonne) :

elle est plus grande,
elle est plus petite;

c) Dans les expressions suivantes :

d'autant plus,
tout au plus,
sans plus,
ni plus ni moins,
bien plus,
tant et plus,
de plus,
au plus (*s* prononcé quelquefois).

Entre le mot *plus* et le mot qui suit, il y a une liaison (avec le son [z]) dans les expressions suivantes :

de plus ‿ en plus,
plus ‿ ou moins,
qui plus ‿ est,

et devant un adjectif commençant par une voyelle :

plus ‿ aimable.

3° **Sens** se prononce sans qu'on entende le *s* final dans les expressions suivantes :

sens dessus dessous,
sens devant derrière.

Le *s* est prononcé dans tous les autres cas :

le sens de l'odorat,
un autre sens,
sens unique.

4° **Tous** se prononce avec le *s* final quand il est pronom :

je les vois tous,
ils sont tous ici,
tous sont venus.

Mais le *s* final n'est pas prononcé dans **tous** adjectif :

tous les deux,
tous les enfants,
tous ceux que vous voyez.

5° **Tandis que** se prononce sans qu'on entende le *s* de *tandis*, mais on l'entend pourtant assez fréquemment de nos jours.

6° **Puis** se prononce sans qu'on entende le *s* final, mais le *s* est prononcé dans puisque.

3. En marge des liaisons : prononciation des nombres.

La prononciation de certains nombres varie suivant leur place dans la phrase.

1° **Quatre**, placé devant un nom ou un adjectif commençant par un *h* aspiré, sera souvent prononcé en laissant entendre le *e* final :

*quatr*e *héros*,
*quatr*e *hautes fenêtres*.

Devant un mot commençant par une consonne, on entendra souvent *quat* au lieu de *quatre* dans la conversation familière :

quatre tables,	kattabl
quatre livres,	katlivr
le 4 décembre,	katdesɑ̃:br

2° **Cinq**, placé devant un nom commençant par une consonne ou un *h* aspiré, est prononcé *cin* (sans qu'on entende le *q* [k]) :

cinq garçons,	sɛ̃
cinq filles,	—
cinq héros,	—

Pour une date ou dans l'expression 5 *pour 100*, on peut prononcer le [k] ou ne pas le prononcer, quoique la tendance moderne soit de le prononcer :

le 5 mai,	sɛ̃k
le 25 juin,	—
à déduire 5 pour 100 ou 25 pour 100,	—

Dans tous les autres cas, le [k] de *cinq* se prononce :

cinq amis,	sɛ̃k
cinq anciens élèves,	—
j'en ai cinq,	—
une heure cinq,	—
George V,	—
le 5,	—

3° **Six** et **dix**, placés devant un nom ou un adjectif commençant par une consonne ou un *h* aspiré, sont prononcés sans qu'on entende le *x* :

six filles,	si
six garçons,	—
six héros,	—
six hautes maisons,	—

Devant un mot commençant par une voyelle, on fait la liaison avec [z] :

six‿amis,	sizami
dix‿enfants,	dizãfã

Pour les dates et dans l'expression *6 pour 100* ou *10 pour 100*, on peut prononcer le *x* (comme [s]) ou ne pas le prononcer, mais la tendance moderne est de le prononcer :

6 pour 100, *10 pour 100*,	sis, dis
le 6 mai,	sis
le 10 novembre,	dis
le 26 juin,	sis

Dans tous les autres cas, on prononce la consonne finale (comme [s]) :

j'en ai six,	sis
j'en veux dix,	dis
nous serons six ou dix,	sis, dis
une heure six,	sis
trois heures dix,	dis

4° **Sept**, placé devant un mot commençant par une consonne ou un *h* aspiré, est prononcé [sɛ] ou [sɛt], mais la tendance moderne (très nette) est de prononcer le *t* (le *p* ne se prononce jamais) :

sept personnes,	sɛt
sept garçons,	—
sept hardis voyageurs,	—

Pour une date et dans l'expression 7 %, on peut prononcer le *t* ou ne pas le prononcer, quoique la tendance moderne soit de le prononcer :

je demande du 7 %,	sɛt
il voudrait ajouter 17 pour 100,	—
le 17 novembre,	—
le 7 décembre,	—

Dans tous les autres cas, on prononce le *t* final :

une heure sept,	sɛt
nous sommes sept,	—
sept amis,	—
Louis VII,	—

5° **Huit**, placé devant un mot commençant par une consonne ou un *h* aspiré, est prononcé [ɥi] (sans le *t*):

huit jeunes filles,	ɥi
huit maisons,	—
dix-huit personnes,	—
huit hautes montagnes.	—

Pour une date et dans l'expression *8* %, on peut prononcer le *t* ou ne pas le prononcer, mais la tendance moderne est de le prononcer :

une proportion de 8 pour 100,	ɥi *ou* ɥit
du 18 %,	—
le 8 juin,	—
le 18 décembre,	—

Dans tous les autres cas, on prononce le *t :*

j'en ai huit,	ɥit
j'en veux dix-huit,	—
une heure huit,	—

6° **Neuf**, placé devant un mot commençant par une consonne ou un *h* aspiré, se prononce *neu* ou *neuf*, mais la tendance actuelle est de prononcer le *f* :

neuf chiens,	nœf
neuf personnes,	—
neuf tables,	—

Pour une date et dans l'expression *9* %, les deux prononciations se rencontrent, mais la tendance moderne est de prononcer le *f* :

9 pour 100,	nœf
19 pour 100,	—
le 9 mai,	—
le 19 décembre,	—

Dans tous les autres cas, le *f* se prononce :

le neuf,	nœf
nous serons neuf,	—
neuf enfants,	—

Remarque. — La liaison entre *neuf* et le mot suivant ne se fait avec le son [v] que dans les cas suivants :

neuf ans,	nœvã
neuf heures,	nœvœ:r

et, par conséquent, dans :

dix-neuf ans,	diznœvã
dix-neuf heures,	diznœvœ:r, etc.

4. *Remarque sur quelques mots et expressions.*

Le mot *ouate*, employé avec l'article défini, peut se prononcer :

lwat ou lawat

Dans l'expression *sang humain*, la liaison ne se fait pas :

sã-ymẽ

Dans *respect humain*, on ne prononce pas le *t*, mais on lie avec [k] :

rɛspɛkymɛ̃

Quand, *grand*, *second*, se lient avec [t] et non pas avec [d] :

quand ‿ᵗ *il arrive*,
un grand ‿ᵗ *ami*,
le second ‿ᵗ *enfant*.

V. — CONCLUSION

Au terme de ce chapitre consacré à la liaison et à l'hiatus, nous rappellerons la difficulté d'établir des règles précises en cette matière. La plupart de celles qui ont été données ci-dessus ne représentent que des moyennes; c'est dire que leur application, souvent facultative, sera surtout affaire de discernement. Toutes peuvent se ramener à une constatation très générale : plus la forme de l'expression est soignée ou recherchée, plus il faut être attentif aux liaisons; par conséquent, plus celles-ci seront nombreuses.

On peut rapprocher cette règle de celles qui sont relatives à la prononciation du *e* muet : si on le supprime fréquemment dans la conversation courante, on le maintient dans le langage soigné et en poésie. La forme poétique étant un mode d'expression plus rare que la prose, il est naturel que l'évolution y soit plus lente, que les tendances y soient moins accusées.

En ce qui concerne les liaisons, la règle est de les faire toutes en poésie, sauf celles que l'on supprimera par raison d'euphonie. Cette règle, généralement suivie dans la diction de la poésie classique ou romantique, est moins observée dans celle de la poésie moderne et contemporaine, où la liberté d'interprétation est beaucoup plus grande. Par exemple, dans les vers que nous donnons ci-après, de Molière, de Corneille, de Vigny et de Musset, on fera toutes les liaisons :

Mais vous‿en faites, vous, d'étranges‿en conduite...

Et vous mêler‿un peu de ce qu'on fait chez vous...

Les Maures‿et la mer montent jusques‿au port...

Et les cieux‿étaient noirs jusques‿à l'horizon...

L'un‿agace son bec...

En revanche, la poésie moderne laisse plus de liberté à l'interprétation; dans Baudelaire, par exemple, on dira :

Aimer‿à loisir ou *Aimer | à loisir,*

mais :

...aimer | et mourir.

Aimer à loisir forme comme une expression complète, tandis que *aimer | et mourir* peut se décomposer en deux idées différentes.

Toujours dans Baudelaire :

...brillant |‿à travers leurs larmes

peut se lire avec ou sans liaison; de même, le vers de Mallarmé :

Je sens que des oiseaux sont |‿ivres...

Si la liaison a lieu, elle doit être très adoucie; lorsqu'on ne la fait pas, il semble que le mot *ivre* soit souligné et mis en relief.

Dans Paul Valéry, si l'on fait sans hésitation toutes les liaisons dans les vers suivants, qui sont vraiment classiques :

Comme le fruit se fond |‿en jouissance...,

Le changement des rives‿en rumeur...,

on pourra faire ou ne pas faire la liaison dans :

Tes pas, ‿̍ enfants de mon silence.

Dans ces vers de MALLARMÉ, on pourra faire toutes les liaisons, mais en les adoucissant à l'extrême (on pourrait en supprimer certaines sans rien changer à l'harmonie des sons) :

. . . des séraphins ‿̍ en pleurs

Rêvant l'archet ‿̍ au doigt . . .

Tu m'es ‿̍ en riant ‿̍ apparue.

Dans RIMBAUD, on aura plus de liberté encore. Ses vers étant très découpés, ses idées, ses images se succèdent et écartent souvent la possibilité de la liaison. Pourtant, on fera la liaison dans :

. . . . . Souriant comme
Sourirait ‿ un enfant malade, il fait ‿ un somme.

Dans ces vers de Henri DE RÉGNIER, qui sont de forme classique, on peut faire toutes les liaisons, même si elles semblent un peu dures à nos oreilles modernes :

Loin de mes bras pieux ‿| et de ma bouche triste . . .
Reviens ! Le doux jardin mystérieux t'invite,
Et ton pas sera doux ‿| à sa mélancolie . . .
. . . j'ai préparé
Sur le plateau d'argent, sur le plateau d'ébène,
Les figues ‿ et le vin, le lait | et les olives.

On pourrait citer encore de nombreux exemples, mais ceux qui ont été donnés montrent assez que dans la poésie moderne les règles sont beaucoup plus souples que dans la poésie classique. L'interprétation personnelle peut se donner libre cours. On gardera une liaison douce à l'oreille, et qui ne choque pas, si le sens du poème demande cette douceur et cette harmonie. Si l'ensemble du poème est plus violent, plus découpé, on supprimera la liaison ou l'on se permettra une liaison sonore, dure, qu'on éviterait dans un autre cas.

Prose ou poésie, on retrouve d'ailleurs la même tendance chez les écrivains modernes. Dans la vie plus rapide, plus tumultueuse, de nouveaux éléments (sport, cinéma, exercices violents, etc.) interviennent, dont l'influence s'exerce sur la littérature. Les liaisons disparaissent de la conversation familière, où l'on s'exprime d'une façon plus rapide, plus imagée, moins protocolaire. Dans la langue écrite, et même dans la poésie, on ne trouve plus, bien souvent, la possibilité de faire des liaisons. Les phrases sont courtes, détachées, précises, qu'elles se rapportent à l'action ou à la pensée, et on y retrouve beaucoup moins fréquemment cette composition d'ensemble qui conditionnait et amenait l'emploi des liaisons. Si l'on compare, en les étudiant de façon approfondie, quelques textes de J.-J. Rousseau, de Chateaubriand, d'Alphonse Daudet, à des textes modernes de Paul Valéry, d'André Gide, de Paul Morand ou de Jean Giraudoux, on sera amené à constater cette différence de forme et d'expression.

Texte commenté n° 9.

Extrait de *Du côté de chez Swann*, de Marcel Proust.

...On avait toujours le vent à côté de soi du côté de Méséglise, sur cette plaine bombée où pendant des lieues il ne rencontre aucun accident de terrain. Je savais que Mlle Swann allait souvent à Laon passer quelques jours et, bien que ce fût à plusieurs lieues, la distance se trouvait compensée par l'absence de tout obstacle, quand, par les

chaudes après-midi, je voyais un même souffle, venu de l'extrême horizon, abaisser les blés les plus éloignés, se propager comme un flot sur toute l'immense étendue et venir se coucher, murmurant et tiède, parmi les sainfoins et les trèfles à mes pieds, cette plaine qui nous était commune à tous deux semblait nous rapprocher, nous unir, je pensais que ce souffle avait passé auprès d'elle, que c'était quelque message d'elle qu'il me chuchotait sans que je pusse le comprendre, et je l'embrassais au passage.

õnavɛtuʒurłəvɑ̃ ˈ akotedswa ˈ dykotedmezegli:z | syrsɛtplɛnbõbe ˈ u ˈ pɑ̃dɑ̃dełjø ˈ iłnərɑ̃kõ: ˈ trokœ̃naksidɑ̃dtɛrɛ̃ || ʒəsavɛ ˈ kəmadmwazɛlswan ˈ ałɛsuvɑ̃ałɑ̃ ˈ pɑsekɛlkəʒu:r | e ˈ bjɛ̃ksəfyapłyzjœrłjø | ładistɑ̃:s ˈ sətruvɛkõpɑ̃se ˈ parłapsɑ̃sdətutɔpstakl | kɑ̃ ˈ parłeʃodzaprɛmidi | ʒəvwajɛœ̃mɛmsufl ˈ vənydłɛkstrɛmɔrizõ | abesełebłełeplyzełwaɲe | səprɔpaʒekɔmœ̃flo ˈ syrtutlimɑ̃setɑ̃dy | evnirsəkuʃe ˈ myrmyrɑ̃etjɛd ˈ parmiłesɛ̃fwɛ̃ełetrɛ ˈ flamepje || sɛtplɛn ˈ kinuzɛtɛkɔmyn ˈ atudø | sɑ̃blɛnuraprɔʃe ˈ nuzyni:r | ʒəpɑ̃sɛ ˈ kəssu ˈ flavɛpɑseoprɛdɛł | kesɛtɛkɛlkəmɛsaʒdɛł ˈ kiłməʃyʃɔtɛ ˈ sɑ̃kəʒəpysłəkõprɑ̃:dr | eʒəłɑ̃brasɛ ˈ opasa:ʒ ||

Ce texte pourra être étudié par des élèves déjà avancés, familiarisés avec le rythme de la phrase simple. Il offre un exemple de phrase longue, équilibrée, qui peut être divisée en plusieurs parties distinctes, la pensée se développant et formant de nouvelles images qui s'enchaînent entre elles, mais demeurent pourtant distinctes.

La première phrase, qui situe l'action, sera dite sur un ton égal, mais très nuancé, pour souligner l'enchaînement de la pensée : remontée de la voix sur *vent*, sur *soi*, et à nouveau sur ***Méséglise***. Puis arrêt et respiration avant l'explication qui vient :

V *sur cette plaine...;*

la voix rebondit, avec un accent de hauteur sur :

bombée... lieues,

puis redescend, et cette description du décor s'achève par une note grave sur *terrain.*

La phrase qui suit devra d'abord être décomposée en plusieurs groupes, séparés par une reprise de respiration :

Je savais ' que mademoiselle Swann ' allait souvent à Laon '
passer quelques jours | V
et, ' bien que ce fût à plusieurs lieues, | V
la distance ' se trouvait compensée '
par l'absence de tout obstacle, | V
quand, ' par les chaudes après-midi, | V
je voyais un même souffle, ' venu de l'extrême horizon, | V
abaisser les blés les plus éloignés, | V
se propager comme un flot ' sur toute l'immense étendue | V
et venir se coucher, ' murmurant et tiède, '
parmi les sainfoins et les trèfles, ' à mes pieds... ||

Après *pieds*, on observera un arrêt assez long, comme en fin de phrase, mais la voix sera laissée en suspens, car il faut montrer que la même pensée continue de se développer à partir de l'image précédente.

Reprise plus bas, comme si l'on se parlait à soi-même :

cette plaine,

tandis que la voix ira s'enflant et s'enrichissant jusqu'à la fin :

... au passage. V

On respirera entre les membres de phrases suivants :

cette plaine ' *qui nous était commune* ' *à tous deux* | V
semblait nous rapprocher, ' *nous unir,* | V
je pensais ' *que ce souffle* ' *avait passé auprès d'elle,* | V
que c'était quelque message d'elle ' *qu'il me chuchotait* '
sans que je pusse le comprendre... | V

Toute la force de l'expression, toute la sensibilité seront portées sur :

je l'embrassais au passage...,

avec un accent d'insistance sur *embrassais*, qui se traduit par le redoublement de la consonne *b* et le renforcement du *r*, mais accent pourtant contenu, adouci, la voix descendant nettement sur *passage.*

On soulignera particulièrement **l'équilibre** des groupes :

Je savais ' *que mademoiselle Swann* '
allait souvent à Laon '
passer quelques jours... |,

le **balancement** :

la distance se trouvait compensée
par l'absence de tout obstacle...,

avec le *an* [ã] répété au début du groupe :

distance ã
absence ã

et les contrastes entre les sons et les longueurs variées des groupes :

. . . et venir se coucher,
murmurant et tiède,
parmi les sainfoins et les trèfles,
à mes pieds. . . ||

Dans la dernière partie, les deux verbes :

nous rapprocher,
nous unir. . .,

affectés du même accent (même force aussi et même tenue du son adouci), soulignent d'une manière très sobre le rapprochement, puis l'union ; on notera l'emploi répété du mot *elle :*

auprès d'elle,

quelque message d'elle,

qui porte chaque fois un accent assoupli, avec montée de la voix.

Importance donnée au mot *chuchotait*, qui résume les deux éléments précédents, et rebondissement léger sur *comprendre.*

On pourra séparer les groupes et refaire dans le rythme l'analyse logique de la phrase ; on travaillera au passage les sons déliés et nets dans :

côté, *bombée,* *Méséglise,* *passer,* *plusieurs lieues,*
o e õ e e e i a e y œ ø

venu, *abaisser les blés,* *étendue,* *mes pieds,*
ə y a e e e e e ã y e e

ainsi que les contrastes entre **sons ouverts** et **sons fermés** :

bombée, *pendant des lieues*, *compensée*, *même souffle*,
õ e ã ã e ø õ ã e ɛ u

venu, *nous unir*, etc.
ə y u y i

Mais l'intérêt le plus grand et la véritable originalité de cette phrase se trouvent dans le mouvement en quelque sorte « physique », dans cette sorte d'élan, de trajectoire allant du début à la fin de la phrase, et qu'on peut représenter par ce schéma :

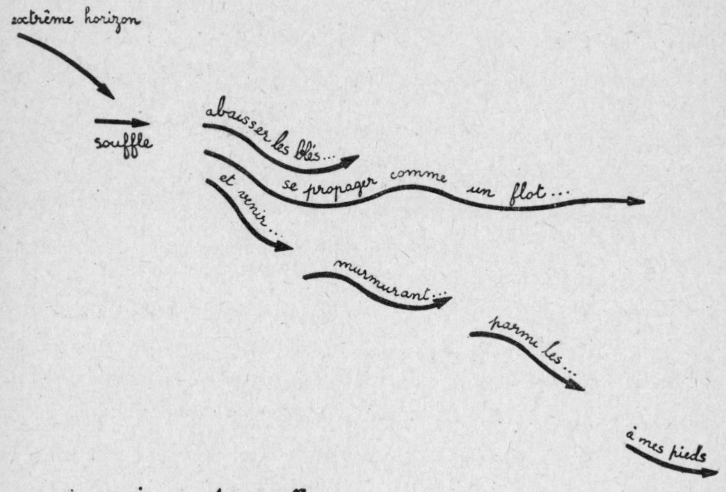

je voyais un même souffle,
venu de l'extrême horizon,
abaisser les blés les plus éloignés,
se propager comme un flot sur toute l'immense étendue
et venir se coucher, murmurant et tiède,
parmi les sainfoins et les trèfles, à mes pieds.

CHAPITRE X

L'INTONATION

LE MOUVEMENT MUSICAL DE LA PHRASE

Rythme, mouvement musical et sens de la phrase. — Sur la phrase découpée selon le rythme, soutenue et encadrée par une respiration aisée, va se développer un mouvement musical nuancé, dont la formation et l'évolution obéissent à des règles que nous allons étudier en détail. La voix, travaillée et assouplie, donnera des tons de hauteur très diverse, qui devront répondre au sens de la phrase. Ainsi, la ligne mélodique renforcera la pensée exprimée.

Le but à atteindre est une virtuosité d'intonation telle que la phrase puisse modeler exactement sa courbe sur le sens et accompagner l'idée jusqu'à sa conclusion. Ce serait évidemment beaucoup demander, au début, à des élèves étrangers que de nuancer leur voix, leur articulation, leur intonation, de telle façon que le texte à interpréter soit traduit intégralement. Mais le désir d'y parvenir les aide à acquérir la souplesse dans la distribution du souffle et la maîtrise de la voix nécessaires pour que des sinuosités de plus en plus variées leur deviennent possibles.

L'intonation, dans le sens le plus étroit du mot, est intimement liée à l'éducation de l'oreille. C'est en répétant des phrases avec l'intonation juste que l'élève arrivera à assimiler les courbes et les musiques de phrases typiquement françaises. La mémoire auditive joue ici un rôle capital. Quiconque « n'a pas d'oreille » devra commencer par en acquérir et, au besoin, d'une manière presque mécanique. C'est ainsi que l'élève se constituera une provision de souvenirs auditifs sûrs, qu'il pourra se remémorer lorsqu'il sera livré à lui-même. Nous rappellerons seulement l'utilité du travail sur de courtes phrases rythmées et les bienfaits de la lecture à haute voix. Mais il est certain que l'audition des disques enregistrés selon la méthode pédagogique à laquelle nous avons recours à l'Institut de phonétique, ainsi que les enregistrements réalisés pendant le cours sur un magnétophone (v. pp. 335 à 342), complètent utilement ces exercices par la possibilité d'entendre autant de fois qu'il est nécessaire des intonations toujours identiques, qui se fixent immuablement dans la mémoire la plus rebelle. Par la suite, et à force d'entraînement, l'élève saura reconnaître, dans un texte nouveau pour lui, les formes d'intonation qu'il aura assimilées grâce à un texte connu.

D'avance, l'élève doit s'entendre et savoir exactement à quelle hauteur il va placer sa phrase, à quelle hauteur aussi il doit situer un mot important, l'accent d'insistance étant presque toujours chez nous un accent musical. Mais il évitera de monter sans raison sur un mot de passage, comme le font les Allemands qui, à ce point de vue, ont particulièrement besoin de discipliner leur intonation. De même, il s'imposera de diriger les montées et les descentes, de les graduer et de retrouver le ton initial de l'œuvre qu'il interprète.

Variété et sobriété de l'intonation. — Ainsi, l'intonation est liée étroitement à la technique du souffle et à la maîtrise de la voix. Or, chacun doit tirer de sa voix le plus de tonalités possible, et même dans les voix qui s'ignorent, et qui semblent le plus monotones, il existe des notes hautes, moyennes et basses. Il s'agit d'en exploiter toutes les ressources, aussi bien en timbre qu'en intensité, pour établir les plans d'intonation qui font la variété et la richesse de l'expression. Car le but à atteindre est la variété dans la vérité.

Le travail qui consiste à acquérir seulement trois ou quatre notes différentes donnera une intonation scolaire, monotone et dénuée de spontanéité, d'originalité, de vie, qui ne suffirait pas à l'interprétation véritable d'une œuvre. Une intonation vraiment vivante, tout à la fois variée, sensible, riche en nuances et en effets inattendus, exige plus d'entraînement et même une faculté d'intuition, qui peut d'ailleurs se développer.

Le professeur, qui devra comme toujours se doubler d'un psychologue, donnera à ses élèves des textes qu'ils aimeront, qu'ils auront plaisir à fouiller, susceptibles de provoquer leur adhésion profonde, sans laquelle rien de durable ne serait possible.

A l'occasion, il aura recours au stratagème qui consiste à faire exprimer aux élèves, dans leur langue maternelle, le sentiment dont ils cherchent l'intonation en français. Pour peu qu'ils soient avisés, ils transposeront facilement ensuite.

Le professeur leur donnera également le conseil de remplacer les mots du texte par d'autres mots équivalents. Car il est rare que l'élève ne trouve pas une intonation juste dans une forme qu'il invente sur le moment, en se libérant des mots écrits.

Enfin, nous avons remarqué qu'il est souvent commode au professeur, dans ses explications, de s'aider d'un geste, d'un jeu de physionomie, d'une attitude. Une sorte de pantomime, naturellement discrète, est bien des fois le meilleur moyen de faire comprendre à l'élève la hauteur d'une intonation ou la valeur d'un sentiment.

On ne saurait trop répéter, avant d'aborder l'étude détaillée des lignes de mélodies, qu'on doit rechercher avant tout la sobriété, éviter les grands effets et les montées trop fréquentes. Naturellement, aucun travail valable ne pourra être entrepris si le texte n'est pas d'abord compris par l'élève. Alors, seulement, il pourra l'interpréter avec naturel et finesse. L'intonation est profondément liée, en français, au sens de la phrase. Une intonation juste, une nuance de hauteur entre deux mots, nous permettent quelquefois, en n'exprimant qu'une partie de notre pensée, d'être parfaitement compris. Charles BALLY donne, dans son *Traité de stylistique française* (1), quelques exemples qui illustrent bien toutes ces nuances, renforcées par des intonations variées et des changements de plans de hauteur ; nous conseillons au lecteur de s'y reporter.

Nous donnons ci-après quelques courbes de phrases dont la ligne mélodique est particulièrement caractéristique. Mais on pourrait citer encore bien des exemples, pris soit dans la déclamation, soit dans la conversation vivante et colorée d'une personne cultivée qui s'exprime avec naturel.

Avant d'aborder une phrase, si simple soit-elle, on devra savoir à quelle hauteur on place l'ensemble. Cette hauteur sera déterminée par le timbre de voix de celui qui parle et par le sens de ce qu'il va dire. Il en résulte qu'une même phrase peut être dite sur des lignes mélodiques légèrement différentes. Les hommes, dont la voix est plus grave, ont en général une mélodie plus mesurée que les femmes; en revanche, une intonation vivante et très souple, tout à fait naturelle chez la femme, semblera parfois déplacée et artificielle chez un homme.

I. — PHRASE DÉCLARATIVE OU DESCRIPTIVE

Partie montante et partie descendante dans la phrase simple. — Une phrase simple, déclarative ou descriptive, comprenant un sujet substantif et un verbe, comme :

La gouttière ' *s'égoutte* ou *L'angélus* ' *tinte,*

ou un sujet, un verbe et un complément, comme par exemple :

Un pigeon roucoule ' *au sommet d'une cheminée,*

---

(1) Pp. 268 et 318 (2e éd., Klincksieck, Paris).

se décomposera en deux parties :

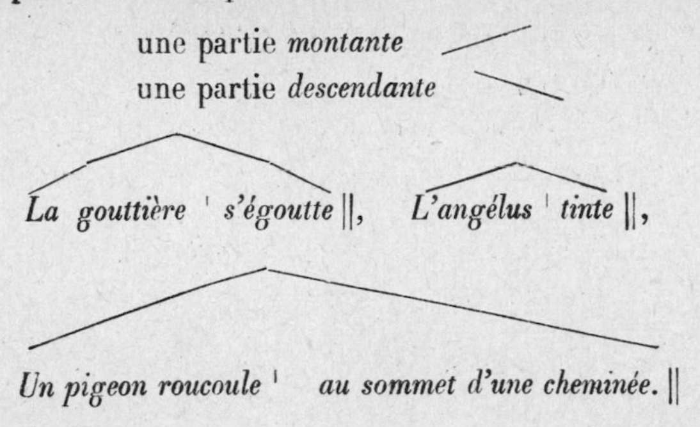

une partie *montante*
une partie *descendante*
La gouttière ' s'égoutte ||, *L'angélus ' tinte* ||,
Un pigeon roucoule ' au sommet d'une cheminée. ||

Mais, suivant le timbre de voix de la personne qui parle, ce sera sur un registre plus ou moins large :

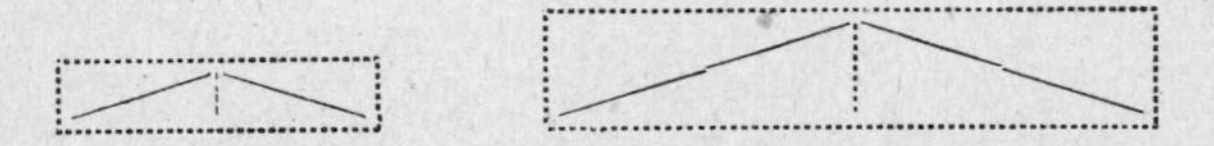

En général, dans une phrase simple ayant un mouvement unique, c'est-à-dire ne portant que sur une seule action, le sujet et ce qui s'y rapporte forment la partie montante, et le verbe et ses différents compléments forment la partie descendante. On aura donc des phrases comme :

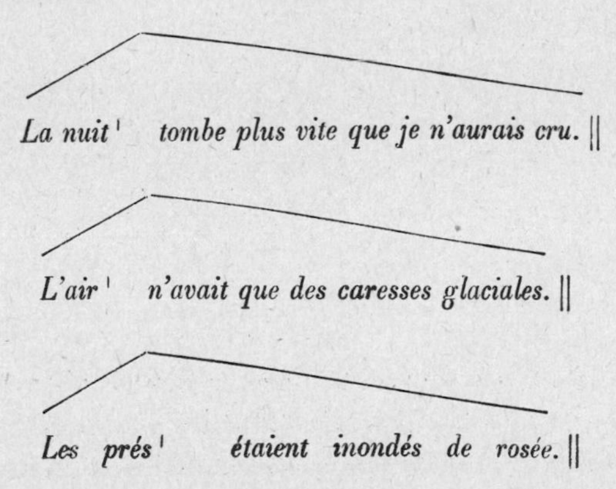

La nuit ' tombe plus vite que je n'aurais cru. ||
L'air ' n'avait que des caresses glaciales. ||
Les prés ' étaient inondés de rosée. ||

Et, dans une phrase un peu plus longue, mais construite selon le même schéma, les deux parties se décomposeront comme suit ·

Une brise embaumée |
que cette reine des nuits |
amenait de l'Orient avec elle |

semblait la précéder dans les forêts |
comme sa fraîche haleine ||

et la ligne mélodique pourra se représenter ainsi :

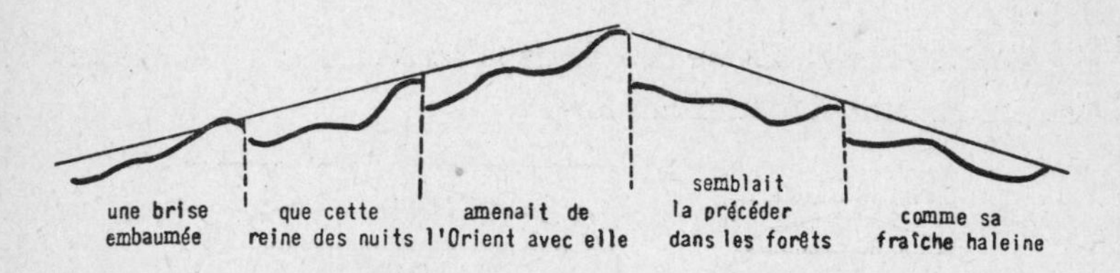
une brise embaumée
que cette reine des nuits
amenait de l'Orient avec elle
semblait la précéder dans les forêts
comme sa fraîche haleine

Chaque groupe phonique est donc représenté par une ligne de mélodie ayant un mouvement déterminé. Il est à remarquer, et ceci est très important, que la ligne mélodique d'un groupe commence toujours un peu plus bas que le point le plus haut du groupe précédent :

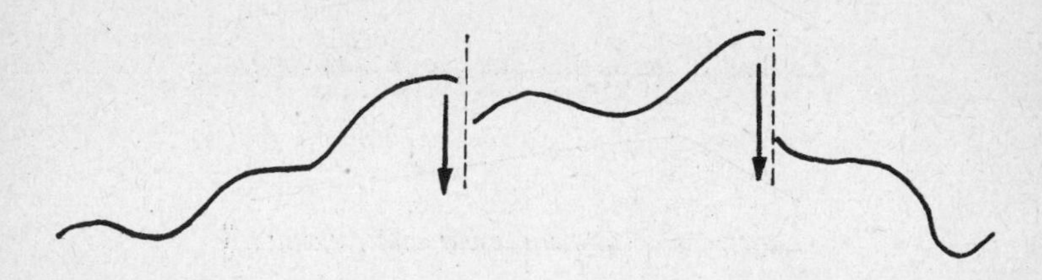

D'autre part, on peut isoler chaque groupe phonique en une ligne de mélodie complète, ou réunir deux ou trois groupes phoniques qui formeront le groupe respiratoire; c'est ainsi que la partie montante de la phrase de CHATEAUBRIAND que nous venons de citer peut être figurée par ce mouvement en trois groupes :

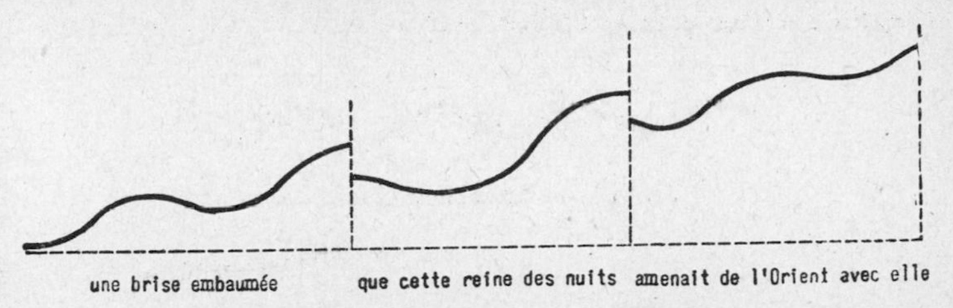
une brise embaumée
que cette reine des nuits
amenait de l'Orient avec elle

ou bien par celui-ci, en un seul groupe, qui résume les trois éléments précédents et donne une ligne musicale plus continue :

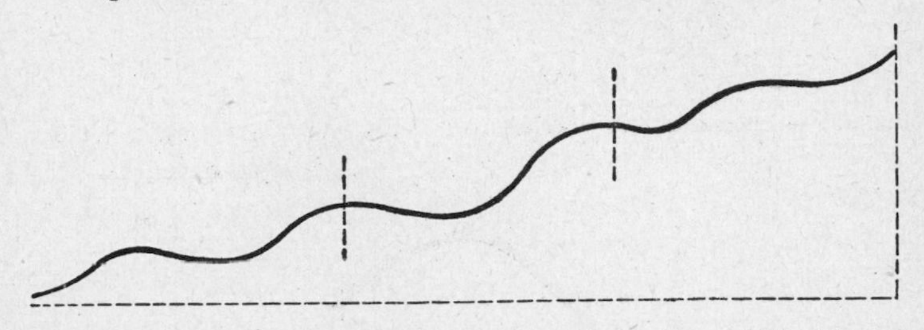

Du point de vue pédagogique, il est peut-être préférable, au début, de séparer les groupes, afin de pouvoir étudier chacun d'eux comme un tout homogène.

Si le groupe comporte plusieurs accents secondaires, il y aura différentes modulations, chacune d'elles devant être fixée par rapport à la syllabe qui porterait un accent dans le mot isolé. Par exemple, le groupe :

la clarté de la lune

donnera :

la klarte de la lyn

Enfin, les élèves devront se garder des mauvaises habitudes vocales, et notamment des intonations fausses, dont nous donnons ci-après quelques exemples, avec leur représentation (*fig.* 24-27).

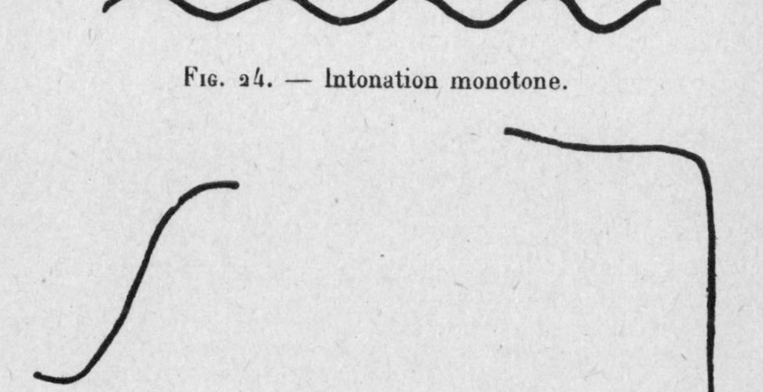

Fig. 24. — Intonation monotone.

Fig. 25. — Intonation trop «raide».

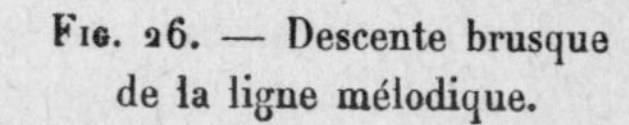

Fig. 26. — Descente brusque de la ligne mélodique.

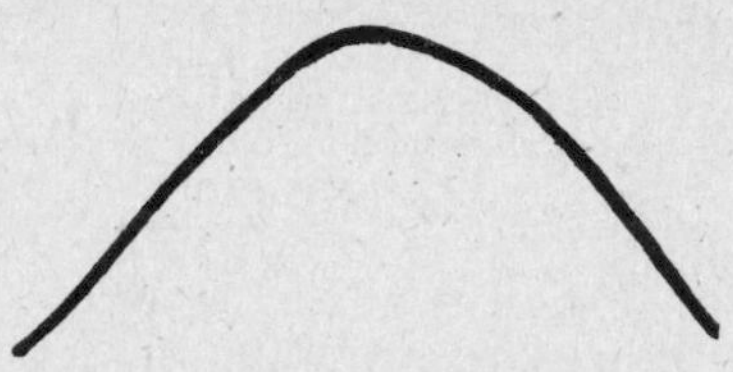

Fig. 27. — Déplacement de l'accent.

Mouvement musical de la phrase complexe. — Après avoir étudié un certain nombre de phrases simples, comme celles qui précèdent, on abordera des phrases plus longues, plus complexes, plus nuancées, en détaillant leur mouvement mélodique. Par exemple, dans cette phrase de Baudelaire :

Les soleils couchants A

qui colorent si richement la salle à manger ou le salon B

sont tamisés par de belles étoffes C
ou par ces hautes fenêtres ouvragées D
que le plomb divise en nombreux compartiments. E

la partie montante est composée de deux groupes (le deuxième très étudié), et la partie descendante de trois groupes :

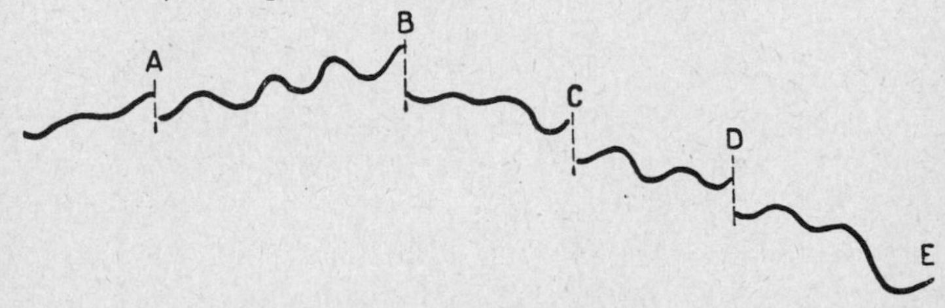
A
B
C
D
E

On notera le mouvement ascendant, avec les deux points A et B à des hauteurs différentes, et le mouvement descendant, avec les points C, D, E à des hauteurs décroissantes, la mélodie suivant le rythme.

Dans cette autre phrase de Baudelaire :

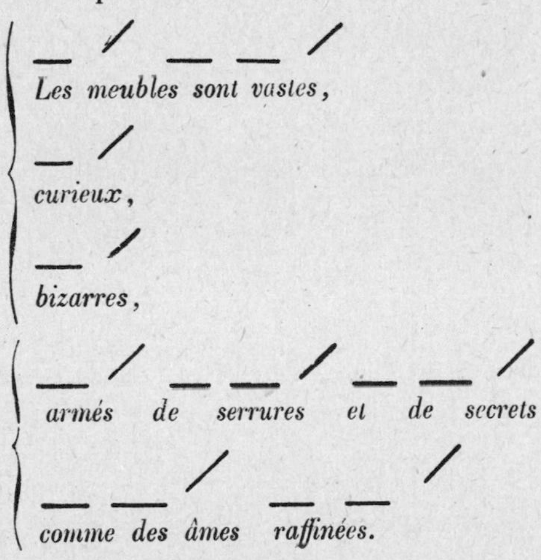
Les meubles sont vastes,
curieux,
bizarres,
armés de serrures et de secrets
comme des âmes raffinées.

la partie montante est composée de trois groupes très inégaux, la partie descendante, de deux groupes relativement équilibrés; la mélodie suit le rythme :

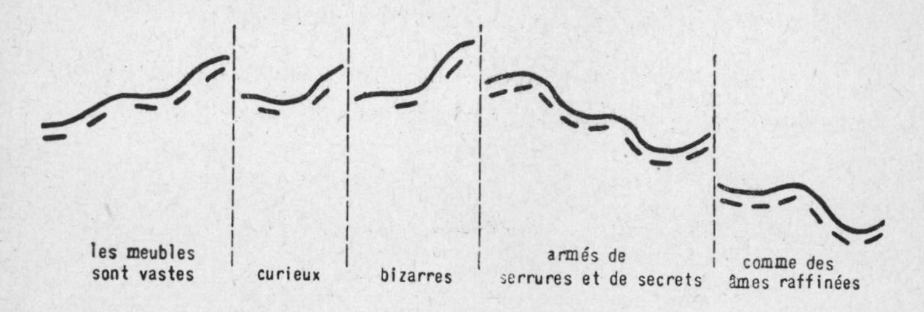
les meubles
sont vastes
curieux
bizarres
armés de
serrures et de secrets
comme des
âmes raffinées

On trouvera dans Chateaubriand des phrases très articulées qui se prêtent à l'étude du mouvement mélodique et à celle du rapport entre rythme et mélodie; par exemple celle-ci :

Le jour bleuâtre et velouté de la lune descendait dans les intervalles des arbres et poussait des gerbes de lumière jusque dans l'épaisseur des plus profondes ténèbres...,

dont nous donnons la décomposition ci-contre (voir *fig.* 28).

On étudiera aussi le lien qui existe souvent entre deux phrases séparées par un point ou par un point-virgule, comme dans l'exemple de la figure 29, où *auprès* et *au loin*, mis en parallèle, donnent à peu près la même forme mélodique aux deux parties de phrase placées sur deux plans différents.

Plans de hauteur. — Nous avons décrit dans le paragraphe précédent un type de phrase complexe qui se développe selon une ligne mélodique sinueuse, et qu'on trouve habituellement dans la littérature classique ou romantique. Mais la phrase (ou un ensemble de phrases liées par le sens) peut aussi se présenter d'une manière plus découpée, les éléments qui la composent — et qui

PARTIE MONTANTE :

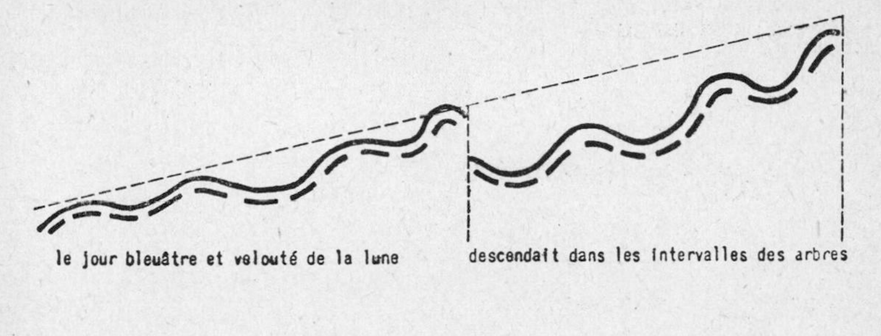

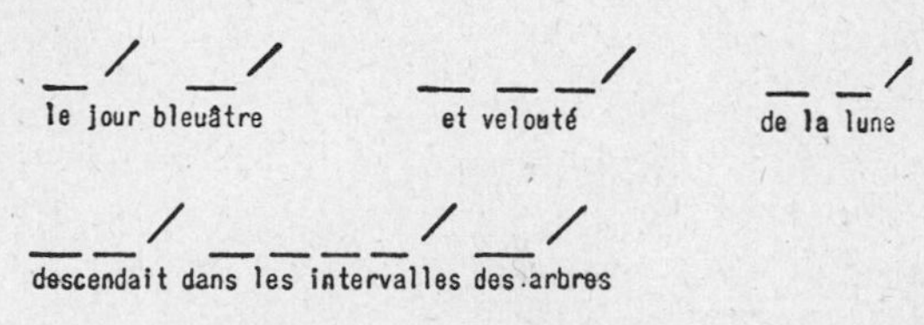

PARTIE DESCENDANTE :

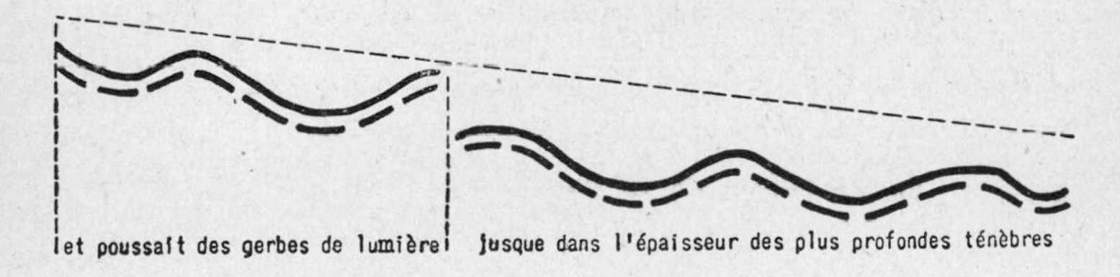

et poussait des gerbes de lumière

jusque dans l'épaisseur des plus profondes ténèbres

FIG. 28.

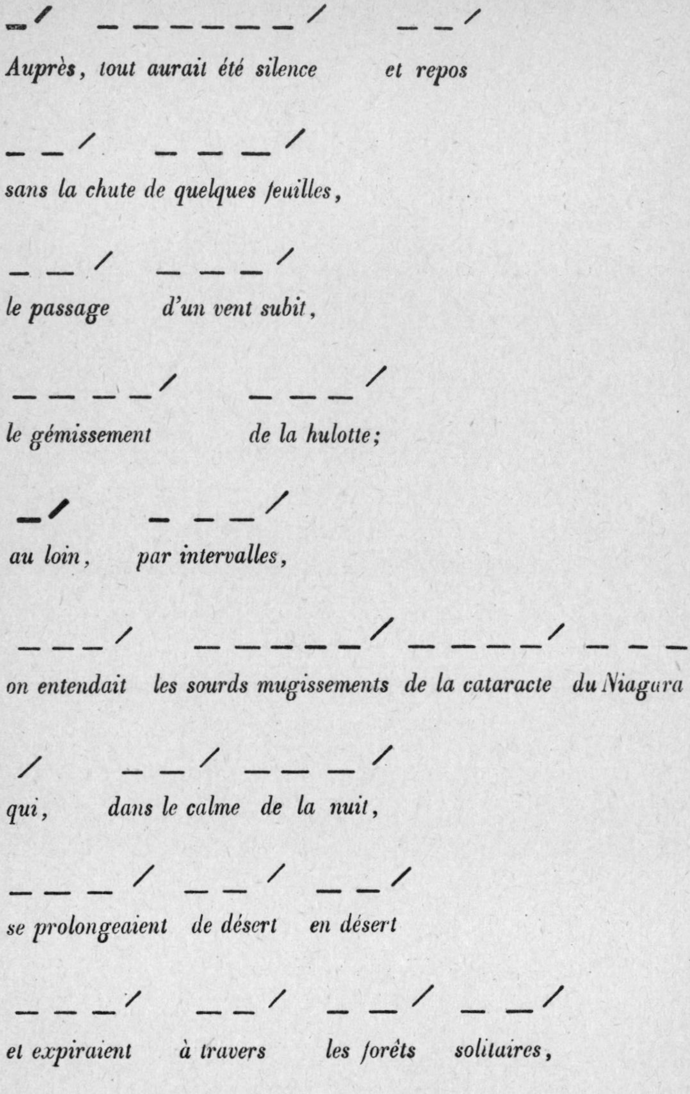

Auprès, tout aurait été silence et repos

sans la chute de quelques feuilles,

le passage d'un vent subit,

le gémissement de la hulotte;

au loin, par intervalles,

on entendait les sourds mugissements de la cataracte du Niagara

qui, dans le calme de la nuit,

se prolongeaient de désert en désert

et expiraient à travers les forêts solitaires,

Fig. 29.

correspondent aux idées, aux images ou aux symboles — s'étageant sur des plans de hauteur différente. Au lieu de la représentation linéaire ci-dessous :

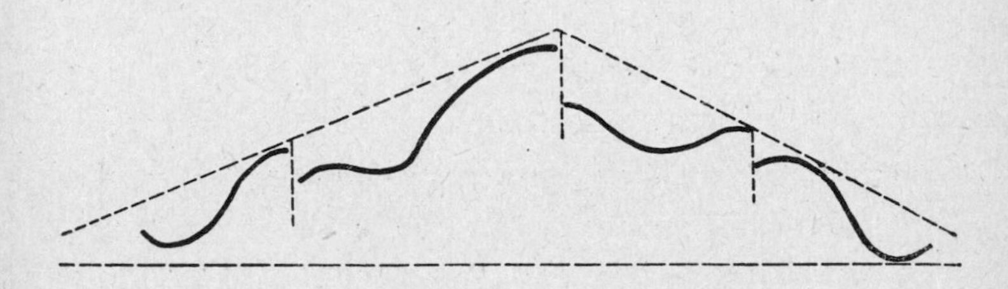

on aura le schéma suivant, pour telle phrase de GIDE :

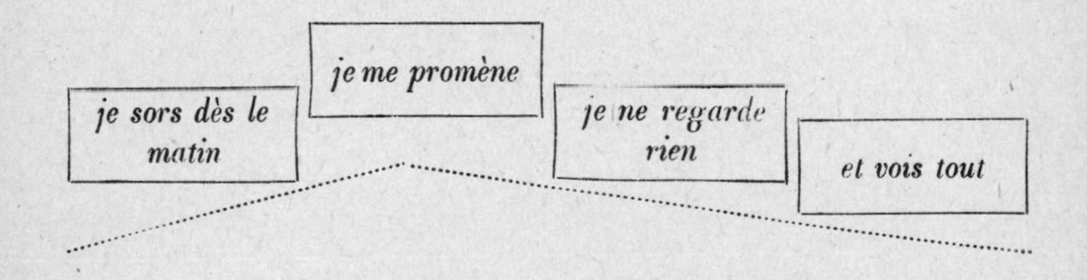

où l'on peut reconnaître le dessin d'un type de phrases se prêtant à l'expression des mouvements rapides : rythme du cinéma, description de scènes sportives, succession des images dans la pensée.

On analysera selon ce procédé les phrases de Paul MORAND :

Voici la côte de Picardie. Il est deux heures du matin. Comme les autos sont nombreuses...

se plaçant sur trois plans différents :

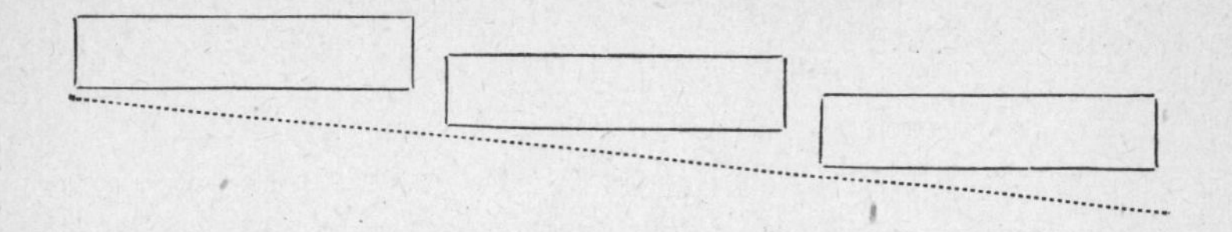

Souvent, dans des phrases nuancées, difficiles à découper strictement en deux parties : montante et descendante, on placera le début (complément formant une introduction ou situant le décor) assez haut, le reste de la phrase s'étageant par paliers de hauteurs différentes jusqu'à la conclusion ; on aura alors un mouvement qui se rapprochera de celui-ci :

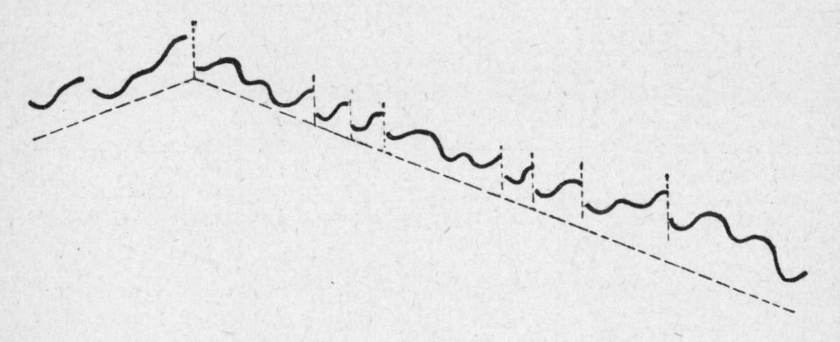

On peut travailler de cette manière la phrase de Proust.

Partie placée très haut :

Parfois, dans le ciel de l'après-midi,

Descente par paliers, jusqu'à *s'effaçant :*

passait la lune, blanche comme une nuée, furtive, sans éclat,
comme une actrice dont ce n'est pas l'heure de jouer
et qui, de la salle, en toilette de ville,
regarde un moment ses camarades, s'effaçant.

II. — PHRASES INCISE, INTERROGATIVE, EXCLAMATIVE

La phrase **incise**, ou isolée entre parenthèses, se place plus bas que le membre de phrase qui la précède, et se prononce sur un ton plus soutenu. On reprend alors la ligne mélodique interrompue. Par exemple :

Ton cousin, celui qui est parti en Amérique, m'écrit très régulièrement.

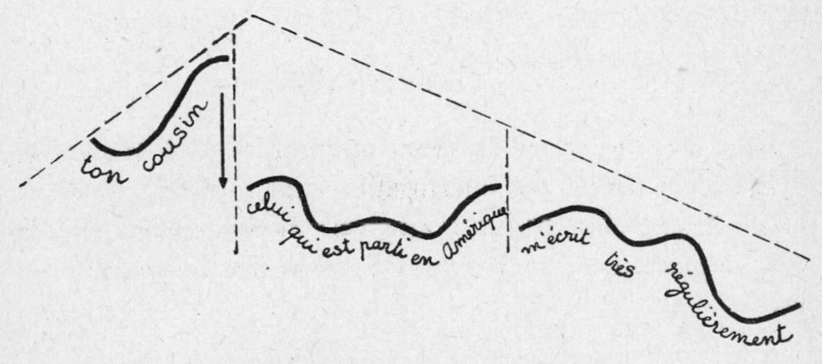

Dans des phrases laissées en suspens, comme :

mais... mais... je...

la voix doit rester en arrêt sur un ton assez moyen. Si celui qui parle termine sur une note trop haute, on croit à une interrogation ; s'il termine sur une note trop basse, on peut supposer que la phrase est achevée alors qu'elle ne l'est pas :

Non..., mais...
Je viens pour...
Je suis venu...
Je vous...

La phrase **interrogative** devra être étudiée très attentivement. Celle qui exprime une question a un mouvement régulièrement montant si la construction grammaticale est affirmative, par exemple :

Vous venez?

Et Jean?

Il vient?

Vous partez déjà ?

Mais, dans une phrase de forme interrogative et où la question est introduite par un mot interrogatif comme : *comment*, *pourquoi*, ou des expressions comme : *avec qui*, *à quel moment*, etc., la voix ne monte que sur l'expression ou le mot interrogatifs, et l'on a :

Comment allez-vous?

Avec qui partirez-vous?

Pourquoi lui avez-vous posé cette question?

Dans une phrase interrogative négative, on aura un mouvement montant :

N'est-il pas parti?

Toutefois, dans des phrases **contenant une apposition**, comme :

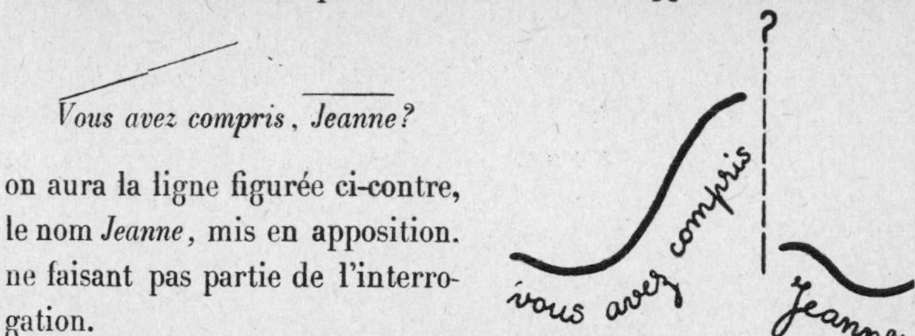

Vous avez compris, Jeanne?

on aura la ligne figurée ci-contre, le nom *Jeanne*, mis en apposition. ne faisant pas partie de l'interrogation.

Dans des tournures **exclamatives** courantes, telles que :

Comment!
Par exemple!
Quelle horreur!

on distinguera souvent des écarts de hauteur nettement marqués :

Le but à atteindre étant une parfaite aisance dans l'intonation, laquelle ne peut être obtenue que par la maîtrise de la voix — comparable à la maîtrise de la respiration, dont nous avons parlé plus haut —, les exemples sur lesquels on travaillera devront être choisis vivants et naturels.

Nous terminerons par une remarque. En français, lorsqu'il s'agit d'exprimer des sentiments profonds, l'intonation est souvent faible (on le verra plus loin dans le chapitre de l'expression). Certains étrangers — les Allemands surtout — devront y prendre garde, qui ont tendance à souligner par un accent de hauteur un mot violent ou une expression ardente ou passionnée. Tout au contraire, en français, la douleur, l'ardeur, seront exprimées sur un ton *plano;* les syllabes des mots seront très détachées, la voix, arrêtée par l'émotion trop forte, donnant l'impression de l'essoufflement.

Par exemple, si nombre de Français disent sur le ton de l'enthousiasme et avec de grands écarts de hauteur :

< <

C'est un amour! *Elle était belle!*

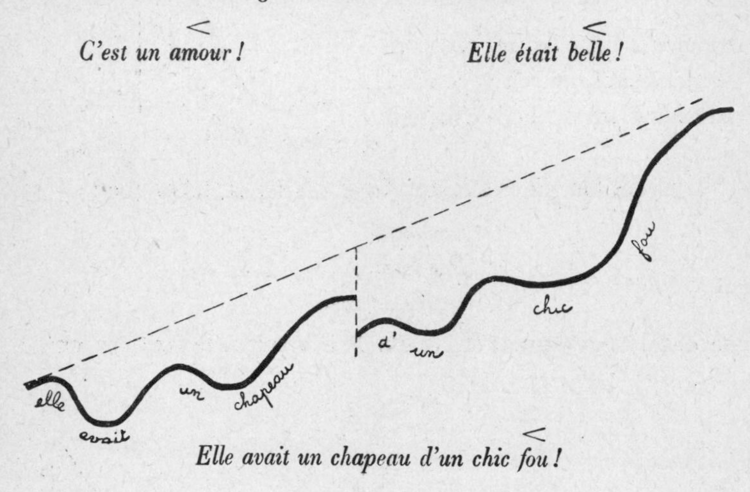

<

Elle avait un chapeau d'un chic fou!

leur intonation, en revanche, sera très mesurée dans une phrase marquant une douleur profonde, comme :

La mort de ma mère a été pour moi un vrai déchirement...,

qui donnera très approximativement la ligne mélodique suivante :

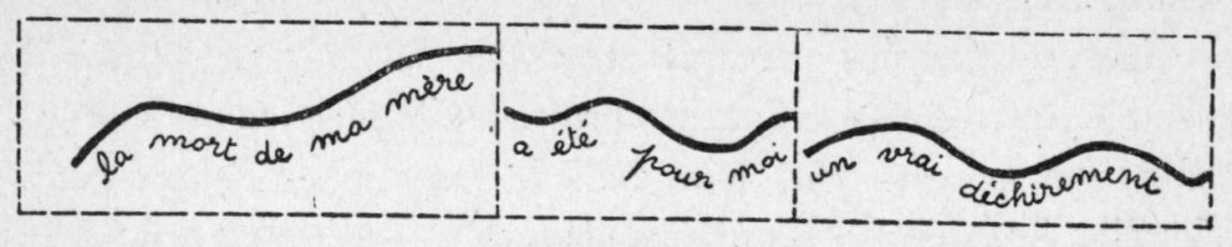

Deux traits seulement soulignent ici l'émotion : un accent d'insistance sur *vrai*, la voix laissée en suspens sur *-ment*.

Texte commenté n° 10.

Extrait de *Madame Bovary*, de Gustave Flaubert.

Elle partit pour Rouen, le lendemain dimanche, afin d'aller chez tous les banquiers dont elle connaissait le nom. Ils étaient à la campagne ou en voyage. Elle ne se rebuta pas; et ceux qu'elle put rencontrer, elle leur demandait de l'argent, protestant qu'il lui en fallait, qu'elle le rendrait. Quelques-uns lui rirent au nez; tous refusèrent.

A deux heures, elle courut chez Léon, frappa contre sa porte. On n'ouvrit pas. Enfin il parut.

— *Qui t'amène?*

— *Cela te dérange?*

— *Non..., mais...*

Et il avoua que le propriétaire n'aimait point que l'on reçût «des femmes».

— *J'ai à te parler, reprit-elle.*

Alors il atteignit sa clef. Elle l'arrêta.

— *Oh! non, là-bas, chez nous.*

Et ils allèrent dans leur chambre, à l'hôtel de Boulogne.

Elle but en arrivant un grand verre d'eau. Elle était très pâle. Elle lui dit :

— *Léon, tu vas me rendre un service.*

Et, le secouant par ses deux mains, qu'elle serrait étroitement, elle ajouta :

— *Écoute, j'ai besoin de huit mille francs!*

— *Mais tu es folle!*

— *Pas encore!*

ɛlpartipurrwɑ̃ ˈlɔlɑ̃dmɛ̃dimɑ̃: ʃˈafɛ̃daleʃetulebɑ̃kje ˈ
dɔ̃tɛlkɔnɛsɛlnɔ̃ || ilzɛtɛalakɑ̃paɲ ˈ uɑ̃vwaja:ʒ || ɛlnəsrəbytapa |
esøkɛlpyrɑ̃kɔ̃tre ˈ ɛllœrd(ə)mɑ̃dɛdlarʒɑ̃ | prɔtɛstɑ̃killɥiɑ̃falɛ ˈ

kɛllərɑ̃drɛ || kɛlkəzœ̃ ˈlɥirirone | tus ˈrəfyzɛ:r ||
adøzœ:r ˈ ɛlkuryʃeleõ ˈ frapakõtrəsapɔrt || õnuvripa || ɑ̃fɛ̃ ˈ ilpary ||
kitamɛn ||
slatderɑ̃:ʒ ||
nõ: ˈmɛ: ||
eilavwa ˈ kəlprɔprijetɛ:r ˈ nɛmɛpwɛ̃ ˈ kəlõrsy: ˈ defam ||
ʒeatparle ˈ rəpritɛl ||
alɔ:r ˈ ilatɛŋisakle || ɛllarɛta ||
onõ ˈ laba ˈ ʃenu ||
eilzalɛ:r ˈ dɑ̃lœrʃɑ̃:br ˈ alɔtɛldəbulɔŋ ||
ɛlby ˈ ɑ̃narivɑ̃ ˈ œ̃grɑ̃vɛrdo || ɛlɛtɛtrɛpa:l || ɛllɥidi |
leõ ˈ tyvamrɑ̃drœ̃sɛrvis ||
e ˈ l(ə)skwɑ̃parsedømɛ̃ ˈ kɛlsɛrɛetrwatmɑ̃ ˈ ɛlaʒuta |
ekut ˈ ʒebəzwɛ̃dəɥimillrɑ̃ ||
mɛtyɛfɔl ||
pazɑ̃kɔ:r ||

Passage de conversation courante très vive, très naturelle, précédé d'un court récit.

Ce récit préliminaire doit être dit sur un ton simple : dans la première phrase, montée de la voix jusqu'à *dimanche* et redescente jusqu'à la fin; mélodie peu marquée, ce qui permettra de mieux mettre en valeur l'intonation de la conversation quand on arrivera aux répliques des deux personnages.

Dans la phrase suivante, prise un peu plus bas, la voix doit d'abord exprimer le rebondissement de l'action :

⌈ *Elle ne se rebuta pas* . . . ,

puis redescendre graduellement sur chaque groupe jusqu'à *qu'elle le rendrait.*

Deux phrases sèches, dites sur le ton de la conclusion, un peu plus bas que ce qui précède, la première avec mélodie ascendante, la seconde avec mélodie descendante :

Quelques-uns lui rirent au nez; | *tous refusèrent.*

Dessin mélodique de ce paragraphe :

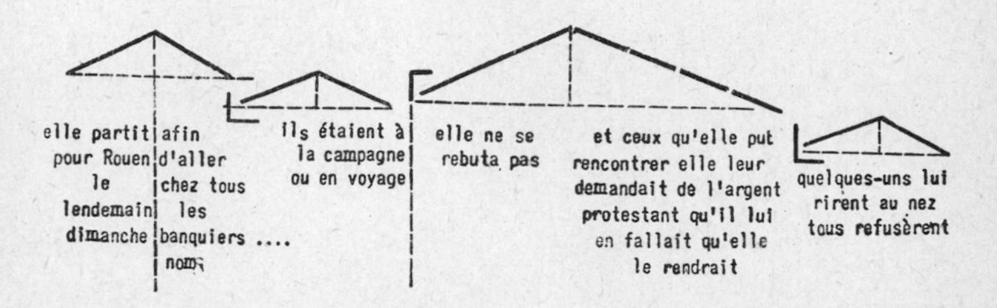

elle partit pour Rouen le lendemain dimanche
afin d'aller chez tous les banquiers .... noms
ils étaient à la campagne ou en voyage
elle ne se rebuta pas
et ceux qu'elle put rencontrer elle leur demandait de l'argent protestant qu'il lui en fallait qu'elle le rendrait
quelques-uns lui rirent au nez tous refusèrent

Ici, le ton change et devient plus vif, indiquant l'action rapide et l'ardeur intérieure du personnage. Mouvement sec dans :

A deux heures,
elle courut chez Léon,
frappa contre sa porte...,

trois groupes dits à peu près sur le même ton.

Plus bas : *On n'ouvrit pas.* Remontée sur l'action positive : *Enfin il parut.*

Mouvement de descente sur *Qui t'amène?*, l'interrogation étant sur le *qui*, placé très haut, le reste descendant.

Montée, au contraire, sur l'interrogation suivante : *Cela te dérange?* construite comme une phrase affirmative.

Non, placé plus haut que *mais*, laissé en suspens.

Reprendre alors le ton du récit, plus haut, comme dans la courte introduction qui précédait la conversation. Souligner le sens de *des femmes* par l'allongement de *reçût* et par une légère hésitation devant *des*.

Ton bas et comme retenu, pour donner plus de gravité à cette phrase simple :

└ *J'ai à te parler...* V

égalité des sons et un peu de précipitation, le └ *reprit-elle* enchaîné rapidement et à peine plus bas.

Résignation indiquée dans la phrase suivante, placée plus haut :

┌ *Alors* ' *il atteignit sa clef.* ||

Précipitation dans V └ *Elle l'arrêta* V, courte phrase dite sur un ton plus bas et s'achevant par un arrêt brusque. La réplique suivante, composée de groupes égaux et hachés :

Oh! non, V
là-bas, V
chez nous... V

amène un nouveau changement de l'action : phrase dite sur un ton calme et égal, comme le récit du début :

Et ils allèrent dans leur chambre, ' *à l'hôtel de Boulogne.* |

Les groupes suivants seront détachés de façon un peu brusque, pour montrer le tragique de la situation par les choses que l'on décrit :

Elle but '
en arrivant '
└ *un grand verre d'eau.* V

Plus bas, mais toujours rapidement :

└ *Elle était très pâle.*

Sur un ton égal, mais toujours assez rapide : V *Elle lui dit* V.

Réplique très précipitée, dite sur un ton haletant et bas, les éléments très séparés :

⌐ *Léon,* V *tu vas me rendre un service.* V

Rapide explication de ses gestes, sur un ton monocorde; mouvement de descente sur le dernier élément devant les deux points :

elle ajouta...

Dans la réplique suivante, détacher le premier mot : ⌐ *Écoute,* puis dire le reste sur un rythme très rapide : V *j'ai besoin de huit mille francs*, en soulignant le chiffre *huit* par un accent de hauteur.

Un seul mouvement mélodique sur : ⌐ *Mais tu es folle!* V qu'on ne doit pas placer trop haut; insister sur le mot *folle*, qui cependant fait corps avec le reste de la phrase.

Pas encore est placé très bas; on marquera toutefois une légère montée sur ...*core*, mais la voix, laissée en suspens, doit permettre toutes les suppositions.

Ce texte est un excellent exemple de la mélodie naturelle dans la conversation de tous les jours. On étudiera de près toutes les intonations particulières, comme les phrases interrogatives et exclamatives, en en situant très exactement la hauteur par rapport au reste du texte.

Débit différent suivant qu'il s'agit d'un récit objectif, comme :

Elle partit pour Rouen,

d'un récit qui, par sa brièveté, souligne une atmosphère dramatique, comme :

Elle l'arrêta. V *Elle était très pâle...* V

ou de phrases de conversation qui contiennent un sens plus profond que les mots ne le laisseraient supposer :

∨ *Cela te dérange?* *J'ai à te parler.*
Oh! non, ∨ *là-bas,* ∨ *chez nous.* ∨

Pas encore ⟶

CHAPITRE XI

LES MOYENS D'EXPRESSION

La souplesse de son articulation permettra à l'élève de suivre les nuances de l'expression. Comme les mots ne s'articulent pas toujours d'une façon uniforme, il faut pouvoir, à l'occasion, soutenir ou alléger, accélérer ou retenir, appuyer ou glisser, donner plus d'âpreté ou plus de douceur, détacher régulièrement chaque syllabe, sans marteler, suivant les reliefs du texte.

Si l'on peut se permettre ces comparaisons, on dira que l'articulation française fait penser au papillon qui se pose sans peser, mais pourtant se pose très nettement, ou au clown dont les pirouettes sont aussi souples que précises. Tout ce travail n'est pas, malgré les apparences, uniquement mécanique. On n'en tirera profit que si l'intelligence y a sa part.

La vie d'un texte parlé ajoute à la valeur expressive propre aux éléments du langage, tels que nous les avons étudiés, une intensité générale qui se manifeste par l'*attaque*, l'*accent d'insistance*, la *hauteur*, le *relief*, la *couleur*, le *mouvement* et la *longueur*.

L'attaque expressive. — L'intensité de l'attaque viendra en grande partie de l'amplification du jeu du souffle, c'est-à-dire de la montée du souffle et de l'appui vocal, que ce soit dans la douceur aussi bien que dans la force. Il s'agira d'obtenir, suivant l'émotion à exprimer, des attaques plus ou moins rapides et plus ou moins hautes, plus ou moins appuyées et plus ou moins douces, en amenant la consonne conformément à l'effet recherché. Même dans la violence, c'est encore principalement au souffle qu'on aura recours, et non à la dureté ou à la brutalité de l'attaque, contrairement à ce que font les étrangers, qui attaquent avec une grande perte de souffle.

D'ailleurs, la respiration, laissant les auditeurs dans l'attente du mot, sera par elle-même un puissant moyen d'expression, aussi bien par sa valeur de silence que par sa valeur directement émotive.

Exemple d'attaque sur une voyelle voulant exprimer la violence :

> **Ou***vrez, les gens,* **ou***vrez la porte,*
> *Je frappe au seuil et à l'auvent,*
> *Ouvrez, les gens, je suis le Vent...*

Il se produit, avant l'émission de la voyelle, une sorte d'occlusion, qui la retarde et la rend plus impérieuse, donnant au mot son expression juste : le vent entre brusquement.

Exemple d'attaque sur une voyelle voulant exprimer la douceur persuasive :

> **Ai***mons donc,* **ai***mons donc...*

Ici également il y a une occlusion avant l'émission de la voyelle, dont l'empreinte est préparée en même temps que se fait la montée du souffle. Mais, tandis que dans l'exemple précédent le mouvement rapide et haletant du texte impose la rapidité de la voyelle une fois émise, ici la voyelle est prolongée.

Exemple d'attaque sur une consonne voulant exprimer la frayeur :

> **Dieux**! *la voix sépulcrale*
> *Des Djinns...*

L'attaque du mot *Dieux!* est obtenue par une intense montée du souffle qui la précède immédiatement. On prolonge l'occlusion avant d'articuler la consonne. Il en est de même pour :

> **Pro***phète! si ta main me sauve...*

où nous trouvons la même attaque, plus un accent tonique renforcé par l'allongement de la voyelle.

C'est ainsi que nous produirons l'attaque expressive quand il s'agira de consonnes momentanées. Et, dans ce cas, l'attaque, l'attente de la consonne, la hauteur, coïncident sur la même syllabe. Nous arrivons donc au maximum de l'intensité qui s'extériorise, c'est-à-dire à un cri.

Nous obtiendrons l'attaque expressive sur une consonne continue en allongeant celle-ci :

Las, las, ses beautés laissé choir!

L'accent d'insistance dans l'expression. — L'attaque expressive n'est autre chose qu'un accent d'insistance portant sur la syllabe initiale. Nous produirons l'accent d'insistance à l'intérieur du mot par les mêmes procédés. Mais cet accent, qui est accidentel, n'a aucun effet sur l'*accent tonique*, qui est fixe. Il convient de remarquer que l'accent d'insistance porte généralement sur la première consonne du mot :

                    >
Comme un bruit de foule
      >   >
Qui tonne et qui roule,
   >   >
Et tantôt s'écoule,
          >
Et tantôt grandit.

Mais, tandis que nous allongerons les constrictives *f*, *r*, *s*, nous ferons attendre les occlusives *t* et *g*.

Dans cet autre vers :

 >   > > >
Cris de l'enfer! voix qui hurle et qui pleure!

nous avons un accent d'insistance sur toutes les consonnes de la première phrase exclamative, criées à la même hauteur et avec le même mouvement, d'où l'homogénéité dans l'insistance. donnant d'ailleurs une impression pénible, mais voulue.

Mais l'accent d'insistance peut n'être qu'un accent musical, c'est-à-dire un accent de hauteur, comme nous le verrons plus loin.

Remarque. — Il est bien entendu que notre accent d'insistance ne peut être comparé à aucun autre accent étranger.

La hauteur. — Une œuvre a une hauteur générale. Elle n'est pas la même dans l'*Ode à Cassandre,* de Ronsard, et dans *Recueillement,* de Baudelaire; le sentiment est plus léger, plus extérieur dans l'une, beaucoup plus intérieur et plus profond dans l'autre. L'*Ode à Cassandre* sera donc dite sur un ton général plus élevé, *Recueillement* sur un ton plus grave. C'est à cette hauteur générale de l'œuvre que l'on doit se tenir, mais avec des nuances que l'on obtiendra par des plans de hauteur différents, qu'il s'agisse de mettre en valeur une phrase entière ou simplement un mot. Ces changements de hauteur n'impliquent pas forcément un arrêt de la voix entre deux plans différents. Dans certains cas, l'expression du sentiment sera due à l'uniformité de la hauteur.

Le type le plus courant de phrase en prose, ou de vers à deux hémistiches, est fait d'une partie montante et d'une partie descendante (v. ci-dessus, p. 211) :

Elle regardait sans voir et semblait perdue dans un rêve.

...Sentant passer la mort, se recommande à Dieu.

Nous n'atteignons pas la note haute et la note basse par une progression continue, mais en passant par une modulation et des

« paliers », comme l'observe M. Pierre Fouché dans ses cours sur la musique de la phrase française.

Des plans divers sont indispensables pour l'expression de sentiments variés.

Le *plan simple*, uniforme mais expressif, traduit un sentiment contenu :

Poète, c'est ainsi que font les grands poètes...

Une *descente d'intonation,* précédée d'un arrêt, marque l'antithèse :

...Donnez afin que Dieu qui dote les familles

Donne à vos fils la force | et la grâce à vos filles.

L'*opposition du plan haut et du plan bas* peut souligner un contraste :

⌈ *Ce voyageur ailé,* ⌉ ⌊ *comme il est gauche et veule !* ⌋

⌈ *Lui, naguère si beau,* ⌉ ⌊ *qu'il est comique et laid !* ⌋

ou l'insistance persuasive :

Vivez,

n'attendez à demain...

si m'en croyez ;

(plan haut) (plan bas) (plan moyen)

Le *plan bas* marque la parenthèse ou la phrase incidente :

⌈ *Mademoiselle Lefort,* ⌉ ⌊ *qui tenait dans le faubourg Saint-Germain une pension pour les enfants en bas âge,* ⌋ ⌈ *consentit à me recevoir...* ⌉

Une *hauteur particulière*, variant suivant l'interprétation, affecte les métaphores :

...le vin de la jeunesse...

Dans les répétitions de mots, nous aurons une *gradation* dans l'insistance, marquée par la hauteur et l'intensité, croissantes ou décroissantes :

Donnez, riches!...
Donnez! afin que Dieu...
Donnez! il vient un jour...
Donnez! afin qu'on dise...
Donnez! pour être aimés...
Donnez! afin qu'un jour...

Ici, pour révéler l'intention de chaque appel et lui donner sa valeur persuasive, il faut marquer chaque répétition du mot *Donnez!* par un changement de hauteur aussi bien que d'intensité.

Dans les énumérations, il y aura insistance par la simple *montée du ton* qui accompagne le crescendo :

Ô lac! rochers muets! grottes! forêt obscure!...

jusqu'à la fin, où nous arrivons au maximum de l'intensité expressive, traduite par l'attente du mot et la hauteur :

...tout dise : « Ils ont aimé! »

L'insistance pourra aussi bien accompagner un decrescendo et, dans ce cas, le mot de conclusion sera mis en valeur par le ton le plus bas :

Ivre de volupté,
de tendresse
et d'horreur.

Le **sujet** est très souvent souligné par la hauteur :

L'agneau broute le serpolet,

La chèvre s'attache au cytise...

Nous verrons plus loin, en étudiant *le Dormeur du val*, de RIMBAUD, comment le retour de la même note, plus grave que le plan général presque uniforme, suffit à donner une expression d'une profonde intensité.

Le renversement du sentiment amènera un changement de plan de hauteur :

Nous nous aimions...

Seigneur, vous changez de visage.

Ce changement de hauteur se combinera avec le changement de l'intensité et du timbre de la voix.

La note de l'interrogation n'est pas la même que celle de l'exclamation. L'interrogation est plus brève et plus haute, l'exclamation plus longue et plus basse :

Eh quoi! n'en pourrons-nous fixer au moins la trace?
(long) (bref)

Quoi! passés pour jamais? Quoi! tout entiers perdus?
(long) (bref) (long) (bref)

La phrase exclamative sera dite tout entière sur un plan élevé :

...Gardez, belle nature,

Au moins le souvenir!

Si nous avons parlé aussi longuement de la hauteur, c'est qu'elle est un de nos moyens d'expression les plus importants, qu'il s'agisse de poésie, de prose ou de langage courant. Dans les sentiments extrêmes qui s'extériorisent (enthousiasme, colère, allégresse), le ton est beaucoup plus élevé : il peut y avoir des éclats de voix. Dans l'angoisse, la voix est étouffée et basse. Dans l'ironie, la moquerie, le marivaudage, la voix monte; au contraire, elle baisse quand elle exprime la cruauté. Dans les sentiments profonds, le ton est bas, égal, presque sans modulations.

Le ton du récit est sur un plan moyen.

Le relief et la couleur. — Le relief et la couleur mettent en valeur l'idée ou l'image importante, exprimée par un seul mot, par toute une phrase, ou même par un poème entier.

Nous obtiendrons un relief d'accent avec l'articulation des consonnes; le relief de couleur résultera des changements du timbre de la voix. En jouant des deux procédés, nous multiplierons les nuances d'expression. Ainsi, dans la *Chanson d'automne*, de Verlaine, nous avons un exemple d'accentuation par l'articulation, accompagnée d'un effet de timbre :

Tout suffocant
Et blême...

Toutes les syllabes, dans le premier vers, sont accentuées à l'aide des consonnes. De plus, les deux mots seront dits avec un timbre qui donnera l'impression d'un halètement. Dans le second vers, nous ferons attendre la consonne du mot *blême*, que nous articulerons doucement, et la voix semblera «détimbrée» pour donner au mot sa juste valeur. D'où contraste.

Le relief peut souligner la valeur logique du mot :

...Sachant bien qu'à deux pas, ne dormant qu'à demi,
Se couche dans ses murs, **l'homme**, *leur ennemi.*

Nous trouverons des oppositions de reliefs dans la fin du *Lac*. de LAMARTINE : chaque image ressortira avec son relief et sa touche caractéristiques :

...Qu'il soit dans ton repos, qu'il soit dans tes orages,
Beau lac, et dans l'aspect de tes riants coteaux,
Et dans ces noirs sapins, et dans ces rocs sauvages,
Qui pendent sur tes eaux!

Opposition d'accent entre les mots *repos* et *orage*, opposition de couleur entre *riants coteaux* et *noirs sapins*, nouvelle opposition d'accent entre *rocs sauvages* et le dernier vers, dont la cadence est tout autre.

Autre exemple très frappant, dans *les Djinns*. Dans la première strophe, tout est gris. Puis le poème s'anime, jusqu'aux accentuations les plus marquées, qui amènent au premier plan des images nettement découpées. Ensuite, tout s'éloigne et s'estompe, et l'on revient à la cadence monotone et à la grisaille du début.

Dans un domaine d'expression plus intérieure, *le Dormeur du val* nous offre un exemple typique. Les phrases ne sont pas marquées et accentuées comme dans *les Djinns*, mais coulent dans une lumière et une couleur plus délicates. Les reliefs sont en quelque sorte sous-entendus. Ils affleurent à peine, comme dans un rêve inquiet, jusqu'à la dernière phrase, où éclate la réalité brutale et atroce. Il y a dans ce poème une égalité parfaite, une harmonie dans le mouvement, le relief, la couleur et la hauteur générale, brisée régulièrement par le retour de la même note grave qui sonne comme un glas :

...Les pieds dans les glaïeuls, il dort. Souriant comme
Sourirait un enfant malade, il fait un somme :
Nature, berce-le chaudement : il a froid!

Les parfums ne font pas frissonner sa narine;
Il dort dans le soleil, la main sur la poitrine,

Tranquille. |_ *Il a deux trous rouges au côté droit.* _|

L'absence de relief saillant et la couleur uniforme ont aussi une valeur expressive. Nous en avons un exemple dans *la Lune blanche*, de Verlaine, poème dont la valeur expressive résulte de la seule couleur lunaire :

La lune blanche
Luit dans les bois...

Les arrêts expressifs. — Les arrêts expressifs seront naturellement aussi variés que l'interprétation peut l'exiger. Nous ne donnerons ici que des exemples d'arrêts régis par l'intensité expressive. Le silence a une valeur émotive incontestable. Ce n'est pas une simple formule de théâtre, mais une véritable traduction de la vie. Dans la tragédie classique, il joue un rôle de premier plan (mais nous le retrouverons également dans les œuvres modernes) :

Nous nous aimions... || *Seigneur, vous changez de visage.*

Un enfant malheureux, qui ne sait pas encor
Que Pyrrhus est son maître ' *et qu'il est fils d'Hector.*

Vous ne répondez point? | *Perfide, je le voi,*
Tu comptes les moments que tu perds avec moi!

Vous serez au foyer une vieille accroupie,
Regrettant mon amour ' *et votre fier dédain.*

De tels arrêts marquent une opposition entre deux sentiments, et par là même entraînent un changement de ton. Une comparaison doit s'accompagner également d'un arrêt et d'un changement de ton :

Mignonne, allons voir si la rose...

. . . . .

A point perdu cette vesprée,
Les plis de sa robe pourprée
Et son teint ' *au vôtre pareil.*

D'autres silences prolongent et renforcent l'intensité d'un même sentiment :

Mais il me faut tout perdre ' *et toujours par vos coups.*

Songe aux cris des vainqueurs, | *songe aux cris des mourants.*

Elle crie, | *elle tombe,* | *elle est au sein des flots.*

Avant l'arrêt, il y a un grand allongement de la voyelle.

Dans un récit, les silences introduisent chaque élément nouveau d'émotion :

Ses petits ' *affamés* ' *courent sur le rivage...*
Déjà ' *croyant saisir et partager leur proie...*
Lui ' *gagnant à pas lents une roche élevée...*

Dans son amour sublime il berce sa douleur
Et, ' *regardant couler sa sanglante mamelle...*

Alors, ' *il se soulève,* ' *ouvre son aile au vent,*
Et, ' *se frappant le cœur avec un cri sauvage...*

Le loup le quitte alors ' *et puis* | *il nous regarde...*
Il nous regarde encore, ' *ensuite* ' *il se recouche...*
Refermant ses grands yeux ' *meurt* | *sans jeter un cri.*

Le pathétique du récit est fait en grande partie de ces silences.

L'arrêt brusque est également très expressif :

Ouvrez, ' *les gens,* | *ouvrez la porte..*

La voyelle n'est pas prolongée et la pause est longue.

L'arrêt avant l'inversion souligne le sens :

> *Donne au malade* ' *la santé,*
> *Au mendiant* ' *le pain qu'il pleure,*
> *A l'orphelin* ' *une demeure,*
> *Au prisonnier* ' *la liberté.*

Nous trouvons dans *le Dormeur du val* un exemple de grand arrêt expressif :

> *Il dort dans le soleil,* | *la main sur la poitrine,*
> *Tranquille.* || *Il a deux trous rouges au côté droit.*

Les silences se combinent constamment avec la variété des plans de hauteur :

Le matin. . .(Silence.) *Ses parents dorment.* (Silence.) *Il est dans son petit lit, couché sur le dos.* (Silence.) *Il regarde les raies lumineuses qui dansent au plafond.* (Silence.) *C'est un amusement sans fin*. . . *Christophe s'enfonce dans son lit et retient son souffle*. . . (Silence.) *Silence de mort.* (Grand silence.)

Chaque silence est précédé d'une note basse et anime une touche du tableau.

. . .*Sur le toit, la girouette grince.* (Silence.) *La gouttière s'égoutte.* (Silence.) *L'angélus tinte*. . .(Silence.) *Un pigeon roucoule au sommet d'une cheminée.* (Silence.) *L'enfant se laisse bercer par ces bruits.* (Silence.)

> . . .*puis très haut,* |
> *puis tout haut,* |
> *puis moins haut,* |
> *Il chantonne tout bas,* |
> *jusqu'à ce que de nouveau la voix exaspérée du père crie*. . .

Nous voyons ici un exemple typique de plans de hauteur variée. dans une progression régulière, plans qui s'harmonisent avec les silences pour traduire exactement un texte très précis.

Le mouvement. — Chaque œuvre a un mouvement général qui lui est propre, et toutes les variations passagères de l'allure seront relatives à ce mouvement de base.

Comme le dit très justement M. le professeur Burt, le mouvement est fonction de quatre facteurs, d'ailleurs communs à tous les peuples :

1° **La vitesse de la pensée** ou **de l'émotion** : celles-ci se développent en suivant une progression, de la mise en mouvement initiale, d'allure modérée, jusqu'à la conclusion, généralement ralentie, en passant par l'accélération plus ou moins intense ;

2° Le **contenu de la pensée** : les idées importantes s'énoncent lentement ; on passe plus rapidement sur les idées secondaires ;

3° L'**objet de la pensée** : on décrit avec lenteur des mouvement lents, larges, majestueux, des objets qui vous touchent, et, en revanche, on décrit plus rapidement des mouvements vifs ou des objets sans importance :

4° Le **contenu de l'émotion** : en général, l'énergie sous toutes ses formes incite à la rapidité (par exemple, la colère, l'indignation, le triomphe, l'impatience, etc.) ; en revanche, toutes les formes de dépression (telles que la mélancolie, la honte, l'épuisement, la terreur, etc.) diminuent la vitesse. Mais cela n'est vrai que pour des émotions qui se manifestent à l'état moyen, car, lorsqu'il s'agira d'états extrêmes, cette règle générale pourra se trouver renversée. Ainsi, la colère blanche ralentira le mouvement, tandis que la terreur panique l'accélérera. D'ailleurs, pour l'expression des émotions, il sera toujours facile aux étrangers de se conformer au mouvement qui leur est naturel dans leur langue maternelle.

(Ces divers facteurs psychologiques mis à part, le mouvement d'un poème est soumis à certaines règles prosodiques, telles que la structure métrique.)

Le mouvement général est le plus essentiel au point de vue de l'équilibre. Ainsi, il serait ridicule de dire l'*Ode à Cassandre*, de Ronsard, dans le même mouvement que *Recueillement*, de Baudelaire. C'est le sens et l'idée générale du poème qui imposent un certain mouvement. Cela ne veut pas dire que l'on gardera un mouvement uniforme lorsqu'il s'agira de nuancer. Mais, si, pour les besoins de l'expression, on est en droit d'accélérer une phrase, on ne devra le faire qu'en respectant la mesure.

La valeur expressive du mouvement proviendra en grande partie de toutes les oppositions et des contrastes que le sens du texte et l'émotion imposeront. Les variations du mouvement pourront soit concorder avec les reliefs, soit les contrarier : d'où une gamme de possibilités infinies.

Voici un exemple de mouvement, pris dans *la Nuit de mai*, de Musset :

Lorsque le pélican, lassé d'un long voyage,
Dans les brouillards du soir, retourne à ses roseaux (mouvement lent),
Ses petits affamés... (mouvement plus rapide, jusqu'à :)
...goitres hideux.

(Puis le mouvement du début reprend :)
Lui, gagnant à pas lents...

La longueur. — Nous avons déjà parlé de la longueur à propos de la valeur expressive des voyelles et des consonnes. Nous ne donnerons ici que quelques exemples de longueurs expressives :

...Mort délicieuse et passagère, où ma pensée se dilate, monte, tremble et s'évanouit avec la vapeur azurée qui vibre au-dessus des dunes...

Ce passage doit être dit avec un allongement de toutes les syllabes, qui semblent s'étirer sur un plan de hauteur presque égal et avec une continuité des sons qui peut être comparée à celle de l'archet sur le violon. L'impression éprouvée sera rendue par le soutenu de la phrase :

Ils prennent en songeant les nobles attitudes
Des grands sphinx allongés au fond des solitudes,
Qui semblent s'endormir dans un rêve sans fin...

La longueur des voyelles et des consonnes donne au dessin du tableau sa valeur exacte. Il en est de même pour la vision évoquée par ce vers extrait de *Recueillement :*

Et, comme un long linceul traînant à l'Orient...

Dans *le Moulin*, de Verhaeren, la longueur traduit exactement le mouvement :

Le moulin tourne au fond du soir, très lentement,
Sur un ciel de tristesse et de mélancolie,
Il tourne et tourne...

Conclusion. — C'est en harmonisant ou en opposant tous les moyens d'expression que nous venons d'étudier que nous arriverons à l'interprétation nuancée et complète d'une œuvre, dans son sens le plus large, d'où toute convention sera bannie : interprétation fondée sur le souci de la vérité, l'intelligence du texte et le respect de la forme. Une telle interprétation prend la valeur d'une collaboration avec l'auteur — collaboration toute d'effacement, d'ailleurs. Elle implique une grande souplesse d'esprit et de tempérament. La mission ainsi comprise de l'interprète « recréant » l'œuvre, portant la pensée des autres, la faisant vivre, exige de la méditation, du recueillement.

En effet, c'est par une lecture patiente et attentive de ses œuvres qu'on découvrira peu à peu les intentions profondes d'un auteur et les moyens dont il use pour s'exprimer. On verra, par exemple, que chez Bossuet, Baudelaire, Valéry, le rythme régulier et ample, les voyelles graves, conduisent à une harmonie et à un ton qui s'accordent parfaitement avec l'expression des sentiments élevés :

Maintenant tout semble sourd à la voix de Dieu, puisque les hommes mêmes y sont insensibles, auxquels toutefois il a donné et des oreilles pour écouter sa parole et un cœur pour s'y soumettre...

Une voix sortira du trône de Dieu qui ordonnera aux morts de revivre. Les corps gisants, les os desséchés, la cendre et la poussière froide et insensible en seront émus dans le fond de leurs tombeaux; tous les éléments commenceront à se remuer; et la mer, et la terre, et les abîmes se prépareront à rendre leurs morts; et au lieu qu'il nous paraissait qu'ils les avaient engloutis comme leur proie, nous verrons alors par expérience qu'ils ne les avaient reçus en effet que comme un dépôt pour le remettre fidèlement au premier ordre.

(Bossuet.)

J'ai longtemps habité sous de vastes portiques
Que les soleils marins teignaient de mille feux,
Et que leurs grands piliers, droits et majestueux,
Rendaient pareils, le soir, aux grottes basaltiques.

Les houles, en roulant les images des cieux,
Mêlaient d'une façon solennelle et mystique
Les tout-puissants accords de leur riche musique
Aux couleurs du couchant reflété par mes yeux.

(Baudelaire.)

Ils ont fondu dans une absence épaisse,
L'argile rouge a bu la blanche espèce,
Le don de vivre a passé dans les fleurs!
Où sont des morts les phrases familières,
L'art personnel, les âmes singulières?
La larve file où se formaient les pleurs.

. . . Le vrai rongeur, le ver irréfutable
N'est point pour vous qui dormez sous la table,
Il vit de vie, il ne me quitte pas!

(P. VALÉRY, *le Cimetière marin.*)

Au contraire, chez PROUST ou chez GIDE, le choix d'un rythme plus varié et nuancé, la prédominance des voyelles claires et des dentales servent une psychologie qui se veut plus humaine et plus vivante :

Je n'allais donc pas tenter une expérience de plus, dans la voie que je savais depuis longtemps mener à rien.

Ma vie m'apparut comme quelque chose de si dépourvu du support d'un moi identique et permanent, quelque chose de si inutile dans l'avenir et de si long dans le passé, que la mort pouvait aussi bien en terminer le cours ici ou là, sans nullement le conclure.

(M. PROUST, *Du côté de chez Swann.*)

J'ai vu le ciel frémir de l'attente de l'aube. Une à une les étoiles se fanaient. Les prés étaient inondés de rosée; l'air n'avait que des caresses glaciales. Il sembla quelque temps que l'indistincte vie voulût s'attarder au sommeil, et ma tête encore lassée s'emplissait de torpeur. Je montai jusqu'à la lisière du bois; je m'assis; chaque bête reprit son travail et sa joie dans la certitude que le jour va venir, et le mystère de la vie recommença de s'ébruiter par chaque échancrure des feuilles.

(A. GIDE, *les Nourritures terrestres.*)

Texte commenté n° 11.

Le Lac, de LAMARTINE.

I. *Ainsi, toujours poussés vers de nouveaux rivages,*
Dans la nuit éternelle emportés sans retour,
Ne pourrons-nous jamais sur l'océan des âges
Jeter l'ancre un seul jour?

II. *Ô lac! l'année à peine a fini sa carrière,*
Et près des flots chéris qu'elle devait revoir,
Regarde! je viens seul m'asseoir sur cette pierre
Où tu la vis s'asseoir!

III. *Tu mugissais ainsi sous ces roches profondes;*
Ainsi tu te brisais sur leurs flancs déchirés;
Ainsi le vent jetait l'écume de tes ondes
Sur ses pieds adorés.

IV. *Un soir, t'en souvient-il? nous voguions en silence;*
On n'entendait au loin, sur l'onde et sous les cieux,
Que le bruit des rameurs qui frappaient en cadence
Tes flots harmonieux.

V. *Tout à coup des accents inconnus à la terre*
Du rivage charmé frappèrent les échos;
Le flot fut attentif, et la voix qui m'est chère
Laissa tomber ces mots :

VI. « *Ô temps, suspends ton vol! et vous, heures propices,*
Suspendez votre cours!
Laissez-nous savourer les rapides délices
Des plus beaux de nos jours!

VII. « *Assez de malheureux ici-bas vous implorent :*
Coulez, coulez pour eux;
Prenez avec leurs jours les soins qui les dévorent;
Oubliez les heureux.

VIII. « *Mais je demande en vain quelques moments encore,*
Le temps m'échappe et fuit;
Je dis à cette nuit : « Sois plus lente »; et l'aurore
Va dissiper la nuit.

IX. « *Aimons donc, aimons donc! de l'heure fugitive,*
Hâtons-nous, jouissons!
L'homme n'a point de port, le temps n'a point de rive;
Il coule, et nous passons! »

X. *Temps jaloux, se peut-il que ces moments d'ivresse,*
Où l'amour à longs flots nous verse le bonheur,
S'envolent loin de nous de la même vitesse
Que les jours de malheur?

XI. *Eh quoi! n'en pourrons-nous fixer au moins la trace?*
Quoi! passés pour jamais? quoi! tout entiers perdus?
Ce temps qui les donna, ce temps qui les efface,
Ne nous les rendra plus?

XII. *Éternité, néant, passé, sombres abîmes,*
Que faites-vous des jours que vous engloutissez?
Parlez : nous rendrez-vous ces extases sublimes
Que vous nous ravissez?

XIII. *Ô lac! rochers muets! grottes! forêt obscure!*
Vous que le temps épargne ou qu'il peut rajeunir,
Gardez de cette nuit, gardez, belle nature,
Au moins le souvenir!

XIV. *Qu'il soit dans ton repos, qu'il soit dans tes orages,*
Beau lac, et dans l'aspect de tes riants coteaux,
Et dans ces noirs sapins, et dans ces rocs sauvages
Qui pendent sur tes eaux!

XV. *Qu'il soit dans le zéphyr qui frémit et qui passe,*
Dans les bruits de tes bords par tes bords répétés,
Dans l'astre au front d'argent qui blanchit ta surface
De ses molles clartés!

XVI. *Que le vent qui gémit, le roseau qui soupire,*
Que les parfums légers de ton air embaumé,
Que tout ce qu'on entend, l'on voit ou l'on respire,
Tout dise : « Ils ont aimé! »

łəłak ||

I. ɛ̃si ˈ tuʒurpuse ˈ vɛrdənuvoriva:ʒ |
dãłanɥietɛrnɛ ˈ łãpɔrtesãrətu:r |
nəpurɔ̃nuʒamɛ ˈ syrlɔseãdezɑ:ʒ ˈ
ʒətelã ˈ krœ̃sœlʒu:r ||

II. olak | laneapɛ ' nafinisakarjɛ:r '
epredeflo ʲeri ' kɛlədəvɛrəvwa:r |
rəgard(ə) ' ʒəvjɛ̃sœl ' maswarsyrsɛtəpjɛ:r '
utylavisaswa:r ||

III. tymyʒisɛ(z)ɛ̃si ' suserɔ ʲəprɔfɔ̃:d |
ɛ̃si ' tytəbrizɛ ' syrlœrflɑ̃de ʲ ire |
ɛ̃si ' ləvɑ̃ʒətɛ ' lekymədətezɔ̃:d '
syrsepjezadɔre ||

IV. œ̃swa:r ' tɑ̃suvjɛ̃til ' nuvɔgjɔ̃zɑ̃silɑ̃:s |
ɔ̃nɑ̃tɑ̃dɛtolwɛ̃ ' syrlɔ̃: ' desulesjø |
kələbrɥideramœ:r ' kifrapɛɑ̃kadɑ̃:s '
teflozarmɔnijø ||

V. tutaku ' dezaksɑ̃ ' ɛ̃kɔnyalatɛ:r |
dyrivaʒə ʲarme ' frapɛrəlezeko |
ləflofytatɑ̃tif | elavwakimɛ ʲɛ:r '
lesatɔ̃besemo ||

VI. o:tɑ̃ ' syspɑ̃tɔ̃vɔl | evu ' œrəprɔpis '
syspɑ̃devɔtrəku:r |
lesenu ' savure ' lerapidədelis '
deplybodənoʒu:r ||

VII. asedəmalørø ' isiba ' vuzɛ̃plɔ:r |
kule ' kulepurø |
prənezavɛklœrʒu:r ' leswɛ̃kiledevɔ:r |
ublijelezørø ||

VIII. mɛʒədəmɑ̃dɑ̃vɛ̃ ' kɛlkəmɔmɑ̃zɑ̃kɔ:r
lətɑ̃me ʲapefɥi |
ʒədiasɛtənɥi ' swaplylɑ̃: ' telɔrɔ:r '
vadisipelanɥi ||

IX. ɛmõdɔ̃ ' kɛmõdõ:k | dəlœrəfyʒiti:v '
atõnu ' ʒuisõ ||
lɔmənapwɛ̃dəpɔ:r ' lətɑ̃napwɛ̃dəri:v |
ilku ' lenupɑsõ ||

X. tɑ̃ʒalu ' səpøtil ' kəsemɔmɑ̃divrɛs '
ulamu: ' ralõflo ' nuvɛrsələbɔnœ:r |
sɑ̃vɔləlwɛ̃dənu ' dəlamɛməvitɛs '
kəleʒurdəmalœ:r ||

XI. ekwa ' nɑ̃purõnu ' omwɛ̃fikselatras |
kwa ' pɑse purʒamɛ ' kwa ' tutɑ̃tjepɛrdy |
sətɑ̃kiledɔna ' sətɑ̃kilezefas '
nənulerɑ̃draply ||

XII. etɛrnite ' neɑ̃ ' pɑse ' sõbrəzabim |
kəfɛtəvudeʒu:r ' kəvuzɑ̃glutise |
parle | nurɑ̃drevu ' sezɛkstɑzəsyblim '
kəvunuravise ||

XIII. olak ' rɔʝemyɛ | grɔt ' fɔrɛɔpsky:r |
vukələtɑ̃eparŋ ' ukilpøraʒœni:r |
gardedəsɛtənɥi ' garde ' bɛlənaty:r |
omwɛ̃ləsuvəni:r ||

XIV. kilswadɑ̃tõrəpo ' kilswadɑ̃tezɔra:ʒ '
bolak ' edɑ̃laspɛdəterijɑ̃kɔto |
edɑ̃senwarsapɛ̃ ' edɑ̃serɔksɔva:ʒ '
kipɑ̃dəsyrtezo ||

XV. kilswa ' dɑ̃ləzefi:r ' kifremiekipɑ:s |
dɑ̃lebrɥidətebɔ:r ' partebɔrrepete |
dɑ̃lastrofrõdarʒɑ̃ ' kiblɑ̃ʝitasyrfas '
dəsemɔləklarte ||

XVI. kəłəvãkiʒemi ˈ łərozokisupi:r ˈ
kəłeparfœłeʒe ˈ dətɔnɛrãbome |
kətusəkõnãtã ˈ łõvwa ˈ ułõrɛspi:r |
tudi:ˈ ziłzõteme ||

Ce poème présentant de très nombreuses variations de mouvement, nous avons voulu donner ici un commentaire qui illustre l'exposé théorique que nous venons de consacrer à cette question. Mais il est bien entendu que *le Lac* pourrait faire l'objet d'une analyse plus complète, selon la méthode appliquée dans les commentaires précédents.

Strophes I-IV : le mouvement général est lent et balancé : c'est un mouvement de barcarolle. Mais, dès la strophe III, nous avons une accélération :

Tu mugissais ainsi sous ces roches profondes;
Ainsi. . .(Accélération, crescendo et montée.)

Le dernier vers, plus court, ralenti :

Sur ses pieds adorés.

La strophe IV, sur un ton plus parlé, plus intime, fait de souvenirs, sans relief et d'un mouvement un peu plus vif que le mouvement général :

Un soir, t'en souvient-il ? nous voguions en silence. . .

Strophe V : comme une vision, mouvement lent; c'est une attente :

Tout à coup des accents inconnus à la terre. . .

Strophes VI-IX : grande exclamation lyrique, large, lente, un peu déclamée jusqu'à :

Il coule, et nous passons!

STROPHE X :

Temps jaloux...

Accélération du mouvement, traduisant le sentiment de la révolte.

STROPHE XI :

Eh quoi!...

Exclamation large et lente (note moins haute que l'interrogation qui, elle, sera plus rapide et se terminera sur une note plus haute et plus brève).

STROPHES XII-XIII :

Éternité, néant, passé...
Ô lac! rochers muets!...

Accélération, crescendo sur l'énumération. La strophe XII se termine sur une note interrogative, tandis que la strophe XIII s'achève sur une note exclamative.

STROPHE XIV :

Qu'il soit dans ton repos (lent),
qu'il soit dans tes orages (crescendo, accélération),
Beau lac (lent),
et dans l'aspect de tes riants coteaux (plus vite),
Et dans ces noirs sapins (relief de couleur),
et dans ces rocs sauvages (relief d'accent, accélération, crescendo),
Qui pendent sur tes eaux! (Reprise de la barcarolle.)

STROPHE XV :

Qu'il soit dans le zéphyr qui frémit et qui passe...

Mouvement parlé, très fin, articulé très en avant ; toute la strophe dans le même rythme, avec de légères accélérations; la barcarolle reprend toujours sur le vers court.

STROPHE XVI :

Que le vent qui gémit,
le roseau qui soupire (plus d'accent),
Que les parfums légers de ton air embaumé (plus rapide, sans relief, articulé légèrement, seul accent sur *embaumé*),
Que tout ce qu'on entend, l'on voit ou l'on respire (accélération, crescendo),

Tout dise (intense) : « *Ils ont aimé !* » (Large exclamation comme dans un rêve; la voix reste sur un plan élevé.)

CHAPITRE XII

QUELQUES NOTES SUR LE VERS FRANÇAIS

Lorsque nous faisons travailler aux étrangers des poèmes français, nous nous proposons avant tout un résultat pratique : améliorer leur prononciation. La diction des vers offre en effet l'avantage de mettre les élèves à même de se rendre compte des différents moyens d'expression dont ils disposent et de les étudier pour ainsi dire à l'état pur. Ils apprennent à considérer que tout dans la langue, du point de vue qui doit être le nôtre, n'est à envisager que comme moyen d'expression, depuis la maîtrise du souffle jusqu'à l'intelligence des nuances les plus subtiles d'un texte. Il faut aussi combattre ce préjugé trop répandu selon lequel la poésie est un langage factice. C'est une forme désuète dont les éléments sont purs, mais évoluent plus lentement que le langage courant. Nous n'entendons pas par là que ces éléments s'y trouvent isolés ou décomposés, mais plutôt ralentis et amplifiés. La langue poétique n'est pas sans analogie avec le cinéma au ralenti : le ralenti révèle l'harmonie de formes et de mouvements qui dans un rythme précipité n'avaient aucune valeur esthétique.

Buts pratiques de la diction des vers. — La diction des vers sera le meilleur entraînement pour acquérir la maîtrise du souffle, qui servira ensuite à l'élève dans le langage courant. Attaquer sans perte d'air, soutenir la voix, la diriger, est indispensable à la récitation d'un poème. Les Anglo-Saxons qui s'y astreindront perdront du même coup plusieurs de leurs défauts caractéristiques.

La coupe exacte des syllabes apparaît plus nettement en poésie que dans le langage courant, où l'élève est toujours tenté de précipiter l'articulation des consonnes, déformant par là les voyelles et rompant l'égalité nécessaire des syllabes. C'est la diction pure des vers qui l'obligera à laisser aux voyelles toute leur *valeur de durée*, leur place naturelle, leur *prépondérance*, puisque, comme nous l'avons déjà dit, la voyelle gouverne la consonne qui s'unit intimement à elle. Il ne faut pas perdre de vue que notre accent tonique est surtout un accent vocalique.

La pose de la voix que nécessite la diction poétique permet aux étrangers de bien se rendre compte de ce qu'est le rythme français, plus sensible dans un poème, et les oblige à émettre des voyelles pures, à les appuyer, à les *soutenir* jusqu'à la fin de leur émission. A ce point de vue déjà, aucun autre travail ne saurait procurer les résultats de la diction poétique, grâce à laquelle on peut souvent venir à bout de nasalisations opiniâtres.

Le constant souci du rythme exclut naturellement les fautes de mesure qu'entraîne une articulation maladroite, les attaques et les détentes devant être à la fois correctes et précises. Du fait que le rythme, en français, est produit par l'allongement, l'intensité ou la hauteur des voyelles toniques et de celles qui marquent le mètre et la rime, l'élève s'astreint à éviter de buter sur l'articulation des consonnes.

Le *lié* de la phrase, si important aussi en français, et qu'il ne faut pas confondre avec les liaisons d'un mot à un autre, est de toute nécessité en poésie.

De même, c'est en s'appliquant à suivre la courbe des vers français qu'une oreille étrangère s'accoutume aux courbes caractéristiques de notre phrase.

Enfin, l'obligation d'adopter un mouvement déterminé dans un poème et de ne pas en changer sans raison, c'est-à-dire sans que l'expression l'indique, procure l'homogénéité dans le débit.

Les coupes du vers suivent le sens. L'étude de ces coupes, d'ailleurs liée à l'interprétation, et celle des arrêts valent, même indépendamment de toute préoccupation esthétique, comme la meilleure gymnastique d'intonation.

Les ponctuations principales correspondent d'une façon générale à des poses naturelles, à des coupes de souffle que nous devons respecter. Pourtant, il faut observer que la ponctuation écrite ne sert souvent qu'à souligner les divisions logiques de la phrase. Il y a donc des signes de ponctuation que nous ferons sentir par un simple accent tonique, et non par une pause. Inversement, il nous arrivera souvent en diction de faire une suspension de souffle que le sens seul indiquera, mais que ne marquera aucun signe de ponctuation. Le respect servile de la ponctuation écrite ne donnerait pas une intonation naturelle. Dans tous les cas, la mesure devra être respectée.

Beaucoup d'élèves étrangers prétendent n'avoir vraiment compris l'intonation française, avec ses plans si variés, qu'après avoir étudié un poème à fond.

Rappel de quelques notions. — Une suite régulière de syllabes, même terminée par une rime, ne suffit pas à faire un vers. Il n'y a pas de vers sans rythme, c'est-à-dire le retour périodique de temps caractéristiques, organisé en vue d'un certain équilibre. Nous appelons ces temps des *accents rythmiques*. Ils sont répartis de façon variable, mais soumis à la règle générale de l'égalité dans la mesure : en dehors de ces accents rythmiques, que la phrase soit lente ou précipitée, le débit doit être absolument homogène.

La longueur des voyelles est d'une importance capitale. Alors que dans le langage courant, devant [r], [z], [ʒ], [v], toute voyelle portant l'accent tonique est longue, en poésie toute voyelle pourra être longue si elle porte l'accent rythmique. Il arrive donc que des mots qui ne seraient jamais accentués dans le langage courant le soient en poésie.

Il n'y a pour ainsi dire pas de voyelles moyennes en poésie, ni en prose littéraire. Les voyelles sont soit ouvertes, soit fermées.

Les mots suivants : *les*, *mes*, *tes*, *ses*, *ces*, *des*, qui sont plutôt fermés dans le langage courant, sont souvent ouverts en poésie.

Les semi-voyelles [w], [ɥ] se transforment en voyelles pures; quant à *yod* [j], il se décompose d'abord en voyelle *i*, qui se rattache à la première syllabe, puis en *yod*, son initial de la syllabe suivante, à moins que, cas assez rare, le compte de syllabes du vers ne lui maintienne sa valeur de semi-voyelle. Dans la poésie moderne, cette règle n'est plus observée d'une façon aussi rigoureuse.

Tandis que dans le langage courant on fait de moins en moins de liaisons, en poésie on les fait pour ainsi dire toutes. Cependant, si la liaison choque l'oreille, on la supprime; mais, pour éviter l'hiatus, on peut, le cas échéant, faire un arrêt expressif. C'est ici qu'intervient le rôle de l'interprète, qui met en valeur la musicalité du vers, dont le poète lui-même n'a pas toujours eu le sentiment juste en l'écrivant :

... Tout à coup des accents ' inconnus à la terre...

Le poète n'ayant pas voulu faire une harmonie imitative, cette succession des deux liaisons de [z] est désagréable à l'oreille. La légère pause après *accents*, qui amplifie l'expression, permet d'en supprimer une : le sens, comme l'euphonie, y gagne. Le choix n'est pas arbitraire. Il serait détestable de dire :

...des accents inconnus ' à la terre.

On garde le *e* muet [ə] en poésie, sauf à la rime. Il ne disparaît ni à la fin d'un mot lorsque le mot suivant commence par une consonne, ni dans l'intérieur d'un mot lorsqu'il est placé entre deux consonnes, contrairement à ce qui se passe dans le langage courant. Mais, dans le cas où la conservation du *e* muet est désagréable à l'oreille ou nuisible au naturel de l'expression, on y supplée en lui laissant sa place pour l'équilibre de la mesure, sans cependant le prononcer. C'est une sorte de *compensation*. La voyelle de la syllabe qui précède le *e* muet est allongée et diminue d'autant la longueur de la syllabe muette, de façon à respecter l'équilibre de la mesure.

Il arrive pourtant qu'on supprime entièrement le *e* muet, sans aucune compensation.

On ne fait aucune différence, en diction, entre la rime masculine et la rime féminine.

Le ton du vers est plus égal que celui du langage courant. La voix monte moins sur l'accent tonique, afin d'éviter la monotonie d'une perpétuelle alternance de la même note haute avec la même note basse. Mais nous aurons une grande variété dans les plans d'intonation. Une phrase entière sera haute, une autre basse. Nous obtiendrons ainsi des effets expressifs.

La coupe du vers suit le sens. Donc, qui dit accent rythmique ne dit pas respiration.

Diverses formes de vers. — Le type le plus courant de vers français est l'alexandrin, vers de douze syllabes. Dans sa forme classique, à la place de l'ancienne césure, qui a déjà disparu au XVIIe siècle, il porte toujours un accent rythmique à la sixième syllabe; il en porte un également à la douzième. Le vers est ainsi partagé en deux parties égales, en deux groupes, qu'on appelle *hémistiches*.

Puis chaque groupe se subdivisera. Nous aurons ainsi un vers partagé en quatre groupes, quatre mesures, quatre mètres. Le vers classique est un *tétramètre* :

Et de sang tout couvert échauffant le carnage...

Mais la subdivision de chaque hémistiche ne tombe pas forcément après la troisième et la neuvième syllabe. Il peut y avoir diverses combinaisons (du moins dans notre interprétation moderne, la diction des acteurs du XVIIe siècle ayant été certainement différente dans beaucoup de cas) :

Āh! de quel souvenīr viens-tu frappēr mon āme!
1 6 10 12

Ce fīls, que de sa flāmme il me laissā pour gāge!
2 6 10 12

Cette liberté dans la subdivision de l'hémistiche, ainsi que la possibilité d'accentuer plus ou moins la sixième syllabe, de couper le vers ou de le dire dans un seul souffle, suivant le sens, donnent au vers classique une certaine souplesse. Il ne peut être question de le scander comme font nombre d'étrangers, qui apportent dans la diction des vers français leurs habitudes métriques.

Le **vers romantique**, contrairement au vers classique, n'a pas d'accent rythmique à la sixième syllabe. Un alexandrin romantique se divise en trois groupes, trois mesures, trois mètres. C'est un *trimètre* :

Teintés d'azūr, glacés de rōse, lamés d'ōr.
4 8 12

Je l'attendāis ainsi qu'un rayōn qu'on espēre.
4 9 12

Quand l'idée n'est pas terminée à la rime, il y a un *enjambement*. Cela se produit seulement dans le vers romantique et, dans ce cas, la mélodie est ascendante; la voix doit bien marquer la douzième syllabe, puis s'interrompre légèrement sans qu'il y ait respiration et se continuer sur l'autre vers.

Dans le vers classique, l'idée se termine avec le vers : il y a *symétrie.* Dans le vers romantique, au contraire, le rythme est brisé : il y a *asymétrie.*

Le **vers libre** est régi seulement par le rythme et l'assonance :

Un petit roseau m'a suffi...

Il est moins question du compte de syllabes que de l'harmonie dans l'alternance des groupes rythmiques.

Il faut arriver à interpréter les vers avec aisance, car ils doivent couler facilement, sans gêne, sans effort, avec le balancement qui les caractérise. Que les règles, très souples d'ailleurs, ne soient pas un obstacle à la vérité de l'expression. Les élèves doivent se pénétrer de cette idée que dire, c'est *recréer.* S'il s'agit d'exprimer toute la musique d'un poème, pour le bien dire il ne convient pas d'en faire une mélopée vide de sens. Un poème a une couleur expressive, une mélodie souvent toute chargée d'intentions, un mouvement, une vie qui lui sont propres. Le diseur doit d'abord apprendre à *construire,* à voir l'ensemble. Ensuite, il travaillera sur les détails. L'idéal à atteindre est à la fois la parfaite homogénéité de l'ensemble et la variété nécessaire des détails.

Pour résumer, s'il est vrai que la poésie reproduit le plus complètement, pour l'oreille, la musique propre d'une langue, c'est en cherchant à avoir une belle diction poétique que les élèves s'achemineront vers la beauté du langage courant. Car le vers est, avec le rythme qui lui est propre, une phrase exprimée au ralenti.

Les considérations qui suivent se rapportent aussi bien à la prose qu'à la poésie, sauf en ce qui touche la quantité exceptionnelle donnée aux voyelles dans le vers, le maintien du *e* muet et les différentes règles pratiques que nous venons d'énoncer [1].

---

[1] Ouvrage à recommander : Maurice Grammont, *le Vers français, ses moyens d'expression, son harmonie,* 3e éd., Paris, Champion, 1923 (Collection de la Société de linguistique de Paris).

La durée et les timbres. — La durée des syllabes a une importance fondamentale, car le rythme naturel du vers, comme du langage français en général, est avant tout un rythme de *durée* et de *timbres*, donc un rythme essentiellement musical. Notre poésie régulière est construite sur la répétition de certaines longueurs, et ce rythme des quantités se combine, pour former le vers, avec celui des timbres : retour de la rime d'abord et toujours, parfois assonances intérieures. Notre vers libre tient un moindre compte des répétitions des longueurs types, et c'est alors surtout la combinaison des timbres, dans les assonances, qui fixe le rythme. Mais, de toute façon, l'essentiel réside dans la valeur auditive de nos voyelles, tant du point de vue de la longueur que de celui du timbre.

Nous n'avons pas à revenir sur l'étude de la position des organes; rappelons toutefois que les étrangers, et en particulier les Anglo-Saxons, auront avantage, pour commencer, à donner une valeur égale à toutes les syllabes, afin d'éviter d'« avaler » les petits mots atones. Ensuite, ils allongeront les voyelles rythmiques, tout en gardant l'équilibre des syllabes. La mélodie du vers français surprend toujours les étrangers, habitués à marquer le rythme uniquement par l'alternance des fortes et des faibles. Répétons qu'on ne scande pas ainsi le vers français; comme l'observe M. Robert de Souza, il n'y aurait pas de rythme plus pauvre. Notre ton général est *plano*. On soutient le rythme en allongeant les voyelles. L'émotion introduit dans le mètre une accentuation propre, qui souligne le rythme pour produire certains effets.

Par exemple, le vers de Mallarmé (*Renouveau*) :

L'impuissance s'étire en un long bâillement...

n'aura son rythme de longueurs, et, partant, son sens plein, que si on le dit en tirant sur toutes les voyelles, dont on fait des longues et des mi-longues pour produire un effet long et lent.

Autre exemple (Verhaeren, *Décembre*) :

Je suis la veuve en robe grise
Dont la traîne s'indéfinise.

L'allongement des voyelles suggère bien l'image que veut évoquer le poète.

De même dans ces deux vers de Baudelaire (*Recueillement*) :

Et, comme un long linceul traînant à l'Orient,
Entends, ma chère, entends la douce nuit qui marche.

Exemple de prose (Daudet, *Robert Helmont*) :

La chaleur douce, où tout se meut si tranquillement, donnait à ce petit coin rustique un calme extraordinaire.

L'évocation du tableau demande l'allongement des voyelles.

D'une autre façon, nous pouvons avoir des vers entiers simplement parlés, même dans les poèmes les plus lyriques. Nous diminuons alors seulement les longueurs, sans cesser de soutenir la voix ni de garder la mesure et la musique.

Si les mots ont une musique et une couleur, c'est en grande partie à cause de leurs voyelles. Selon que la voyelle sera grave ou aiguë, postérieure ou antérieure, le mot aura une physionomie différente :

. . . Las! Las! ses beautés laissé choir.

a postérieur, voyelle grave, donnera bien l'impression du regret. Les mots *glas*, *trépas*, etc., doivent leur valeur évocatrice au timbre de leur voyelle.

Le contraste de deux timbres, l'un aigu, l'autre grave, et leur répétition sont une source d'expression :

Murs, ville	deux voyelles aiguës
Et port,	une grave
Asile	aiguë
De mort,	grave
Mer grise	aiguë
Où brise	aiguë
La brise,	aiguë
Tout dort...	deux graves

Noter la répétition de la même voyelle aiguë *i* cinq fois.

Exemple de prose :

Les espaliers, un peu défeuillés, étaient lourds de pêches mûres et
e e ø e e y e
de grappes dorées.
e

Ces répétitions de voyelles claires donnent une harmonie particulière à la phrase.

Nous n'avons pas l'intention de revenir sur toutes les voyelles françaises. Mais nous tenons à attirer l'attention sur la beauté des nasales, sur les difficultés que leur émission oppose aux étrangers, enfin sur l'infinie richesse de leur valeur expressive. Le *on* [õ] surtout, généralement long, et qui semble résonner tellement en avant, est une de nos voyelles les plus musicales. Les poètes l'aiment pour ses qualités évocatrices :

Les sanglots longs	voyelle grave et sombre
Des violons	— —
De l'automne...	— —

Leur essaim gronde :
Ainsi, profonde,
Murmure une onde
Qu'on ne voit pas.

C'est un des plus beaux sons que nous ayons en français.

On ne doit donc pas, en diction, laisser les élèves atténuer les timbres pour s'en tenir systématiquement à des voyelles uniformément moyennes, sous prétexte que dans la langue courante — dépourvue d'intention esthétique — nous avons tendance à ramener toutes nos voyelles à des valeurs moyennes. Cela se fera naturellement. Mais ce serait une erreur de croire que, pour arriver à parler correctement un simple langage pratique, il ne soit pas nécessaire de commencer par donner aux voyelles leur valeur pleine. Il est d'une utilité immédiate, si surprenant que cela puisse paraître, que les élèves apprennent à varier le plus possible leurs voyelles, comme autant de timbres dans un orchestre ou de couleurs sur la palette d'un peintre.

Il faut remarquer que, le plus souvent, il existe une sorte de correspondance intime entre le timbre des voyelles et les images évoquées par les mots, qui sont en partie, si l'on peut dire, leur œuvre. Inversement, on évite d'instinct, pour exprimer la clarté, l'emploi des voyelles sombres, comme nous l'avons déjà dit, et on a tendance, pour l'expression d'un sentiment grave ou tragique, à assombrir les voyelles trop claires. Il y a en nous, quand nous parlons, une sorte de mimique intérieure que traduisent plus ou moins la position et la tension de nos organes. C'est ainsi que, voulant exprimer des sentiments énergiques, agressifs ou violents, nous aurons naturellement recours à des mots dont l'articulation nécessitera des mouvements énergiques des lèvres, de la langue et des mâchoires. Dans ce cas, l'émotion intense peut faire évoluer le timbre de la voix vers le cri instinctif qui la traduirait directement.

Il serait toutefois injustifié d'accorder une importance extrême à la valeur des voyelles comme onomatopées, dans les mots tels qu'ils nous sont *donnés* par la langue. C'est plutôt par la façon dont nous prononçons les voyelles sur le moment (intensité, hauteur, durée), par la façon dont nous les faisons vivre, que nous créons passagèrement une onomatopée de circonstance, infiniment plus réelle, plus nuancée, plus délicate, plus juste, plus heureuse en un mot, puisqu'elle est comme le produit naturel d'une situation, d'une image ou d'un sentiment concret. La valeur onomatopéique des voyelles confirme et renforce la règle générale que nous nous faisons de leur donner en poésie leur valeur pleine et leur timbre distinct. Pourtant, il arrive que la nécessité de respecter l'harmonie vocalique, si importante pour la beauté musicale du vers, nous oblige à faire certaines assimilations de voyelles. Le vers suivant de Ronsard (*Ode à Cassandre*) nous en donne un exemple :

Las! Las! ses beautés laissé choir.

Le vers est plus beau, plus naturel aussi, si nous fermons le *é* de *laissé* et si nous rendons les trois timbres de *é* absolument identiques.

De même qu'il existe une harmonie vocalique, il y a une harmonie dans la mesure, sensible également dans ce même vers : les temps sont égaux.

Nous usons constamment de l'harmonie vocalique en prose et dans le langage courant, surtout quand il s'agit de la voyelle [e], qui, en syllabe atone, est une des plus influençables.

En résumé, il faut que les élèves, étrangers ou français, comprennent bien que nos voyelles n'ont pas seulement une valeur esthétique générale et vague, mais que ce sont des notes précises, d'une utilité déterminée. Ils doivent apprendre à en jouer avec discernement, et se rendre compte qu'il n'y a pas de belle diction — ni simplement de beau langage français — sans pureté ni richesse des voyelles.

Valeur de la consonne dans l'expression. — De même que pour les voyelles, l'onomatopée des consonnes a une valeur d'occasion dont nous pourrons tirer parti, soit en prolongeant l'émission de la consonne, soit en la retardant, selon la nature du son. Il serait arbitraire de faire, du point de vue de l'expression, une classification rigide des consonnes. Là encore, le sens du texte est le seul guide auquel on doive s'attacher. Ainsi, la même consonne, selon qu'on en accentuera ou qu'on en atténuera le caractère sous l'influence du sentiment à exprimer, sera durcie ou adoucie. Par exemple, dans tel sonnet de Du Bellay, le *d* n'a pas la même valeur dans les deux vers suivants :

Plus que le marbre dur *me plaît l'ardoise fine...*
Et plus que l'air marin, la douceur *angevine.*

La consonne reste sonore dans les deux cas. Mais, lorsqu'on prononce le mot *dur*, il y a plus d'intensité dans les vibrations de ce [d] que dans celui de *douceur*, qui, prolongé, devient presque une fricative. Autrement dit, le [d] est aussi nettement articulé dans l'un et l'autre cas, mais l'*occlusion* est plus ou moins *prolongée* suivant la valeur du mot.

Pour toutes les consonnes sonores, il en sera de même du point de vue de l'expression :

...Ainsi le vent jetait l'écume de tes ondes
Sur ses pieds adorés.

...Que les parfums légers de ton air embaumé.

Lorsqu'il s'agira d'occlusives sourdes, qui ne sont pas accompagnées de vibrations, pour leur donner leur valeur expressive on les fera également entendre :

Plus que le marbre dur me plaît *l'ardoise fine.*

Mais nous pourrons, suivant les besoins de l'expression, prolonger plus ou moins toutes les autres consonnes, qu'elles soient constrictives, nasales ou liquides :

Sois sage, *ô ma Douleur...*

Et, comme un long linceul *traînant à* l'*Orient,*

Entends, ma chère, *entends la douce Nuit qui* m*arche.*

Entrez, la f*roide et la* l*ivide.*

Il va sans dire que l'allongement des consonnes dans le vers reste d'abord soumis à l'expression vraie et ne peut être opéré qu'avec goût et mesure. C'est par ce moyen que nous produirons l'accent d'insistance dont nous avons parlé à propos de l'intensité expressive.

La détente des consonnes a également une valeur. Suivant que la voyelle précédant la détente s'allonge plus ou moins, on obtient des expressions différentes. La détente, de toute façon, devra toujours être nette :

Les ifs, que leur vol fracasse,
Craquent...

C'est parce que nous allons rapidement sur les consonnes, en serrant les détentes, que nous produisons l'impression voulue par le texte. Inversement, nous pouvons adoucir les détentes sans qu'elles cessent d'être précises :

*Leur essaim gron*de *:*
*Ainsi, profon*de*,*
*Murmure une on*de
Qu'on ne voit pas.

Dans ce cas, nous allongeons beaucoup la voyelle et nous l'intensifions pour arriver doucement sur la consonne, sans choc :

*... C'est l'*heu*re exquise.*

Les assimilations directes, c'est-à-dire celles qui se produisent lorsqu'il y a contact direct entre deux consonnes, et qui ne sont d'ailleurs que des assimilations partielles ne modifiant la consonne que dans sa dernière partie, sont de règle en poésie. En revanche, comme nous ne supprimons pas le *e* muet entre deux consonnes, les assimilations du langage courant ne se font pas.

Enfin, de même qu'il existe une harmonie vocalique, certains effets peuvent être produits par le retour de consonnes semblables. Mais c'est affaire d'invention formelle proprement dite, et cela regarde plutôt l'auteur que l'interprète.

En résumé, nous voyons que l'importance des consonnes, du point de vue de l'expression, n'est pas moindre que celle des voyelles, si différente qu'elle soit. Il faut que les consonnes se marient étroitement aux voyelles de façon à produire un ensemble harmonieux.

Texte commenté n° 12.

Narcisse [fragment], de Paul Valéry (*Charmes*).

Te voici, mon doux corps de lune et de rosee,
Ô forme obéissante à mes vœux opposée!
Qu'ils sont beaux, de mes bras les dons vastes et vains!
Mes lentes mains, dans l'or adorable se lassent
D'appeler ce captif que les feuilles enlacent;
Mon cœur jette aux échos l'éclat des noms divins!...
Mais que ta bouche est belle en ce muet blasphème!
Ô semblable!... Et pourtant plus parfait que moi-même,
Éphémère immortel, si clair devant mes yeux,
Pâles membres de perle, et ces cheveux soyeux,
Faut-il qu'à peine aimés, l'ombre les obscurcisse,
Et que la nuit déjà nous divise, ô Narcisse.
Et glisse entre nous deux le fer qui coupe un fruit!
Qu'as-tu?
Ma plainte même est funeste?...
Le bruit
Du souffle que j'enseigne à tes lèvres, mon double,
Sur la limpide lame a fait courir un trouble!...
Tu trembles!... Mais ces mots que j'expire à genoux
Ne sont pourtant qu'une âme hésitante entre nous,
Entre ce front si pur et ma lourde mémoire...
Je suis si près de toi que je pourrais te boire,
Ô visage!... Ma soif est un esclave nu...
Jusqu'à ce temps charmant je m'étais inconnu,
Et je ne savais pas me chérir et me joindre!
Mais te voir, cher esclave, obéir à la moindre
Des ombres dans mon cœur se fuyant à regret,
Voir sur mon front l'orage et les feux d'un secret,

Voir, ô merveille, voir! ma bouche nuancée
Trahir... peindre sur l'onde une fleur de pensée,
Et quels événements étinceler dans l'œil!
J'y trouve un tel trésor d'impuissance et d'orgueil,
Que nulle vierge enfant échappée au satyre,
Nulle! aux fuites habile, aux chutes sans émoi,
Nulle des nymphes, nulle amie, ne m'attire
Comme tu fais sur l'onde, inépuisable Moi!...

təvwasi ' mõdukɔ:r ' dəly ' nedəroze |
o: ' fɔrmɔbeisɑ̃: ' tamevø ' ɔpoze ||
kiłsõbo ' dəmebra ' ledõva ' stəzevɛ̃ ||
mełɑ̃təmɛ̃ ' dɑ̃łɔradɔra ' błəsəłɑ:s |
dapəlesəkaptif ' kəlefœ ' jə(z)ɑ̃łɑ:s |
mõkœ:r ' ʒɛtozeko ' łekła ' denõdivɛ̃ ||
mɛkətabuʃɛbɛ ' łɑ̃səmyɛbłasfɛm '
o ' sɑ̃błabł | epurtɑ̃ ' płyparfɛkəmwamɛm '
efemɛrimɔrtɛł ' siklɛ:r ' dəvɑ̃mezjø |
pɑləmɑ̃: ' brədəpɛr ' łeseʃəvøswajø |
fotił ' kapɛneme ' łõ:brəłezɔpskyrsis |
ekəłanɥi ' deʒa ' nudivi: ' zonarsis |
egłi ' sɑ̃trənudø ' łəfɛ:r ' kikupœ̃frɥi ||
katy ||

maplɛ̃təmɛ ' mɛfynɛstₔ ||

łəbrɥi '

dysu ' fləkəʒɑ̃sɛ ' ŋateɫɛ ' vrəmõdubł |
syrłałɛ̃pidəłɑ: ' mafɛkurirœ̃trubł ||
tytrɑ̃:błₔ || mɛsemo ' kəʒɛkspi: ' raʒənu |
nəsõpurtɑ̃kynɑ: ' mezitɑ̃: ' tɑ̃trənu |
ɑ̃trəsəfrõsipy: ' remałurdəmemwa:r ||

ʒɔsɥisiprεdətwa ˈ kəʒəpurεtəbwa:r ˈ
o: ˈ viza:ʒ || maswa ˈ fεtœ̃nεsklavəny ||
ʒyskasətɑ̃ ʲarmɑ̃ ˈ ʒəmεtεzε̃kɔny |
eʒənəsavεpa ˈ məʲeri: ˈ reməʒwε̃:dr ||
mεtəvwa:r ˈ ʲεrεskla:v | ɔbeiralamwε̃dr(ə) ˈ
dezõ: ˈ brədɑ̃mõkœ:r ˈ səfɥijɑ̃tarəgrε |
vwa:r ˈ syrmõfrõ ˈ lɔra: ˈ ʒelefødœ̃səkrε |
vwa: ˈ romεrvεjəvwa:r ˈ mabuʲənyɑ̃se ˈ
trai:r | pε̃: ˈ drəsyrlõ: ˈ dynəflœrdəpɑ̃se |
ekεlzevεnəmɑ̃ ˈ etε̃səle ˈ dɑ̃lœj ||
ʒitru: ˈ vœ̃tεltrezɔ:r ˈ dε̃pɥisɑ̃: ˈ sedɔrgœj |
kəny:ləvjεrʒɑ̃fɑ̃ ˈ eʲapeosati:r |
ny:l ˈ ofɥitabi ˈ loʲytəsɑ̃zemwa |
nylədenε̃:f ˈ nylami ˈ nəmati:r |
kɔmətylεsyrlõ: ˈ dinepɥizabləmwa ||

La **première partie** de ce poème est toute en nuances; les accents y sont doux et comme feutrés. Narcisse, perdu dans la contemplation de sa propre image, monologue, et ses paroles admiratives font naître devant nos yeux charmés ce reflet de lui-même dont nous voyons les couleurs, les formes, les courbes, apparaître disparaître et renaître encore.

Ton de l'adoration sur *Te voici, mon doux corps...*; voix soutenue et bien nourrie, modelant les sons; le premier vers rebondissant uniquement sur le rythme :

Te voici,	— — /
mon doux corps	— — /
de lune	— /
et de rosée,	— — /

La dernière voyelle ... *ée* laissée en suspens fait attendre le deuxième vers : accent sur le *ô*, puis allongement des groupes suivants : *forme obéissante à mes vœux opposée*, dont le dernier mot sera mis en évidence par des syllabes bien détachées. Intensité montant sur le vers suivant, qui débute plus haut; accents très marqués sur *beaux*, *bras* et *vains;* dans les voyelles limpides, on doit percevoir la flamme intérieure.

Comme en rêve, le quatrième vers sera dit plus bas et plus lentement, ainsi que le cinquième, qui ne doit en être séparé par aucun temps d'arrêt :

Mes lentes mains,
dans l'or adorable
se lassent
D'appeler ce captif
que les feuilles enlacent....

On appuiera sur *mon cœur,* en détachant le mot suivant, *jette,* et on accentuera :

échos,
éclat.
divins,

mais la voix devra diminuer d'intensité jusqu'à *divins*, prononcé comme un son qui s'éteint.

Travailler, dans ces premiers vers, la pureté des sons vocaliques :

doux corps,	*lune,*	*rosée,*	*opposée.*	*beaux,*
u ɔ	y	o e	ɔ o e	o
l'or adorable,	*captif,*	*feuilles.*	*échos,*	
ɔ a ɔ a	a i	œ	e o	

ainsi que les consonnes liquides ou les groupes de consonnes comportant une liquide :

lune, *bras*, *lentes*, *adorable*, *d'appeler*,
l r l r bl l
feuilles enlacent, *cœur*, *éclat*,
j l r kl

qui semblent faire corps avec les bruits de la nature et jouent un grand rôle dans l'harmonie de ce passage.

La **deuxième partie**, plus passionnée, plus charnelle, doit être prise sur un ton chaud. Rapprochement des deux *b* de *bouche* et de *belle*, et des deux *è* ouverts de *muet* et de *blasphème*. Le *ô semblable*, lié au premier vers avec tendresse, doit donner l'impression d'une goutte d'eau qui tombe.

Après un léger arrêt, le ton devient plus ardent, et tout doit s'enchaîner depuis *Et pourtant* jusqu'à *qui coupe un fruit*, ensemble de vers exprimant la passion et où doit apparaître, à la fin, le regret de la séparation évoquée.

On notera surtout la répétition du *è* ouvert [ɛ] dans :

parfait, *moi-même*, *éphémère*, *immortel*, *clair*;

ce mot *clair* doit être dit sur un ton plus haut, faisant ressortir la limpidité de l'image évoquée :

si clair devant mes yeux...

Le vers suivant, qui traduit une rêverie pleine d'admiration, se compose de deux parties placées sur des plans différents :

Pâles membres de perle
et ces cheveux soyeux...

Toute la suite, empreinte d'un regret intense :

Faut-il
qu'à peine aimés,
l'ombre
les obscurcisse, |
Et que la nuit
déjà
ous divise, '
ô Narcisse, |
Et glisse entre nous deux
le fer
qui coupe un fruit!... ||

doit être dite selon une ligne nuancée descendante, en faisant ressortir les accents et les liquides :

il, ombre, obscurcisse, glisse, entre, fer, fruit,

ainsi que les nombreux *i :*

il, obscurcisse, nuit, divise, Narcisse, glisse, fruit.

La troisième partie débute par une interrogation inquiète placée haut, la deuxième syllabe un peu plus élevée :

Qu'as-tu?

Le rythme est égal et très marqué sur :

Le bruit
Du souffle
que j'enseigne à tes lèvres,
mon double,

dont les deux derniers mots seront dits avec la plus grande tendresse : émission du *d* légèrement retardée, son *ou* très doux.

Plus rapidement :

Sur la limpide lame
a fait courir un trouble... ||

la voix laissée en suspens sur *trouble.*

L'inquiétude sera marquée par le souffle haletant dans *Tu tremblés!* V , placé plus haut et coupé brusquement; elle est encore apparente, quoique moins vive, dans la suite, qui obéit à un rythme très soutenu et rapide :

Mais ces mots
que j'expire à genoux
Ne sont pourtant qu'une âme
hésitante
entre nous... V

Observer un court arrêt avant :

Entre ce front si pur
et ma lourde mémoire...,

puis poursuivre sur le ton de l'admiration amoureuse :

V *Je suis si près de toi*
que je pourrais te boire,

en marquant bien l'allongement des syllabes accentuées de *toi* et de *boire;* même accent attendri sur *ô visage!...* dont les syllabes doivent être détachées lentement, comme pour *ô semblable!,* mais avec plus de force; arrêt très marqué, puis, plus bas, comme une confidence dont on aurait honte :

V L*Ma soif*
est un esclave nu...

La reprise a lieu sur un ton passionné, le rythme se précipitant :

Jusqu'à ce temps charmant
je m'étais inconnu,
Et je ne savais pas
me chérir
et me joindre! V

Plus d'ardeur encore dans les groupes suivants; la respiration devient courte et haletante, mais les sons restent très clairs :

⌈*Mais te voir,*
⌊*cher esclave,* V
obéir
à la moindre
Des ombres
dans mon cœur
se fuyant
à regret...

cher esclave sera dit sur un ton plus bas et plus doux, et le mot *voir* mis en évidence, car il est répété plusieurs fois; bien souligner les voyelles nasales.

Les deux groupes :

⌈*Voir*   *sur mon front*

doivent être placés plus haut et détachés de l'ensemble, qui reste très rythmé :

⌈*Voir*
sur mon front
l'orage
et les feux
d'un secret...

Dans ⌈*Voir, ô merveille,* ⌊*voir!* le second *voir*, plus bas, apparaît comme l'ombre du premier, mais doit garder tout son sens :

⌈*Voir,*
ô merveille,
voir! ma bouche nuancée Trahir... V
peindre sur l'onde une fleur de pensée;

puis ajouter comme en confidence, sur un ton plus bas :

⌊*Et quels événements étinceler dans l'œil!*

La dernière phrase doit être attaquée sur un ton à la fois contenu et intense, en faisant ressortir les mots sonores :

tel trésor,
impuissance,
orgueil.

Par contraste, le mot *nulle*, répété plusieurs fois, sera toujours placé haut et léger : ⌈*nulle vierge enfant*, très détaché; ⌈*Nulle!* V *aux fuites...*, suivi d'un court arrêt pour souligner le sens; ⌊*Nulle des nymphes*, un peu plus bas, ainsi que ⌊*nulle amie;* ce dernier groupe sera souligné par des syllabes très détachées; ensuite, la voix redescendra jusqu'à la fin en ralentissant :

⌊*Comme tu fais*
⌊*sur l'onde,*
⌊*inépuisable Moi...*,

chaque syllabe tombant comme une goutte de rosée, pour aboutir à ce *Moi* qui est le fond du poème.

CHOIX DE LECTURES

PROSE

Bossuet.

L'ESPÉRANCE CHRÉTIENNE GARDE NOS CORPS.

Quand l'ordre des siècles sera révolu, les mystères de Dieu consommés, toutes ses promesses accomplies, toutes les nations de la terre évangélisées; quand le nombre de nos frères sera rempli, c'est-à-dire la société des élus complète, le corps mystique du Fils de Dieu composé de tous ses membres et les célestes légions dans lesquelles la défection des anges rebelles a fait vaquer tant de places, entièrement rétablies par cette nouvelle recrue; alors il sera temps, chrétiens, de détruire tout à fait la mort et de la reléguer pour toujours aux enfers, d'où elle est sortie.

*
* *

Jean-Jacques Rousseau.

Je me souviens d'avoir passé une nuit délicieuse hors de la ville, dans un chemin qui côtoyait le Rhône ou la Saône, car je ne me rappelle pas lequel des deux. Des jardins élevés en terrasse bordaient le chemin du côté opposé. Il avait fait très chaud ce jour-là, la soirée était charmante; la rosée humectait l'herbe flétrie; point de vent, une nuit tranquille; l'air était frais sans être froid; le soleil, après son coucher, avait laissé dans le ciel des vapeurs rouges dont la réflexion rendait l'eau couleur de roses; les arbres des terrasses étaient chargés de rossignols qui se répondaient l'un à l'autre. Je me promenais dans une sorte d'extase, livrant mes sens et mon cœur à la jouissance de tout cela, et soupirant seulement un peu du regret d'en jouir seul. Absorbé dans ma douce rêverie, je prolongeai fort avant dans la nuit ma promenade, sans m'apercevoir que j'étais las. Je m'en aperçus enfin. Je me couchai voluptueusement sur la tablette d'une espèce de niche ou de fausse porte enfoncée dans un mur de terrasse; le ciel de mon lit était formé par les têtes des arbres; un rossignol était précisément au-dessus de moi : je m'endormis à son chant; mon sommeil fut doux, mon réveil le fut davantage. Il était grand jour : mes yeux, en s'ouvrant, virent l'eau, la verdure, un paysage admirable. Je me levai, me secouai; la faim me prit; je m'acheminai gaiement vers la ville, résolu de mettre à un bon déjeuner deux pièces de six blancs qui me restaient encore.

(*Les Confessions*.)

*
* *

Chateaubriand.

Une nuit dans les forêts du Nouveau Monde.

Un soir, je m'étais égaré dans une forêt, à quelque distance de la cataracte du Niagara; bientôt je vis le jour s'éteindre autour de moi, et je goûtai, dans toute sa solitude, le beau spectacle d'une nuit dans les déserts du Nouveau Monde.

Une heure après le coucher du soleil, la lune se montra au-dessus des arbres, à l'horizon opposé. Une brise embaumée, que cette reine des nuits amenait de l'Orient avec elle, semblait la précéder dans les forêts comme sa fraîche haleine. L'astre solitaire monta peu à peu dans le ciel; tantôt il suivait paisiblement sa course azurée; tantôt il reposait sur des groupes de nues qui ressemblaient à la cime de hautes montagnes couronnées de neige. Ces nues, ployant et déployant leurs voiles, se déroulaient en zones diaphanes de satin blanc, se dispersaient en légers flocons d'écume, ou formaient dans les cieux des bancs d'une ouate éblouissante, si doux à l'œil qu'on croyait ressentir leur mollesse et leur élasticité.

(*Génie du christianisme,* Ire part., l. V, ch. XII.)

*
* *

Ernest Renan.

La Prière sur l'Acropole.

« Je suis né, déesse aux yeux bleus, de parents barbares, chez les Cimmériens bons et vertueux qui habitent au bord d'une mer sombre, hérissée de rochers, toujours battue par les orages. On y connaît à peine le soleil; les fleurs sont les mousses marines, les algues et les coquillages coloriés qu'on trouve au fond des baies solitaires. Les nuages y paraissent sans couleurs, et la joie même y est un peu triste; mais des fontaines d'eau froide y sortent du rocher, et les yeux des jeunes filles y sont comme ces vertes fontaines où, sur des fonds d'herbes ondulées, se mire le ciel. Mes pères, aussi loin que nous pouvons remonter, étaient voués aux navigations lointaines, dans des mers que tes Argonautes ne connurent pas. J'entendis, quand j'étais jeune, les chansons des voyages polaires; je fus bercé au souvenir des glaces flottantes, des mers brumeuses semblables à du lait, des îles peuplées d'oiseaux qui chantent à leurs heures et qui, prenant leur volée tous ensemble, obscurcissent le ciel. »

(*Souvenirs d'enfance et de jeunesse.*)

*
* *

Charles Baudelaire.

L'Invitation au voyage.

Il est un pays superbe, un pays de Cocagne, dit-on, que je rêve de visiter avec une vieille amie. Pays singulier, noyé dans les brumes de notre Nord, et qu'on pourrait appeler l'Orient de l'Occident, la Chine de l'Europe, tant la chaude et capricieuse fantaisie s'y est donné carrière, tant elle l'a patiemment et opiniâtrement illustré de ses savantes et délicates végétations.

Un vrai pays de Cocagne, où tout est beau, riche, tranquille, honnête; où le luxe a plaisir à se mirer dans l'ordre; où la vie est grasse et douce à respirer; d'où le désordre, la turbulence et l'imprévu sont exclus; où le bonheur est marié au silence; où la cuisine elle-même est poétique, grasse et excitante à la fois; où tout vous ressemble, mon cher ange.

Tu connais cette maladie fiévreuse qui s'empare de nous dans les froides misères, cette nostalgie du pays qu'on ignore, cette angoisse de la curiosité? Il est une contrée qui te ressemble, où tout est beau, riche, tranquille et honnête, où la fantaisie a bâti et décoré une Chine occidentale, où la vie est douce à respirer, où le bonheur est marié au silence. C'est là qu'il faut aller vivre, c'est là qu'il faut aller mourir!

Oui, c'est là qu'il faut aller respirer, rêver et allonger les heures par l'infini des sensations. Un musicien a écrit *l'Invitation à la valse;* quel est celui qui composera *l'Invitation au voyage*, qu'on puisse offrir à la femme aimée, à la sœur d'élection?

Oui, c'est dans cette atmosphère qu'il ferait bon vivre, — là-bas, où les heures plus lentes contiennent plus de pensées, où les horloges sonnent le bonheur avec une plus profonde et plus significative solennité.

(*Petits Poèmes en prose.*)

*

* *

Gustave Flaubert.

La lune, toute ronde et couleur de pourpre, se levait à ras de terre, au fond de la prairie. Elle montait vite entre les branches des peupliers, qui la cachaient de place en place, comme un rideau noir, troué. Puis elle parut, élégante de blancheur, dans le ciel vide qu'elle éclairait: et alors, se ralentissant, elle laissa tomber sur la rivière une grande tache, qui faisait une infinité d'étoiles; et cette lueur d'argent semblait s'y tordre jusqu'au fond, à la lumière d'un serpent sans tête couvert d'écailles lumineuses. Cela ressemblait aussi à quelque monstrueux candélabre, d'où ruisselaient, tout du long, des gouttes de diamant en fusion. La nuit douce s'étalait autour d'eux; des nappes d'ombre emplissaient les feuillages. Emma, les yeux à demi clos, aspirait avec de grands soupirs le vent frais qui soufflait. Ils ne se parlaient pas, trop perdus qu'ils étaient dans l'envahissement de leur rêverie. La tendresse des anciens jours leur revenait au cœur, abondante et silencieuse comme la rivière qui coulait, avec autant de mollesse qu'en apportait le parfum des seringas, et projetait dans leurs souvenirs des ombres plus démesurées et plus mélancoliques que celles des saules immobiles qui s'allongeaient sur l'herbe. Souvent, quelque bête nocturne, hérisson ou belette, se mettant en chasse, dérangeait les feuilles, ou bien on entendait par moment une pêche mûre qui tombait toute seule de l'espalier.

(*Madame Bovary.*)

*
* *

Arthur Rimbaud.

Ornières.

A droite l'aube d'été éveille les feuilles et les vapeurs et les bruits de ce coin du parc, et les talus de gauche tiennent dans leur ombre violette les mille rapides ornières de la route humide. Défilé de féeries. En effet : des chars chargés d'animaux de bois doré, de mâts et de toiles bariolées, au grand galop de vingt chevaux de cirque tachetés, et les enfants, et les hommes, sur leurs bêtes les plus étonnantes; — vingt véhicules, bossés, pavoisés et fleuris comme des carrosses anciens ou de Contes, pleins d'enfants attifés pour une pastorale suburbaine.

— Même des cercueils sous leur dais de nuit dressant les panaches d'ébène, filant au trot des grandes juments bleues et noires.

(*Les Illuminations*, Mercure de France.)

Fleurs.

D'un gradin d'or, — parmi les cordons de soie, les gazes grises, les velours verts et les disques de cristal qui noircissent comme du bronze au soleil, — je vois la digitale s'ouvrir sur un tapis de filigranes d'argent, d'yeux et de chevelures.

Des pièces d'or jaune semées sur l'agate, des piliers d'acajou supportant un dôme d'émeraudes, des bouquets de satin blanc et de fines verges de rubis entourent la rose d'eau.

Tels qu'un dieu aux énormes yeux bleus et aux formes de neige, la mer et le ciel attirent aux terrasses de marbre la foule des jeunes et fortes roses.

(*Les Illuminations*, Mercure de France.)

*
* *

Lautréamont.

Vieil océan, ô grand célibataire, quand tu parcours la solitude solennelle de tes royaumes flegmatiques, tu t'enorgueillis à juste titre de ta magnificence native, et des éloges vrais que je m'empresse de te donner. Balancé voluptueusement par les mols effluves de ta lenteur majestueuse, qui est le plus grandiose parmi les attributs dont le souverain pouvoir t'a gratifié, tu déroules, au milieu d'un sombre mystère, sur toute ta surface sublime, tes vagues incomparables, avec le sentiment calme de ta puissance éternelle. Elles se suivent parallèlement, séparées par de courts intervalles. A peine l'une diminue, qu'une autre va à sa rencontre en grandissant, accompagnées du bruit mélancolique de l'écume qui se fond, pour nous avertir que tout est écume. (Ainsi, les êtres humains, ces vagues vivantes, meurent l'un après l'autre, d'une manière monotone; mais sans laisser de bruit écumeux.) L'oiseau de passage se repose sur elles avec confiance, et se laisse abandonner à leurs mouvements, pleins d'une grâce fière, jusqu'à ce que les os de ses ailes aient recouvré leur vigueur accoutumée pour continuer leur pèlerinage aérien. Je voudrais que la majesté humaine ne fût que l'incarnation du reflet de la tienne. Je demande beaucoup, et ce souhait sincère est glorieux pour toi. Ta grandeur morale, image de l'infini, est immense comme la réflexion du philosophe, comme l'amour de la femme, comme la beauté divine de l'oiseau, comme les méditations du poète. Tu es plus beau que la nuit.

(*Les Chants de Maldoror*, Librairie José Corti, édit.)

*
* *

Maurice Barrès.

L'Appel du passé.

Connaissez-vous cette sorte d'angoisse et cette protestation qui se forment au fond de notre être (telle est du moins mon expérience) chaque fois que nous voyons souiller une source, avilir un paysage, défricher une forêt ou simplement couper un bel arbre sans lui fournir un successeur? Ce que nous éprouvons alors, je fais appel à votre mémoire, c'est autre chose que le regret d'un bien matériel perdu. Nous sentons invinciblement qu'à notre expansion complète il faut du végétal, du libre, du vivant, des bêtes heureuses, des sources non captées, des rivières non mises en tuyaux, des forêts sans réseaux de fils de fer, des espaces hors du temps. Nous aimons les bois, les fontaines, les vastes horizons pour les services qu'ils nous rendent et pour des raisons plus mystérieuses. Une pinède qui brûle sur les collines de Provence, c'est une église qu'on dynamite. Une pente ravinée des Alpes, un flanc pelé des Pyrénées, les étendues désertiques de la Champagne, les causses, les brandes, les garrigues du plateau central correspondent dans notre esprit à ces places de village où nos clochers s'écroulent. A quoi attribuer ces émotions d'une qualité mystique?

On dirait qu'à peu de distance sous terre l'amour des forêts et des sources, l'amour des vastes solitudes rejoignent l'amour des sanctuaires et que des sentiments si divers ont des racines communes.

(*La Grande Pitié des églises de France*, Librairie Plon.)

*
* *

Paul Claudel.

LA MÈRE. — Il est dur de voir mon enfant me quitter.

VIOLAINE. — Ne soyez pas triste, mère!

Qu'importe que nous attendions quelques jours? Ce n'est qu'un peu de temps à passer.

Ne suis-je pas sûre de votre affection? et de celle de Mara? et de celle de Jacques, mon fiancé?

Jacques, n'est-ce pas? Il est à moi comme je suis à lui et rien ne peut nous séparer! Regardez-moi, cher Jacques. Voyez-le qui pleure de me voir partir!

Ce n'est point le moment de pleurer, mère! ne suis-je pas jeune et belle, et aimée de tous?

Mon père est parti, il est vrai, mais il m'a laissé l'époux le plus tendre, l'ami qui jamais ne m'abandonnera.

Ce n'est donc point le moment de pleurer, mais de se réjouir. Ah, chère mère, que la vie est belle et que je suis heureuse!

MARA. — Et vous, Jacques, que dites-vous? Vous n'avez pas un air joyeux.

JACQUES HURY. — N'est-il pas naturel que je sois triste?

MARA. — Sus! ce n'est qu'une séparation de quelques mois.

JACQUES HURY. — Trop longue pour mon cœur.

MARA. — Ecoute, Violaine, comme il a bien dit ça!

Eh quoi, ma sœur, si triste vous aussi? Souriez-moi de cette bouche charmante! Levez ces yeux bleus que notre père aimait tant. Voyez, Jacques! Regardez votre femme, qu'elle est belle quand elle sourit!

On ne vous la prendra pas! qui serait triste quand il a pour éclairer sa maison ce petit soleil?

Aimez-nous-la bien, méchant homme! Dites-lui de prendre courage.

JACQUES HURY. — Courage, Violaine!

Vous ne m'avez pas perdu, nous ne sommes pas perdus l'un pour l'autre!

Voyez que je ne doute pas de votre amour, est-ce que vous doutez du mien davantage?

Est-ce que je doute de vous, Violaine? est-ce que je ne vous aime pas, Violaine? Est-ce que je ne suis pas sûr de vous,

Violaine!

J'ai parlé de vous à ma mère, songez qu'elle est si heureuse de vous voir.

Il est dur de quitter la maison de vos parents. Mais où vous serez vous aurez un abri sûr et que nul n'enfreindra.

Ni votre amour, ni votre innocence, chère Violaine, n'ont à craindre.

(*L'Annonce faite à Marie*, acte II, scène v.)

*
* *

André Gide.

Lorsqu'après une longue absence, fatigué de sa fantaisie et comme désépris de lui-même, l'enfant prodigue, du fond de ce dénûment qu'il cherchait, songe au visage de son père, à cette chambre point étroite où sa mère au-dessus de son lit se penchait, à ce jardin abreuvé d'eau courante, mais clos et d'où toujours il désirait s'évader, à l'économe frère aîné qu'il n'a jamais aimé, mais qui détient encore dans l'attente cette part de ses biens que, prodigue, il n'a pu dilapider — l'enfant s'avoue qu'il n'a pas trouvé le bonheur, ni même su prolonger bien longtemps cette ivresse qu'à défaut de bonheur il cherchait. — Ah! pense-t-il, si mon père, d'abord irrité contre moi, m'a cru mort, peut-être, malgré mon péché, se réjouirait-il de me revoir; ah! revenant à lui bien humblement, le front bas et couvert de cendres, m'inclinant devant lui, lui disant : « Mon père, j'ai péché contre le ciel et contre toi », que ferai-je si, de sa main me relevant, il me dit : « Entre dans la maison, mon fils... »? Et l'enfant déjà pieusement s'achemine.

Lorsque, au défaut de la colline il aperçoit enfin les toits fumants de la maison, c'est le soir; mais il attend les ombres de la nuit pour voiler un peu sa misère. Il entend au loin la voix de son père; ses genoux fléchissent; il tombe et couvre de ses mains son visage, car il a honte de sa honte, sachant qu'il est le fils légitime pourtant. Il a faim; il n'a plus, dans un pli de son manteau crevé, qu'une poignée de ces glands doux dont il faisait sa nourriture, pareil aux pourceaux qu'il gardait. Il voit les apprêts du souper. Il distingue s'avancer sur le perron sa mère... Il n'y tient plus, descend en courant la colline, s'avance dans la cour, aboyé par son chien qui ne le reconnaît pas. Il veut parler aux serviteurs; mais ceux-ci méfiants s'écartent, vont prévenir le maître; le voici.

(*Le Retour de l'enfant prodigue*, Librairie Gallimard.)

Nathanaël, je te parlerai des attentes. J'ai vu la plaine, pendant l'été, attendre; attendre un peu de pluie. La poussière des routes était devenue trop légère et chaque souffle la soulevait. Ce n'était même plus un désir; c'était une appréhension. La terre se gerçait de sécheresse comme pour plus d'accueil de l'eau. Les parfums des fleurs de la lande devenaient presque intolérables. Sous le soleil tout se pâmait. Nous allions chaque après-midi nous reposer sous la terrasse, abrités un peu de l'extraordinaire éclat du jour. C'était le temps où les arbres à cônes, chargés de pollen, agitent aisément leurs branches pour répandre au loin leur fécondation. Le ciel s'était chargé d'orage et toute la nature attendait. L'instant était d'une solennité trop oppressante, car tous les oiseaux s'étaient tus. Il monta de la terre un souffle si brûlant que l'on sentit tout défaillir; le pollen des conifères sortit comme une fumée d'or des branches. — Puis il plut.

J'ai vu le ciel frémir de l'attente de l'aube. Une à une les étoiles se fanaient. Les prés étaient inondés de rosée; l'air n'avait que des caresses glaciales. Il sembla quelque temps que l'indistincte vie voulût s'attarder au sommeil, et ma tête encore lassée s'emplissait de torpeur. Je montai jusqu'à la lisière du bois; je m'assis; chaque bête reprit son travail et sa joie dans la certitude que le jour va venir, et le mystère de la vie recommença de s'ébruiter par chaque échancrure des feuilles. — Puis le jour vint.

J'ai vu d'autres aurores encore. — J'ai vu l'attente de la nuit...

Nathanaël, que chaque attente, en toi, ne soit même pas un désir, mais simplement une disposition à l'accueil. Attends tout ce qui vient à toi; mais ne désire que ce qui vient à toi. Ne désire que ce que tu as. Comprends qu'à chaque instant du jour tu peux posséder Dieu dans sa totalité. Que ton désir soit de l'amour, et que ta possession soit amoureuse. Car qu'est-ce qu'un désir qui n'est pas efficace?

(*Les Nourritures terrestres*, Librairie Gallimard.)

Blidah.

Blidah! Fleur du Sahel! dans l'hiver sans grâce et fanée, au printemps tu m'as paru belle. Ce fut un matin pluvieux; un ciel indolent, doux et triste; et les parfums de tes arbres en fleurs erraient dans tes longues allées. Jet d'eau de ton calme bassin; au loin les clairons des casernes.

Voici l'autre jardin, bois délaissé, où luit faiblement sous les oliviers la mosquée blanche. — Bois sacré! ce matin vient s'y reposer ma pensée infiniment lasse, et ma chair épuisée d'inquiétude d'amour. De vous avoir vues l'autre hiver, je n'avais pas idée, lianes, de vos floraisons merveilleuses. Glycines violettes entre les branches balancées, grappes comme des encensoirs penchées, et pétales tombés sur l'or du sable de l'allée. Bruits de l'eau; bruits mouillés, clapotis au bord du bassin; oliviers géants, spirées blanches, bosquets de lilas, touffes d'épines, buissons de roses; y venir seul et s'y souvenir de l'hiver, et s'y sentir si las que le printemps, hélas! même ne vous étonne; et même désirer plus de sévérité, car tant de grâce, hélas! invite et rit au solitaire, et ne se peuple que de désirs, cortège obséquieux dans les vides allées. Et malgré les bruits d'eau dans ce bassin trop calme, autour, le silence attentif indique par trop les absences.

(*Les Nourritures terrestres*, Librairie Gallimard.)

*
* *

Marcel Proust.

A intervalles symétriques, au milieu de l'inimitable ornementation de leurs feuilles qu'on ne peut confondre avec la feuille d'aucun autre arbre fruitier, les pommiers ouvraient leurs larges pétales de satin blanc ou suspendaient les timides bouquets de leurs rougissants boutons. C'est du côté de Méséglise que j'ai remarqué pour la première fois l'ombre ronde que les pommiers font sur la terre ensoleillée, et aussi ces soies d'or impalpable que le couchant tisse obliquement sous les feuilles, et que je voyais mon père interrompre de sa canne sans les faire jamais dévier.

Parfois dans le ciel de l'après-midi passait la lune blanche comme une nuée, furtive, sans éclat, comme une actrice dont ce n'est pas l'heure de jouer et qui, de la salle, en toilette de ville, regarde un moment ses camarades, s'effaçant...

(*Du côté de chez Swann*, Librairie Gallimard.)

Paul Valéry.

Passage de Verlaine.

Quelque chose d'invincible m'a toujours retenu d'aller faire la connaissance de Verlaine.

J'habitais tout auprès du Luxembourg; il m'eût suffi de quelques pas pour atteindre la table de marbre où il siégeait de onze heures à midi, dans un arrière-café qui s'achevait, je ne sais pourquoi, en grotte de rocaille. Verlaine, jamais seul, était visible à travers le vitrage. Les verres, sur le marbre, tenaient une onde verte, qu'on eût dit puisée dans la nappe émeraude d'un billard, bassin de cette nymphée.

Ni les charmes d'une gloire qui était alors dans toute sa force; ni la curiosité que j'avais d'un tel poète, de qui les mille inventions musicales, les délicatesses et les profondeurs m'avaient été si précieuses; ni même les attraits d'une carrière affreusement accidentée et d'une âme si puissante et si misérable, n'eurent jamais raison de mon obscure résistance à moi-même et d'une espèce d'horreur sacrée.

Mais je le voyais passer presque tous les jours, quand, au sortir de son antre grotesque, il gagnait, en gesticulant, quelque gargote du côté de Polytechnique. Ce maudit, ce béni, boitant, battait le sol du lourd bâton des vagabonds et des infirmes. Lamentable, et porteur de flammes dans ses yeux couverts de broussailles, il étonnait la rue par sa brutale majesté et par l'éclat d'énormes propos. Flanqué de ses amis, s'appuyant au bras d'une femme, il parlait, pilant son chemin, à sa pieuse petite escorte. Il créait de brusques arrêts, furieusement consacrés à la plénitude de l'invective. Puis la dispute s'ébranlait. Verlaine, avec les siens, s'éloignait, dans un frappement pénible de galoches et de gourdin, développant une colère magnifique, qui se changeait quelquefois, comme par miracle, en un rire presque aussi neuf qu'un rire d'enfant.

(*Variété II*, Librairie Gallimard.)

* *

Colette.

Je revois des prés, des bois profonds que la première poussée des bourgeons embrume d'un vert insaisissable, — des ruisseaux froids, des sources perdues, bues par le sable aussitôt que nées, des primevères de Pâques, des jeannettes jaunes au cœur safrané, et des violettes, des violettes, des violettes... Je revois une enfant silencieuse que le printemps enchantait déjà d'un bonheur sauvage, d'une triste et mystérieuse joie... Une enfant prisonnière, le jour, dans une école, et qui échangeait des jouets, des images, contre les premiers bouquets de violettes des bois, nouées d'un fil de coton rouge, rapportées par les petites bergères des fermes environnantes... Violettes à courte tige, violettes blanches et violettes bleues, et violettes d'un blanc-bleu veiné de nacre mauve, — violettes de coucou anémiques et larges, qui haussent sur de longues tiges leurs pâles corolles inodores... Violettes de février, fleuries sous la neige, déchiquetées, roussies de gel, laideronnes, pauvresses parfumées... O violettes de mon enfance! Vous montez devant moi, toutes, vous treillagez le ciel laiteux d'avril, et la palpitation de vos petits visages innombrables m'enivre...

(*Les Vrilles de la vigne*, Editions Ferenczi.)

Levée au jour, parfois devançant le jour, ma mère accordait aux points cardinaux, à leurs dons comme à leurs méfaits, une importance singulière. C'est à cause d'elle, par tendresse invétérée, que dès le matin, et du fond du lit je demande : « D'où vient le vent? » A quoi l'on me répond : « Il fait bien joli... C'est plein de passereaux dans le Palais-Royal... Il fait vilain... Un temps de saison. » Il me faut maintenant chercher la réponse en moi-même, guetter la course du nuage, le ronflement marin de la cheminée, réjouir ma peau du souffle d'Ouest, humide, organique et lourd de significations comme la double haleine divergente d'un monstre amical. A moins que je ne me replie haineusement devant la bise d'Est, l'ennemi, le beau-froid-sec et son cousin du Nord. Ainsi faisait ma mère, coiffant de cornets en papier toutes les petites créatures végétales assaillies par la lune rousse : « Il va geler, la chatte danse », disait-elle.

Son ouïe, qu'elle garda fine, l'informait aussi, et elle captait des avertissements éoliens.

— Ecoute sur Moutiers! me disait-elle.

Elle levait l'index, et se tenait debout entre les hortensias, la pompe et le massif de rosiers. Là, elle centralisait les enseignements d'Ouest, par-dessus la clôture la plus basse.

— Tu entends?... Rentre le fauteuil, ton livre, ton chapeau : il pleut sur Moutiers. Il pleuvra ici dans deux ou trois minutes seulement.

Je tendais mes oreilles « sur Moutiers »; de l'horizon venaient un bruit égal de perles versées dans l'eau et la plate odeur de l'étang criblé de pluie, vanné sur ses vases verdâtres... Et j'attendais, quelques instants, que les douces gouttes d'une averse d'été, sur mes joues, sur mes lèvres, attestassent l'infaillibilité de celle qu'un seul être au monde — mon père — nommait « Sido ».

(*Sido*, Editions Ferenczi.)

*
* *

Jean Giraudoux.

Églantine dormait. Elle dormait sur une étroite chaise longue, les jambes un peu repliées, mais ni bras ni genou ne dépassait la couche. Il semblait qu'elle dût disparaître aussitôt après ce spectacle, par une trappe du sol ou du plafond, dont l'étroitesse exigeait cette retenue de son corps. L'oreiller était sous ses épaules, elle tendait la gorge au sommeil, sa tête renversée.

Fontranges était touché de voir enfin cette belle fille dans un acte si noble et qui n'était pas de servitude. Il sentait qu'il jouait avec elle, non plus un jeu de maître à chambrière, ou même, pour ennoblir les termes, de demoiselle à châtelain, mais un jeu de cache-cache de jeunesse à vieillesse, de tendresse à indifférence. Cette aventure, où il était nécessaire que l'un d'eux dormît au rendez-vous ou feignît de dormir, cette rencontre dans la marge de deux existences si contraires, Fontranges n'en tirait pas une leçon de modestie, celle par exemple de ne parler qu'à ceux qui ne vous entendent pas, de n'embrasser que ceux qui ne vous voient point, de ne caresser que l'insensible. Non, il se sentait relié à Eglantine par un sens secret et nouveau.

(*Eglantine*, Editions B. Grasset.)

Sur les lèvres d'Anne, je reconnaissais, après chacune de mes phrases, le sourire qui accompagnait mon départ. Dans ses yeux brillait le dévouement, et presque la reconnaissance. On devinait qu'elle se félicitait maintenant de vivre, — de vivre justement au milieu des hommes, au milieu des jeunes gens malicieux ou affectueux, des jeunes gens maigres, gras, dont les uns étaient prêts à se tuer pour elle, dont les autres, chers égoïstes, étaient polis, étaient aimables.

« Vous aimez Lucien, qui vous écrivit une lettre pour s'excuser d'avoir pris votre main, à la campagne, le soir, devant ce grand incendie et une seconde parce qu'il avait embrassé votre robe pendant les inondations... Vous m'aimez un peu, moi aussi.

— Ah! Pourquoi? »

. . . .

« Je vous aime, Simon, parce que tout en vous est sécurité, calme. J'aime votre entêtement et votre sagesse. Jamais je ne vous ai vu céder. Vous parlez sans grande émotion, mais toujours à une seule personne. Celle-là vous la regardez, vous vous campez en face d'elle, les autres peuvent attendre. Vous me prendriez les mains, dès que vous parlez ainsi, par les épaules vous m'attireriez, que je ne saurais point comment on vous résiste. J'adore aussi quand vous vous promenez, détaché soudain de tout, mais souriant encore, le long des autres groupes; vous avez l'air d'un sauveteur, d'un guide, d'un pilote. Vous adoptez des enfants trouvés. Vous épousez la femme d'un collègue, disparu, et la lui rendez quand il revient. Je vois ainsi l'allumeur de becs de gaz, grand, indifférent, heurtant du poing les palissades des chantiers pour exciter les chiens qui aboient et le suivent en reniflant sous les planches. »

(*Simon le Pathétique*, Editions B. Grasset.)

*

* *

Pierre Mac Orlan.

Vers cette lanterne rouge et ce numéro indiscret,
dans la nuit des bas quartiers où les garçons bouchers
règnent en dandys; où les adolescents socialistes
parlent couramment d'un type « groggy »;
dans un ring immonde, au milieu des suaves ordures,
il faut bien, si notre destinée doit s'accomplir
selon le rythme intelligent que nos livres lui imposent,
que nous cherchions des lumières autres que celles du soleil
[et de la lune,
des lumières nordiques pour appartement bien clos.
Là, entre les filles d'un agréable commerce intellectuel
à qui sait éviter les jeux de la luxure désespérée,
nous irons fumer ce lourd tabac anglais
qui met sur la langue le poids des sept péchés capitaux.
Sur des coussins brodés par des mains d'anciennes fillettes,
le pantalon relevé sur des chaussettes de soie,
nous écouterons, avec un plaisir renouvelable, le banjo de
[passage
et le violon son compère peupler la salle rouge
d'une « maison » comme il n'en est pas :
une maison de plaisir de pure imagination,

celle que chacun de nous possède dans sa tête fragile
et dont on verra bien, un jour, les résultats terrifiants.

(*L'Inflation sentimentale*, Librairie Gallimard.)

*
* *

Georges Duhamel.

Les plus beaux jardins du monde, ce n'est pas à Cintra que je les ai vus, et non plus en Angleterre, et ni même à notre Versailles. C'est au col de la Vanoise. J'étais soudainement si las que je m'étais étendu le long du chemin, sur les pierres. Juste à hauteur de mon œil, dans le creux d'un rocher, dans le creux plein d'humus dense et noir, un jardin avait poussé, fait de plantes minuscules, de fougères délicates, de fleurs au coloris vif, de mousses, de lichens, de champignons. On y voyait des pelouses, des massifs, des allées, des ronds-points, des bosquets en miniature et l'orée d'un bois profond.

Je pense à ce jardin, parfois, comme au paradis perdu. Pour connaître ces merveilles, il faut voyager à pied, éprouver de belles lassitudes et même se coucher dans l'herbe.

Celui qui n'est jamais parti, le matin, au petit jour, tout son bagage à l'épaule, et la canne en main, ne sait pas ce que c'est que de partir. Il ne sait pas davantage ce que c'est que d'arriver.

(*Souvenirs de mon jeune temps*, Mercure de France.)

*
* *

François Mauriac.

Ils traversèrent la place : des feuilles de platane étaient collées aux bancs trempés de pluie. Heureusement, les jours avaient bien diminué. D'ailleurs, pour rejoindre la route de Budos, on peut suivre les rues les plus désertes de la sous-préfecture.

Thérèse marchait entre les deux hommes qu'elle dominait du front et qui de nouveau discutaient comme si elle n'eût pas été présente; mais, gênés par ce corps de femme qui les séparait, ils le poussaient du coude. Alors elle demeura un peu en arrière, déganta sa main gauche pour arracher de la mousse aux vieilles pierres qu'elle longeait. Parfois un ouvrier à bicyclette la dépassait, ou une carriole; la boue jaillie l'obligeait à se tapir contre le mur. Mais le crépuscule recouvrait Thérèse, empêchait que les hommes la reconnussent. L'odeur de fournil et de brouillard n'était plus seulement pour elle l'odeur du soir dans une petite ville : elle y retrouvait le parfum de la vie qui lui était rendue enfin; elle fermait les yeux au souffle de la terre endormie, herbeuse et mouillée; s'efforçait de ne pas entendre les propos du petit homme aux courtes jambes arquées qui, pas une fois, ne se retourna vers sa fille; elle aurait pu choir au bord du chemin : ni lui, ni Duros ne s'en fussent aperçus. Ils n'avaient plus peur d'élever la voix.

(*Thérèse Desqueyroux*, Editions B. Grasset.)

*
* *

Jean de La Varende.

« ... Ecoute... je ne suis pas fervent, mais chrétien quand même, plein de respect... Dans notre famille, il y a eu très peu de prêtres, mais une quantité prodigieuse de nonnes; pardon! de religieuses. L'oncle de ta mère? le cardinal? Putt! il appartenait presque à l'ancien régime... un seigneur, assuré de sa seigneurie, un prince... Il reste quelque chose de cela dans nos familles : si nous recevions un cardinal, ta mère lui céderait sa place à table : il est comme le roi : chez lui partout. Mais, encore une fois, dans nos familles, uniquement! Au train où vont les choses, cette grande position n'existera plus d'ici vingt ans. Je sais bien qu'il ne s'agit pas de cela, que nous touchons là, seulement au spirituel. Eh bien, dans cet ordre, j'ai peur des *vocations*, mon enfant; j'ai toujours redouté ce genre, qui est si confus; mais aujourd'hui, plus que jamais... Tiens, je te vais raconter quelque chose que tu garderas pour toi, qui m'a rudement confirmé dans ma frousse. Tu vois bien la tante Camille? la religieuse de Nantes, qui boite...

— Oui.

— Tu sais que j'ai été élevé avec elle... Une pieuseté! mon enfant! incroyable... Toutes ses récréations se passaient à fabriquer de petits autels; jusqu'à moi qu'elle enrôlait pour me faire chanter la messe sur une caisse à pains de sucre, avec un tapis de table sur le dos! Des neuvaines! des sacrifices personnels! Tout! quoi... Bon. A dix-huit ans — tiens, ton âge! — elle prend le voile, et toute la famille applaudit; sa mère, une chipie d'ailleurs, fait part — textuellement! — des *fiançailles de sa fille avec Dieu*. On rit un brin; on dit : « Il aura une fichue belle-mère! »... mais tout le monde approuve... approuve, approuve... Il y a de cela cinquante ans, ou presque. Eh bien... Gaston! tu entends! eh bien, *Camille n'est pas encore habituée* (il martelait chaque mot), *elle regrette!* »

(*Le Centaure de Dieu*, Editions B. Grasset.)

*
* *

Louis de Broglie.

André-Marie Ampère.

Un des traits caractéristiques de la physionomie d'Ampère, que l'on ne saurait passer sous silence sans la déformer, fut son goût inné pour les spéculations métaphysiques et le sentiment religieux sincère et profond qui l'anima pendant la plus grande partie de sa vie. Il ne fut pas de ceux qui, emportés par une admiration certainement légitime mais peut-être excessive pour les progrès de la science, attendent d'elle la solution de tous les problèmes et pensent qu'elle permettra un jour de remplacer par des affirmations positives les inquiétudes métaphysiques qui depuis tant de siècles troublent le cœur des hommes. Esprit profond, Ampère ne chercha jamais à dissimuler sous le voile de conceptions trop simplistes le mystère qui est au fond des choses, et sans doute pour lui la science elle-même, quand on l'envisage sous son aspect théorique indépendamment de ses applications, lui apparaissait-elle comme l'éclatant reflet d'un ordre qui nous est supérieur. Cette tendance spiritualiste prit chez lui la forme précise d'un attachement profond à la foi chrétienne, vers laquelle il revint toujours à travers toutes les vicissitudes de son existence. A son lit de mort, comme un ami lui proposait de lui lire quelques pages de l'Imitation de Jésus-Christ, Ampère répondit : « C'est inutile, je la connais tout entière par cœur » et il donna ainsi une ultime preuve à la fois de sa prodigieuse mémoire et de sa foi profonde.

(*Continu et discontinu en physique moderne*, Editions A. Michel.)

*
* *

André Breton.

Mélusine après le cri... Le lac scintille, c'est une bague et c'est toujours toute la mer passant à travers l'anneau du Doge, car il faut que cette alliance, tout l'univers sensible la consacre et que rien ne puisse plus faire qu'elle soit brisée. Mélusine au-dessous du buste se dore de tous les reflets du soleil sur le feuillage d'automne. Les serpents de ses jambes dansent en mesure au tambourin, les poissons de ses jambes plongent et leurs têtes reparaissent ailleurs comme suspendues aux paroles de ce saint qui les prêchait dans le myosotis, les oiseaux de ses jambes relèvent sur elle le filet aérien. Mélusine, à demi reprise par la vie panique, aux attaches inférieures de pierraille ou d'herbes aquatiques ou de duvet de nid, c'est elle que j'invoque, je ne vois qu'elle qui puisse rédimer cette époque sauvage. C'est la femme tout entière et pourtant la femme telle qu'elle est aujourd'hui, la femme privée de son assiette humaine, prisonnière de ses racines mouvantes tant qu'on veut, mais aussi par elles en communication providentielle avec les forces élémentaires de la nature...

(*Arcane 17*, Librairie Gallimard.)

Cette misère, que vous ayez eu ou non le temps de la prendre en horreur, songez qu'elle n'était que le revers de la miraculeuse médaille de votre existence : moins étincelante sans elle eût été la Nuit du Tournesol.

Moins étincelante puisque alors l'amour n'eût pas eu à braver tout ce qu'il bravait, puisqu'il n'eût pas eu, pour triompher, à compter en tout et pour tout sur lui-même. Peut-être était-ce d'une terrible imprudence mais c'était justement cette imprudence le plus beau joyau du coffret. Au-delà de cette imprudence ne restait qu'à en commettre une plus grande : celle de vous faire naître, celle dont vous êtes le souffle parfumé. Il fallait qu'au moins de l'une à l'autre une corde magique fût tendue, tendue à se rompre au-dessus du précipice pour que la beauté allât vous cueillir comme une impossible fleur aérienne, en s'aidant de son seul balancier. Cette fleur, qu'un jour du moins il vous plaise de penser que vous l'êtes, que vous êtes née sans aucun contact avec le sol malheureusement non stérile de ce qu'on est convenu d'appeler « les intérêts humains ». Vous êtes issue du seul miroitement de ce qui fut assez tard pour moi l'aboutissement de la poésie à laquelle je m'étais voué dans ma jeunesse, de la poésie que j'ai continué à servir, au mépris de tout ce qui n'est pas elle. Vous vous êtes trouvée là comme par enchantement, et si jamais vous démêlez trace de tristesse dans ces paroles que pour la première fois j'adresse *à vous seule,* dites-vous que cet enchantement continue et continuera à ne faire qu'un avec vous, qu'il est de force à surmonter en moi tous les déchirements du cœur.

(*L'Amour fou,* Librairie Gallimard.)

*
* *

Antoine de Saint-Exupéry.

J'eus un geste de lassitude : il est absurde de chercher un puits, au hasard, dans l'immensité du désert. Cependant nous nous mîmes en marche.

Quand nous eûmes marché, des heures, en silence, la nuit tomba, et les étoiles commencèrent de s'éclairer. Je les apercevais comme en rêve, ayant un peu de fièvre, à cause de ma soif. Les mots du petit prince dansaient dans ma mémoire :

— Tu as donc soif, toi aussi? lui demandai-je.

Mais il ne répondit pas à ma question. Il me dit simplement :

— L'eau peut aussi être bonne pour le cœur...

Je ne compris pas sa réponse mais je me tus... Je savais bien qu'il ne fallait pas l'interroger.

Il était fatigué. Il s'assit. Je m'assis auprès de lui. Et, après un silence, il dit encore :

— Les étoiles sont belles, à cause d'une fleur que l'on ne voit pas...

Je répondis « bien sûr » et je regardai, sans parler, les plis du sable sous la lune.

— Le désert est beau, ajouta-t-il...

Et c'était vrai. J'ai toujours aimé le désert. On s'assoit sur une dune de sable. On ne voit rien. On n'entend rien. Et cependant quelque chose rayonne en silence...

(*Le Petit Prince*, Librairie Gallimard.)

*
* *

André Malraux.

Six heures. Le ponton d'embarquement. Le ciel et les choses ont maintenant une couleur, non un éclat. Aux extrémités de la vaste courbe des terres jaunes, au-dessus des magasins chinois.

de minces palmiers qui toute la journée semblaient se dessécher lentement commencent à vivre. En face, quelques cheminées des usines de Kowloon, parmi vingt autres qui semblent mortes, s'appliquent paresseusement à noircir l'horizon rafraîchi. Les deux bateaux-mouches de service (dirigés par des matelots de la Marine de guerre) se croisent avec lenteur devant un îlot. Le long du ponton, les sampans abandonnés ne bougent pas. Et les grands paquebots immobiles sont toujours encastrés dans la dure surface de la baie.

Mais, près de notre bateau, quel vacarme! Se heurtant, se bousculant les uns les autres, des Chinois vêtus de toile blanche, par centaines, hurlent. Les hommes, appuyés sur leur parapluie, font tomber les femmes aux petits pieds chaussés de mules rouges. Des domestiques passent, portant sur leurs épaules des malles de bois ou de tôle aux serrures à musique. A l'écart, près d'un pilier, un groupe de jeunes Chinoises en pantalon noir et en corsage clair attendent qu'on les conduise au bateau. Appels de la sirène, brouhaha sur le ponton, cris des jeunes femmes...

(*Les Conquérants*, Editions B. Grasset.)

*

* *

Jean-Paul Sartre.

Je n'étais pas seul. Une femme au teint cireux était assise en face de moi et ses mains s'agitaient sans cesse, tantôt pour caresser sa blouse, tantôt pour remettre d'aplomb son chapeau noir. Elle était avec un grand blond qui mangeait une brioche sans souffler mot. Le silence me parut lourd. J'avais envie d'allumer ma pipe, mais il m'aurait été désagréable d'attirer leur attention par un craquement d'allumette.

Une sonnerie de téléphone. Les mains s'arrêtèrent : elles restèrent accrochées à la blouse. Le garçon prenait son temps. Il finit posément de balayer, avant d'aller décrocher le récepteur. « Allô! c'est monsieur Georges? Bonjour, monsieur Georges...

Oui, monsieur Georges... Le patron n'est pas là... Oui, il devrait être descendu... Ah! par ces temps de brouillard... Il descend vers huit heures d'ordinaire... Oui, monsieur Georges, je lui ferai la commission. Au revoir, monsieur Georges. »

Le brouillard pesait sur les vitres comme un lourd rideau de velours gris. Une face se colla un instant au carreau et disparut.

La femme dit plaintivement :

« Rattache-moi mon soulier.

— Il n'est pas défait », dit l'homme sans regarder.

Elle s'énerva. Ses mains couraient le long de sa blouse et sur son cou, comme de grosses araignées.

« Si, si, rattache-moi mon soulier. »

Il se baissa, d'un air excédé, et lui toucha légèrement le pied sous la table :

« C'est fait. »

Elle sourit avec satisfaction. L'homme appela le garçon.

« Garçon, ça fait combien?

— Combien de brioches? » dit le garçon.

(*La Nausée*, Librairie Gallimard.)

Mathieu se met à se raser. La lame était usée et lui brûlait la peau : « En captivité, je laisserai pousser ma barbe. » Le soleil se levait. Ses longs rayons obliques fauchaient l'herbe; sous les arbres, l'herbe était tendre et fraîche, un creux de sommeil au flanc du matin. La terre et le ciel étaient pleins de signes; des signes d'espoir. Dans le feuillage des peupliers, obéissant à un signal invisible, une multitude d'oiseaux se mirent à chanter à plein gosier, ce fut une petite rafale cuivrée d'une violence extraordinaire, et puis ils se turent, mystérieusement. L'angoisse tournait en rond au milieu des verdures et des légumes joufflus comme sur le visage de Charlot, elle n'arrivait à se poser nulle part. Mathieu essuya sa lame avec soin et la replaça dans sa musette. Le fond de son cœur était complice de l'aube, de la rosée, de l'ombre; au fond de son cœur il attendait une fête. Il s'était levé tôt et rasé comme pour une fête. Une fête dans un jardin, une première communion ou des noces, avec de belles robes tournantes dans les charmilles, une table sur la pelouse, le bourdonnement tiède des guêpes ivres de sucre. Lubéron se leva; Longin entra dans la grange, les couvertures sous le bras; il ressortit, s'approcha nonchalamment de l'abreuvoir et trempa un doigt dans l'eau d'un air goguenard et désœuvré. Mathieu n'eut pas besoin de regarder longtemps son visage blême pour sentir qu'il n'y aurait pas de fête, ni maintenant, ni plus jamais.

(*Les Chemins de la liberté*, II,
la Mort dans l'âme, Librairie Gallimard.)

*
* *

Albert Camus.

Toute la joie silencieuse de Sisyphe est là. Son destin lui appartient. Son rocher est sa chose. De même, l'homme absurde, quand il contemple son tourment, fait taire toutes les idoles. Dans l'univers soudain rendu à son silence, les mille petites voix émerveillées de la terre s'élèvent. Appels inconscients et secrets, invitations de tous les visages, ils sont l'envers nécessaire et le prix de la victoire. Il n'y a pas de soleil sans ombre, et il faut connaître la nuit. L'homme absurde dit oui et son effort n'aura plus de cesse. S'il y a un destin personnel, il n'y a point de destinée supérieure ou du moins il n'en est qu'une dont il juge qu'elle est fatale et méprisable. Pour le reste, il se sait le maître de ses jours. A cet instant subtil où l'homme se retourne sur sa vie, Sisyphe revenant vers son rocher, dans ce léger pivotement, il contemple cette suite d'actions sans lien qui devient son destin, créé par lui, uni sous le regard de sa mémoire et bientôt scellé par sa mort. Ainsi, persuadé de l'origine tout humaine de tout ce qui est humain, aveugle qui désire voir et qui sait que la nuit n'a pas de fin, il est toujours en marche. Le rocher roule encore.

(*Le Mythe de Sisyphe*, Librairie Gallimard.)

POÉSIE

Charles d'Orléans.

Rondeau.

Le temps a laissé son manteau
De vent, de froidure et de pluie
Et s'est vêtu de broderie,
De soleil luisant, clair et beau.

Il n'y a bête ni oiseau
Qu'en son jargon ne chante ou crie :
Le temps a laissé son manteau
De vent, de froidure et de pluie.

Rivière, fontaine et ruisseau
Portent, en livrée jolie,
Gouttes d'argent d'orfèvrerie,
Chacun s'habille de nouveau :
Le temps a laissé son manteau.

*
* *

Joachim Du Bellay.

Pâles esprits...

Pâles Esprits, et vous Ombres poudreuses,
Qui jouissant de la clarté du jour
Fîtes sortir cet orgueilleux séjour,
Dont nous voyons les reliques cendreuses :

Dites, Esprits (ainsi les ténébreuses
Rives de Styx non passable au retour,
Vous enlaçant d'un trois fois triple tour,
N'enferment point vos images ombreuses)

Dites-moi donc (car quelqu'une de vous
Possible encor, se cache ici dessous)
Ne sentez-vous augmenter votre peine,

Quand quelquefois, de ces coteaux Romains
Vous contemplez l'ouvrage de vos mains
N'être plus rien qu'une poudreuse plaine?

(*Antiquités de Rome,* XV.)

LE BEAU VOYAGE.

Heureux qui comme Ulysse a fait un beau voyage,
Ou comme celui-là qui conquit la toison,
Et puis est retourné, plein d'usage et raison,
Vivre entre ses parents le reste de son âge!

Quand reverrai-je, hélas! de mon petit village
Fumer la cheminée, et en quelle saison
Reverrai-je le clos de ma pauvre maison,
Qui m'est une province, et beaucoup davantage?

Plus me plaît le séjour qu'ont bâti mes aïeux,
Que des palais romains le front audacieux :
Plus que le marbre dur me plaît l'ardoise fine,

Plus mon Loire gaulois que le Tibre latin,
Plus mon petit Lyré que le mont Palatin,
Et plus que l'air marin la douceur Angevine.

(*Les Regrets,* XXXI.)

*
* *

Pierre de Ronsard.

SONNET À HÉLÈNE.

Quand vous serez bien vieille, au soir, à la chandelle,
Assise auprès du feu, dévidant et filant,
Direz, chantant mes vers, en vous émerveillant :
« Ronsard me célébrait du temps que j'étais belle. »

Lors vous n'aurez servante oyant telle nouvelle,
Déjà sous le labeur à demi sommeillant,
Qui au bruit de mon nom ne s'aille réveillant,
Bénissant votre nom de louange immortelle.

Je serai sous la terre, et fantôme sans os
Par les ombres myrteux je prendrai mon repos;
Vous serez au foyer une vieille accroupie,

Regrettant mon amour et votre fier dédain.
Vivez, si m'en croyez, n'attendez à demain :
Cueillez dès aujourd'hui les roses de la vie.

(*Les Amours.*)

SONNET POUR MARIE.

Comme on voit sur la branche, au mois de mai, la rose,
En sa belle jeunesse, en sa première fleur,
Rendre le ciel jaloux de sa vive couleur,
Quand l'aube de ses pleurs, au point du jour, l'arrose,

La grâce dans sa feuille et l'Amour se repose,
Embaumant les jardins et les arbres d'odeur;
Mais, battue ou de pluie ou d'excessive ardeur,
Languissante, elle meurt, feuille à feuille déclose.

Ainsi, en ta première et jeune nouveauté,
Quand la terre et le ciel honoraient ta beauté,
La Parque t'a tuée, et cendre tu reposes.

Pour obsèques reçois mes larmes et mes pleurs,
Ce vase plein de lait, ce panier plein de fleurs,
Afin que, vif et mort, ton corps ne soit que roses.

(*Les Amours*.)

*
* *

Jean Racine.

Bérénice.

Le temps n'est plus, Phénice, où je pouvais trembler.
Titus m'aime; il peut tout; il n'a plus qu'à parler.
Il verra le sénat m'apporter ses hommages,
Et le peuple de fleurs couronner ses images.
De cette nuit, Phénice, as-tu vu la splendeur?
Tes yeux ne sont-ils pas tous pleins de sa grandeur?
Ces flambeaux, ce bûcher, cette nuit enflammée,
Ces aigles, ces faisceaux, ce peuple, cette armée,
Cette foule de rois, ces consuls, ce sénat,
Qui tous de mon amant empruntaient leur éclat;
Cette pourpre, cet or, que rehaussait sa gloire,
Et ces lauriers encor témoins de sa victoire;
Tous ces yeux qu'on voyait venir de toutes parts
Confondre sur lui seul leurs avides regards;
Ce port majestueux, cette douce présence...
Ciel! avec quel respect et quelle complaisance
Tous les cœurs en secret l'assuraient de leur foi!
Parle : peut-on le voir sans penser, comme moi,
Qu'en quelque obscurité que le sort l'eût fait naître,
Le monde en le voyant eût reconnu son maître?
Mais, Phénice, où m'emporte un souvenir charmant?

Cependant Rome entière, en ce même moment,
Fait des vœux pour Titus, et, par des sacrifices,
De son règne naissant consacre les prémices.
Que tardons-nous? Allons pour son empire heureux
Au ciel qui le protège offrir aussi nos vœux.

(*Bérénice*, acte I, scène V.)

*
* *

Alfred de Musset.

La Nuit de mai.

La Muse.

Poète, prends ton luth et me donne un baiser;
La fleur de l'églantier sent ses bourgeons éclore.
Le printemps naît ce soir; les vents vont s'embraser,
Et la bergeronnette, en attendant l'aurore,
Aux premiers buissons verts commence à se poser.
Poète, prends ton luth et me donne un baiser.

Le Poète.

Comme il fait noir dans la vallée!
J'ai cru qu'une forme voilée
Flottait là-bas sur la forêt.
Elle sortait de la prairie;
Son pied rasait l'herbe fleurie :
C'est une étrange rêverie;
Elle s'efface et disparaît.

La Muse.

Poète, prends ton luth; la nuit, sur la pelouse,
Balance le zéphyr dans son voile odorant.
La rose, vierge encor, se referme jalouse
Sur le frelon nacré qu'elle enivre en mourant.

Ecoute! tout se tait; songe à ta bien-aimée.
Ce soir, sous les tilleuls, à la sombre ramée
Le rayon du couchant laisse un adieu plus doux.
Ce soir, tout va fleurir : l'immortelle nature
Se remplit de parfums, d'amour et de murmures,
Comme le lit joyeux de deux jeunes époux.

(*Poésies nouvelles.*)

*
* *

Charles Baudelaire.

L'Invitation au voyage.

Mon enfant, ma sœur,
Songe à la douceur
D'aller là-bas vivre ensemble!
Aimer à loisir,
Aimer et mourir
Au pays qui te ressemble!
Les soleils mouillés
De ces ciels brouillés
Pour mon esprit ont les charmes
Si mystérieux
De tes traîtres yeux,
Brillant à travers leurs larmes.

Là, tout n'est qu'ordre et beauté,
Luxe, calme et volupté.

Des meubles luisants,
Polis par les ans,
Décoreraient notre chambre;
Les plus rares fleurs
Mêlant leurs odeurs
Aux vagues senteurs de l'ambre,

Les riches plafonds,
Les miroirs profonds,
La splendeur orientale,
Tout y parlerait
A l'âme en secret
Sa douce langue natale.

Là, tout n'est qu'ordre et beauté,
Luxe, calme et volupté.

Vois sur ces canaux
Dormir ces vaisseaux
Dont l'humeur est vagabonde;
C'est pour assouvir
Ton moindre désir
Qu'ils viennent du bout du monde.
— Les soleils couchants
Revêtent les champs,
Les canaux, la ville entière,
D'hyacinthe et d'or;
Le monde s'endort
Dans une chaude lumière.

Là, tout n'est qu'ordre et beauté,
Luxe, calme et volupté.

(*Les Fleurs du mal.*)

Correspondances.

La Nature est un temple où de vivants piliers
Laissent parfois sortir de confuses paroles;
L'homme y passe à travers des forêts de symboles
Qui l'observent avec des regards familiers.

Comme de longs échos qui de loin se confondent
Dans une ténébreuse et profonde unité,
Vaste comme la nuit et comme la clarté,
Les parfums, les couleurs et les sons se répondent.

Il est des parfums frais comme des chairs d'enfants,
Doux comme les hautbois, verts comme les prairies,
— Et d'autres, corrompus, riches et triomphants,

Ayant l'expansion des choses infinies,
Comme l'ambre, le musc, le benjoin et l'encens,
Qui chantent les transports de l'esprit et des sens.

(*Les Fleurs du mal.*)

La Vie antérieure.

J'ai longtemps habité sous de vastes portiques
Que les soleils marins teignaient de mille feux,
Et que leurs grands piliers, droits et majestueux,
Rendaient pareils, le soir, aux grottes basaltiques.

Les houles, en roulant les images des cieux,
Mêlaient d'une façon solennelle et mystique
Les tout-puissants accords de leur riche musique
Aux couleurs du couchant reflété par mes yeux.

C'est là que j'ai vécu dans les voluptés calmes,
Au milieu de l'azur, des vagues, des splendeurs
Et des esclaves nus, tout imprégnés d'odeurs,

Qui me rafraîchissaient le front avec des palmes,
Et dont l'unique soin était d'approfondir
Le secret douloureux qui me faisait languir.

(*Les Fleurs du mal.*)

*
* *

Stéphane Mallarmé.

Apparition.

La lune s'attristait. Des séraphins en pleurs
Rêvant, l'archet aux doigts, dans le calme des fleurs
Vaporeuses, tiraient de mourantes violes
De blancs sanglots glissant sur l'azur des corolles

— C'était le jour béni de ton premier baiser.
Ma songerie aimant à me martyriser
S'enivrait savamment du parfum de tristesse
Que même sans regret et sans déboire laisse
La cueillaison d'un Rêve au cœur qui l'a cueilli.
J'errais donc, l'œil rivé sur le pavé vieilli
Quand avec du soleil aux cheveux, dans la rue
Et dans le soir, tu m'es en riant apparue
Et j'ai cru voir la fée au chapeau de clarté
Qui jadis sur mes beaux sommeils d'enfant gâté
Passait, laissant toujours de ses mains mal fermées
Neiger de blancs bouquets d'étoiles parfumées.

(*Poésies*, Librairie Gallimard.)

*
* *

Arthur Rimbaud.

Bateau ivre.

Comme je descendais des Fleuves impassibles,
Je ne me sentis plus guidé par les haleurs :
Des Peaux-Rouges criards les avaient pris pour cibles,
Les ayant cloués nus aux poteaux de couleurs.

J'étais insoucieux de tous les équipages,
Porteur de blés flamands ou de cotons anglais.
Quand avec mes haleurs ont fini ces tapages,
Les fleuves m'ont laissé descendre où je voulais.

Dans les clapotements furieux des marées,
Moi, l'autre hiver, plus sourd que les cerveaux d'enfants,
Je courus! et les Péninsules démarrées
N'ont pas subi tohu-bohus plus triomphants.

La tempête a béni mes éveils maritimes.
Plus léger qu'un bouchon j'ai dansé sur les flots
Qu'on appelle rouleurs éternels de victimes,
Dix nuits, sans regretter l'œil niais des falots.

Plus douce qu'aux enfants la chair des pommes sures,
L'eau verte pénétra ma coque de sapin
Et des taches de vins bleus et des vomissures
Me lava, dispersant gouvernail et grappin.

Et, dès lors, je me suis baigné dans le poème
De la mer infusé d'astres et lactescent,
Dévorant les azurs verts où, flottaison blême
Et ravie, un noyé pensif, parfois, descend;

Où, teignant tout à coup les bleuités, délires
Et rythmes lents sous les rutilements du jour,
Plus fortes que l'alcool, plus vastes que vos lyres,
Fermentent les rousseurs amères de l'amour!

Je sais les cieux crevant en éclairs, et les trombes
Et les ressacs et les courants; je sais le soir,
L'aube exaltée ainsi qu'un peuple de colombes,
Et j'ai vu quelquefois ce que l'homme a cru voir.

J'ai vu le soleil bas taché d'horreurs mystiques
Illuminant de longs figements violets,
Pareils à des acteurs de drames très antiques,
Les flots roulant au loin leurs frissons de volets.

J'ai rêvé la nuit verte aux neiges éblouies,
Baisers montant aux yeux des mers avec lenteur,
La circulation des sèves inouïes
Et l'éveil jaune et bleu des phosphores chanteurs.

J'ai suivi, des mois pleins, pareille aux vacheries
Hystériques, la houle à l'assaut des récifs,

Sans songer que les pieds lumineux des Maries
Pussent forcer le mufle aux Océans poussifs.

J'ai heurté, savez-vous? d'incroyables Florides
Mêlant aux fleurs des yeux de panthères, aux peaux
D'hommes, des arcs-en-ciel tendus comme des brides,
Sous l'horizon des mers, à de glauques troupeaux...

J'ai vu fermenter les marais, énormes nasses
Où pourrit dans les joncs tout un Léviathan,
Des écroulements d'eaux au milieu des bonaces
Et les lointains vers les gouffres cataractant!

Glaciers, soleil d'argent, flots nacreux, cieux de braises,
Echouages hideux au fond des golfes bruns
Où les serpents géants dévorés des punaises
Choient des arbres tordus avec de noirs parfums!

J'aurais voulu montrer aux enfants ces dorades
Du flot bleu, ces poissons d'or, ces poissons chantants.
Des écumes de fleurs ont béni mes dérades,
Et d'ineffables vents m'ont ailé par instants.

Parfois, martyr lassé des pôles et des zones,
La mer, dont le sanglot faisait mon roulis doux,
Montait vers moi ses fleurs d'ombre aux ventouses jaunes
Et je restais ainsi qu'une femme à genoux,

Presqu'île ballottant sur mes bords les querelles
Et les fientes d'oiseaux clabaudeurs aux yeux blonds,
Et je voguais lorsqu'à travers mes liens frêles
Des noyés descendaient dormir à reculons...

Or, moi, bateau perdu sous les cheveux des anses,
Jeté par l'ouragan dans l'éther sans oiseau,
Moi dont les Monitors et les voiliers des Hanses
N'auraient pas repêché la carcasse ivre d'eau,

Libre, fumant, monté de brumes violettes,
Moi qui trouais le ciel rougeoyant comme un mur
Qui porte, confiture exquise aux bons poètes,
Des lichens de soleil et des morves d'azur,

Qui courais taché de lunules électriques,
Planche folle, escorté des hippocampes noirs,
Quand les Juillets faisaient crouler à coups de triques
Les cieux ultramarins aux ardents entonnoirs,

Moi qui tremblais, sentant geindre à cinquante lieues
Le rut des Béhémots et des Maelstroms épais,
Fileur éternel des immobilités bleues,
Je regrette l'Europe aux anciens parapets.

J'ai vu des archipels sidéraux! et des îles
Dont les cieux délirants sont ouverts au vogueur :
Est-ce en ces nuits sans fond que tu dors et t'exiles,
Million d'oiseaux d'or, ô future Vigueur?

Mais, vrai, j'ai trop pleuré. Les aubes sont navrantes,
Toute lune est atroce et tout soleil amer.
L'âcre amour m'a gonflé de torpeurs enivrantes.
Oh! que ma quille éclate! Oh! que j'aille à la mer!

Si je désire une eau d'Europe, c'est la flache
Noire et froide où vers le crépuscule embaumé
Un enfant accroupi, plein de tristesse, lâche
Un bateau frêle comme un papillon de mai.

Je ne puis plus, baigné de vos langueurs, ô lames,
Enlever leur sillage aux porteurs de cotons,
Ni traverser l'orgueil des drapeaux et des flammes,
Ni nager sous les yeux horribles des pontons!

(*Poésies*, Mercure de France.)

Tête de faune.

Dans la feuillée, écrin vert taché d'or,
Dans la feuillée incertaine et fleurie
De splendides fleurs où le baiser dort,
Vif et crevant l'exquise broderie,

Un faune effaré montre ses deux yeux
Et mord les fleurs rouges de ses dents blanches :
Brunie et sanglante ainsi qu'un vin vieux,
Sa lèvre éclate en rires sous les branches.

Et quand il a fui — tel qu'un écureuil, —
Son rire tremble encore à chaque feuille,
Et l'on voit épeuré par un bouvreuil
Le Baiser d'or du Bois, qui se recueille.

(*Poésies*, Mercure de France.)

Ophélie.

I

Sur l'onde calme et noire où dorment les étoiles,
La blanche Ophélia flotte comme un grand lys,
Flotte très lentement, couchée en ses longs voiles.
On entend dans les bois lointains des hallalis.

Voici plus de mille ans que la triste Ophélie
Passe, fantôme blanc, sur le long fleuve noir;
Voici plus de mille ans que sa douce folie
Murmure sa romance à la brise du soir.

Le vent baise ses seins et déploie en corolle
Ses grands voiles bercés mollement par les eaux.
Les saules frissonnants pleurent sur son épaule.
Sur son grand front rêveur s'inclinent les roseaux.

Les nénuphars froissés soupirent autour d'elle.
Elle éveille parfois, dans un aulne qui dort,
Quelque nid d'où s'échappe un petit frisson d'aile.
Un chant mystérieux tombe des astres d'or.

II

O pâle Ophélia, belle comme la neige,
Oui, tu mourus, enfant, par un fleuve emporté!
C'est que les vents tombant des grands monts de Norwège
T'avaient parlé tout bas de l'âpre liberté.

C'est qu'un souffle inconnu, fouettant ta chevelure,
A ton esprit rêveur portait d'étranges bruits;
Que ton cœur entendait la voix de la Nature
Dans les plaintes de l'arbre et les soupirs des nuits.

C'est que la voix des mers, comme un immense râle,
Brisait ton sein d'enfant trop humain et trop doux;
C'est qu'un matin d'avril un beau cavalier pâle,
Un pauvre fou, s'assit muet à tes genoux.

Ciel, Amour, Liberté : quel rêve, ô pauvre Folle!
Tu te fondais à lui comme une neige au feu.
Tes grandes visions étranglaient ta parole.
— Et l'Infini terrible effara ton œil bleu.

III

Et le Poète dit qu'au rayon des étoiles
Tu viens chercher, la nuit, les fleurs que tu cueillis,
Et qu'il a vu sur l'eau, couchée en ses longs voiles,
La blanche Ophélia flotter, comme un grand lys!

(*Poésies*, Mercure de France.)

Ma bohème.

Je m'en allais, les poings dans mes poches crevées.
Mon paletot aussi devenait idéal.
J'allais sous le ciel, Muse, et j'étais ton féal :
Oh là là, que d'amours splendides j'ai rêvées!

Mon unique culotte avait un large trou.
Petit Poucet rêveur, j'égrenais dans ma course
Des rimes. Mon auberge était à la Grande-Ourse.
Mes étoiles au ciel avaient un doux frou-frou.

Et je les écoutais, assis au bord des routes,
Ces bons soirs de septembre où je sentais des gouttes
De rosée à mon front, comme un vin de vigueur;

Où, rimant au milieu des ombres fantastiques,
Comme des lyres, je tirais les élastiques
De mes souliers blessés, un pied contre mon cœur!

(*Poésies*, Mercure de France.)

Le Dormeur du val.

C'est un trou de verdure où chante une rivière
Accrochant follement aux herbes des haillons
D'argent, où le soleil, de la montagne fière,
Luit; c'est un petit val qui mousse de rayons.

Un soldat jeune, bouche ouverte, tête nue
Et la nuque baignant dans le frais cresson bleu,
Dort : il est étendu dans l'herbe, sous la nue,
Pâle dans son lit vert où la lumière pleut.

Les pieds dans les glaïeuls, il dort. Souriant comme
Sourirait un enfant malade, il fait un somme.
Nature, berce-le chaudement : il a froid!

Les parfums ne font pas frissonner sa narine;
Il dort dans le soleil, la main sur la poitrine,
Tranquille. Il a deux trous rouges au côté droit.

(*Poésies*, Mercure de France.)

*
* *

Charles Van Lerberghe.

MA SŒUR LA PLUIE.

Ma sœur la Pluie,
La belle et tiède pluie d'été
Doucement vole, doucement fuit,
A travers les airs mouillés.

Tout son collier de blanches perles
Dans le ciel bleu s'est délié.
Chantez les merles
Dansez les pies!
Parmi les branches qu'elle plie,
Dansez les fleurs, chantez les nids;
Tout ce qui vient du ciel est béni.

De ma bouche elle approche
Ses lèvres humides de fraises des bois;
Rit, et me touche,
Partout à la fois,
De ses milliers de petits doigts.

Sur des tapis de fleurs sonores,
De l'aurore jusqu'au soir,
Et du soir jusqu'à l'aurore,
Elle pleut et pleut encore,
Autant qu'elle peut pleuvoir.

Puis, vient le soleil qui essuie,
De ses cheveux d'or,
Les pieds de la Pluie.

(*La Chanson d'Eve,* Mercure de France.)

*
* *

Henri de Régnier.

Elégie double.

Ami, le hibou pleure où venait la colombe,
Et ton sang souterrain a fleuri sur ta tombe,
Et mes yeux qui t'ont vu sont las d'avoir pleuré
L'inexorable absence où tu t'es retiré
Loin de mes bras pieux et de ma bouche triste.
Reviens! le doux jardin mystérieux t'invite
Et ton pas sera doux à sa mélancolie;
Tu viendras, les pieds nus et la face vieillie,
Peut-être, car la route est longue qui ramène
De la rive du Styx à notre humble fontaine
Qui pleure goutte à goutte et rit d'avoir pleuré.

Ta maison te regarde, ami! j'ai préparé
Sur le plateau d'argent, sur le plateau d'ébène,
La coupe de cristal et la coupe de frêne,
Les figues et le vin, le lait et les olives,
Et j'ai huilé les gonds de la porte d'une huile
Qui la fera s'ouvrir ainsi que pour une ombre;
Mais je prendrai la lampe et par l'escalier sombre
Nous monterons tous deux en nous tenant la main;
Puis, dans la chambre vaste où le songe divin
T'a ramené des bords du royaume oublieux,
Nous nous tiendrons debout, face à face, joyeux
De l'étrange douceur de rejoindre nos lèvres,
O voyageur venu des roseaux de la grève

Que ne réveille pas l'aurore ni le vent!
Je t'ai tant aimé mort que tu seras vivant
Et j'aurai soin, n'ayant plus d'espoir ni d'attente,
De vider la clepsydre et d'éteindre la lampe.

— Laisse brûler la lampe et pleurer la clepsydre,
Car le jardin autour de notre maison vide
Se fleurira de jeunes fleurs sans que reviennent
Mes lèvres pour reboire encore à la fontaine;
Les baisers pour jamais meurent avec les bouches.
Laisse la figue mûre et les olives rousses;
Hélas! les fruits sont bons aux lèvres qui sont chair.
Mais j'habite un royaume au-delà de la Mer
Ténébreuse, et mon corps est cendre sous le marbre.
Je suis une Ombre, et si mon pas lent se hasarde
Au jardin d'autrefois et dans la maison noire
Où tu m'attends du fond de toute ta mémoire,
Tes chers bras ne pourront étreindre mon fantôme;
Tu pleurerais le souvenir de ma chair d'homme,
A moins que, dans ton âme anxieuse et fidèle,
Tu n'attendes en rêve à la porte éternelle,
Me regardant venir à travers la nuit sombre,
Et que ton pur amour soit digne de mon ombre.

(*Poésies*, Mercure de France.)

*
* *

Paul Valéry.

Le Cimetière marin.

Ce toit tranquille, où marchent des colombes,
Entre les pins palpite, entre les tombes;
Midi le juste y compose de feux
La mer, la mer, toujours recommencée!
O récompense après une pensée
Qu'un long regard sur le calme des dieux!

Quel pur travail de fins éclairs consume
Maint diamant d'imperceptible écume,
Et quelle paix semble se concevoir!
Quand sur l'abîme un soleil se repose,
Ouvrages purs d'une éternelle cause,
Le Temps scintille et le Songe est savoir.

Stable trésor, temple simple à Minerve,
Masse de calme, et visible réserve,
Eau sourcilleuse, Œil qui gardes en toi
Tant de sommeil sous un voile de flamme,
O mon silence!... Edifice dans l'âme,
Mais comble d'or aux milles tuiles, Toit!

Temple du Temps, qu'un seul soupir résume,
A ce point pur je monte et m'accoutume,
Tout entouré de mon regard marin;
Et comme aux dieux mon offrande suprême,
La scintillation sereine sème
Sur l'altitude un dédain souverain.

Comme le fruit se fond en jouissance,
Comme en délice il change son absence
Dans une bouche où sa forme se meurt,
Je hume ici ma future fumée,
Et le ciel chante à l'âme consumée
Le changement des rives en rumeur.

Beau ciel, vrai ciel, regarde-moi qui change!
Après tant d'orgueil, après tant d'étrange
Oisiveté, mais pleine de pouvoir,
Je m'abandonne à ce brillant espace,
Sur les maisons des morts mon ombre passe
Qui m'apprivoise à son frêle mouvoir.

L'âme exposée aux torches du solstice,
Je te soutiens, admirable justice

De la lumière aux armes sans pitié!
Je te rends pure à ta place première :
Regarde-toi!... Mais rendre la lumière
Suppose d'ombre une morne moitié.

O pour moi seul, à moi seul, en moi-même,
Auprès d'un cœur, aux sources du poème,
Entre le vide et l'événement pur,
J'attends l'écho de ma grandeur interne,
Amère, sombre et sonore citerne,
Sonnant dans l'âme un creux toujours futur!

Sais-tu, fausse captive des feuillages,
Golfe mangeur de ces maigres grillages,
Sur mes yeux clos, secrets éblouissants,
Quel corps me traîne à sa fin paresseuse,
Quel front l'attire à cette terre osseuse?
Une étincelle y pense à mes absents.

Fermé, sacré, plein d'un feu sans matière,
Fragment terrestre offert à la lumière,
Ce lieu me plaît, dominé de flambeaux,
Composé d'or, de pierre et d'arbres sombres,
Où tant de marbre est tremblant sur tant d'ombres;
La mer fidèle y dort sur mes tombeaux!

Chienne splendide, écarte l'idolâtre!
Quand solitaire au sourire de pâtre,
Je pais longtemps, moutons mystérieux,
Le blanc troupeau de mes tranquilles tombes,
Eloignes-en les prudentes colombes,
Les songes vains, les anges curieux!

Ici venu, l'avenir est paresse.
L'insecte net gratte la sécheresse;
Tout est brûlé, défait, reçu dans l'air
A je ne sais quelle sévère essence...

La vie est vaste, étant ivre d'absence,
Et l'amertume est douce, et l'esprit clair.

Les morts cachés sont bien dans cette terre
Qui les réchauffe et sèche leur mystère.
Midi là-haut, Midi sans mouvement
En soi se pense et convient à soi-même...
Tête complète et parfait diadème,
Je suis en toi le secret changement.

Tu n'as que moi pour contenir tes craintes!
Mes repentirs, mes doutes, mes contraintes
Sont le défaut de ton grand diamant...
Mais dans leur nuit toute lourde de marbres,
Un peuple vague aux racines des arbres
A pris déjà ton parti lentement.

Ils ont fondu dans une absence épaisse,
L'argile rouge a bu la blanche espèce,
Le don de vivre a passé dans les fleurs!
Où sont des morts les phrases familières,
L'art personnel, les âmes singulières?
La larve file où se formaient des pleurs.

Les cris aigus des filles chatouillées,
Les yeux, les dents, les paupières mouillées,
Le sein charmant qui joue avec le feu,
Le sang qui brille aux lèvres qui se rendent,
Les derniers dons, les doigts qui les défendent,
Tout va sous terre et rentre dans le jeu!

Et vous, grande âme, espérez-vous un songe
Qui n'aura plus ces couleurs de mensonge
Qu'aux yeux de chair l'onde et l'or font ici?
Chanterez-vous quand serez vaporeuse?
Allez! Tout fuit! Ma présence est poreuse,
La sainte impatience meurt aussi!

Maigre immortalité noire et dorée,
Consolatrice affreusement laurée,
Qui de la mort fais un sein maternel,
Le beau mensonge et la pieuse ruse!
Qui ne connaît, et qui ne les refuse,
Ce crâne vide et ce rire éternel!

Pères profonds, têtes inhabitées,
Qui sous le poids de tant de pelletées,
Etes la terre et confondez nos pas,
Le vrai rongeur, le ver irréfutable
N'est point pour vous qui dormez sous la table,
Il vit de vie, il ne me quitte pas!

Amour, peut-être, ou de moi-même haine?
Sa dent secrète est de moi si prochaine
Que tous les noms lui peuvent convenir!
Qu'importe! Il voit, il veut, il songe, il touche!
Ma chair lui plaît, et jusque sur ma couche,
A ce vivant je vis d'appartenir!

Zénon! Cruel Zénon! Zénon d'Elée!
M'as-tu percé de cette flèche ailée
Qui vibre, vole, et qui ne vole pas!
Le son m'enfante et la flèche me tue!
Ah! le soleil... Quelle ombre de tortue
Pour l'âme, Achille immobile à grands pas!

Non, non!... Debout! Dans l'ère successive!
Brisez, mon corps, cette forme pensive!
Buvez, mon sein, la naissance du vent!
Une fraîcheur, de la mer exhalée,
Me rend mon âme... O puissance salée!
Courons à l'onde en rejaillir vivant!

Oui! Grande mer de délires douée,
Peau de panthère et chlamyde trouée

De mille et mille idoles du soleil,
Hydre absolue, ivre de ta chair bleue,
Qui te remords l'étincelante queue
Dans un tumulte au silence pareil.

Le vent se lève!... il faut tenter de vivre!
L'air immense ouvre et referme mon livre,
La vague en poudre ose jaillir des rocs!
Envolez-vous, pages tout éblouies!
Rompez, vagues! Rompez d'eaux réjouies
Ce toit tranquille où picoraient des focs!

(*Charmes*, Librairie Gallimard.)

*
* *

Guillaume Apollinaire.

Automne.

Dans le brouillard s'en vont un paysan cagneux
Et son bœuf lentement dans le brouillard d'automne
Qui cache les hameaux pauvres et vergogneux

Et s'en allant là-bas le paysan chantonne
Une chanson d'amour et d'infidélité
Qui parle d'une bague et d'un cœur que l'on brise

Oh! l'automne l'automne a fait mourir l'été
Dans le brouillard s'en vont deux silhouettes grises

(*Alcools*, Librairie Gallimard.)

Saltimbanques.

Dans la plaine les baladins
S'éloignent au long des jardins
Devant l'huis des auberges grises
Par les villages sans églises

Et les enfants s'en vont devant
Les autres suivent en rêvant
Chaque arbre fruitier se résigne
Quand de très loin ils lui font signe

Ils ont des poids ronds ou carrés
Des tambours des cerceaux dorés
L'ours et le singe animaux sages
Quêtent des sous sur leur passage

(*Alcools,* Librairie Gallimard.)

*
* *

Paul Éluard.

Nuits partagées.

Je m'obstine à mêler des fictions aux redoutables réalités. Maisons inhabitées, je vous ai peuplées de femmes exceptionnelles, ni grasses, ni maigres, ni blondes, ni brunes, ni folles, ni sages, peu importe, de femmes plus séduisantes que possibles, par un détail. Objets inutiles, même la sottise qui procéda à votre fabrication me fut une source d'enchantements. Etres indifférents, je vous ai souvent écoutés, comme on écoute le bruit des vagues et le bruit des machines d'un bateau, en attendant délicieusement le mal de mer. J'ai pris l'habitude des images les plus inhabituelles. Je les ai vues où elles n'étaient pas. Je les ai mécanisées comme mes levers et mes couchers. Les places, comme des bulles de savon, ont été soumises au gonflement de mes joues, les rues à mes pieds l'un devant l'autre et l'autre passe devant l'un, devant deux et fait le total, les femmes ne se déplaçaient plus que couchées, leur corsage ouvert représentant le soleil. La raison, la tête haute, son carcan d'indifférence, lanterne à tête de fourmi, la raison, pauvre mât de fortune pour un homme affolé, le mât de fortune du bateau... voir plus haut.

(*La Vie immédiate*, Librairie Gallimard.)

* *
*

Louis Aragon.

Les Amants séparés.

....

Je ferai de ces mots notre trésor unique
Les bouquets joyeux qu'on dépose au pied des saintes
Et je te les tendrai ma tendre ces jacinthes
Ces lilas suburbains le bleu des véroniques
Et le velours amande aux branchages qu'on vend
Dans les foires de Mai comme les cloches blanches
Du muguet que nous n'irons pas cueillir avant
Avant ah tous les mots fleuris là-devant flanchent
Les fleurs perdent leurs fleurs au souffle de ce vent
Et se ferment les yeux pareils à des pervenches
Pourtant je chanterai pour toi tant que résonne
Le sang rouge en mon cœur qui sans fin t'aimera
Ce refrain peut paraître un tradéridéra
Mais peut-être qu'un jour les mots que murmura
Ce cœur usé ce cœur banal seront l'aura
D'un monde merveilleux où toi seule sauras

Que si le soleil brille et si l'amour frissonne
C'est que sans croire même au printemps dès l'automne
J'aurai dit tradéridéra comme personne.

(*Le Crève-Cœur*, Librairie Gallimard.)

*
* *

Henri Michaux.

CONTRE.

Glas! Glas! Glas sur vous tous, néant sur les vivants!
Oui! je crois en Dieu! Certes, il n'en sait rien!
Foi, semelle inusable pour qui n'avance pas.
Oh! monde, monde étranglé, ventre froid!
Même pas symbole; mais néant, je contre, je contre,
Je contre et te gave de chiens crevés.
En tonnes, vous m'entendez, en tonnes, je
vous arracherai ce que vous m'avez refusé en grammes.

(*La nuit remue*, Librairie Gallimard.)

JE VOUS ÉCRIS D'UN PAYS LOINTAIN...

III

L'aurore est grise ici, lui dit-elle encore. Il n'en faut pas toujours ainsi. Nous ne savons qui accuser.

Dans la nuit le bétail pousse de grands mugissements, longs et flûtés pour finir. On a de la compassion, mais que faire?

L'odeur des eucalyptus nous entoure : bienfait, sérénité, mais elle ne peut préserver de tout, ou bien pensez-vous qu'elle puisse réellement préserver de tout?

V

Je vous écris du bout du monde. Il faut que vous le sachiez. Souvent les arbres tremblent. On recueille les feuilles. Elles ont un nombre fou de nervures. Mais à quoi bon? Plus rien entre elles et l'arbre, et nous nous dispersons gênées.

Est-ce que la vie sur terre ne pourrait pas se poursuivre sans vent? Ou faut-il que tout tremble, toujours, toujours?

Il y a aussi des remuements souterrains, et dans la maison comme des colères qui viendraient au-devant de vous, comme des êtres sévères qui voudraient arracher des confessions.

On ne voit rien, que ce qu'il importe si peu de voir. Rien, et cependant on tremble. Pourquoi?

(*Plume*, précédé de *Lointain intérieur*, Librairie Gallimard.)

ANNEXE

L'ENREGISTREMENT SUR MAGNÉTOPHONE DANS LES COURS PRATIQUES DE PHONÉTIQUE

Nous servant régulièrement, depuis plusieurs années, d'un magnétophone dans nos cours pratiques de phonétique, nous avons pensé noter ici le résultat de notre expérience, afin d'en faire bénéficier les professeurs qui se proposeraient d'utiliser aussi des appareils d'enregistrement de la voix.

I. — L'APPAREIL

Dans la classe, le magnétophone est avant tout un instrument de travail et ne doit sous aucun prétexte servir d'amusement. Il faudra tout d'abord habituer les élèves à la présence de l'appareil et du micro. Le professeur fera lui-même quelques enregistrements de phrases courtes préparées d'avance pour initier les élèves au fonctionnement de la machine (enregistrement et écoute). Pour des cours destinés à corriger la prononciation des étrangers, la qualité de l'appareil est très importante. Le magnétophone employé doit pouvoir rendre les moindres nuances et enregistrer avec la plus grande fidélité les modulations de la voix.

Bien rares les personnes qui ne sont pas intimidées devant le micro; à plus forte raison un élève, appelé à s'exprimer dans une langue qu'il ne possède pas parfaitement, en présence de ses camarades et du professeur. Cette timidité, quand elle existe, doit être combattue, car elle risquerait de compromettre tout travail utile; c'est pourquoi il ne faudra pas hésiter, au début d'une série de cours, à y consacrer tout le temps et tous les efforts nécessaires.

Le micro doit être très maniable et disposé de telle manière qu'il puisse être employé par les élèves sans qu'ils aient à se déranger.

Dès qu'on aura exposé le maniement du magnétophone, on fera enregistrer quelques élèves et on leur expliquera le décalage qui existe entre l'effet auditif des voix autres que la leur et la leur propre.

Les résultats pratiques obtenus sont beaucoup plus rapides si la disposition de la salle de cours permet au professeur, assis à côté de l'appareil, de rester tout près de ses élèves, et si les séances de travail se déroulent dans une atmosphère de conversation naturelle.

L'emploi du compte-tours ou un chronométrage facile simplifie la besogne et fait perdre le minimum de temps.

II. — QUELQUES CONSEILS D'ORDRE PÉDAGOGIQUE

On évitera de faire enregistrer les élèves au début d'un cours; il faut d'abord faire connaissance avec ses élèves, les mettre à l'aise, les préparer à l'emploi des enregistrements et ne leur faire enregistrer de courtes phrases qu'après cette préparation. On leur enseignera ensuite à percevoir les fautes et à les critiquer, puis on les amènera à critiquer eux-mêmes les enregistrements. On ne manquera pas de souligner tout de suite les détails que l'on veut signaler à l'attention.

Le professeur, appelé lui-même à faire entendre de courtes phrases qui serviront d'exemples, doit s'entraîner avec soin à s'enregistrer et à s'écouter, essayant d'améliorer continuellement la qualité de sa diction, ce qui lui demandera beaucoup de temps et de nombreux exercices méthodiques. Il s'efforcera d'obtenir le ton de voix le plus doux, le plus naturel, et de se défaire du ton dogmatique particulier aux professeurs : parler « en avant » et avec le maximum de souplesse.

Chacun se crée naturellement son propre système pédagogique, mais on économisera beaucoup de temps en se fixant quelques règles dès le début.

Un texte destiné à être enregistré à des fins pédagogiques doit être choisi avec soin et préparé par le professeur d'une façon très approfondie : ne pas enregistrer trop fort et connaître les points sur lesquels on veut attirer l'attention des élèves (sons, mélodie, rythme, nuances).

On insistera particulièrement sur : les finales tenues; la mélodie nuancée; les plans de hauteur; la variété des arrêts; les accents; la liaison d'un groupe au suivant; les voyelles nasales (et leur résonance).

Les fautes les plus fréquentes chez les étrangers portent sur le *o* fermé, le *é* fermé, le *eu* fermé; sur la différence entre ces voyelles et les voyelles ouvertes correspondantes : le *o* ouvert, le *è* ouvert, le *eu* ouvert, le *e* muet; sur les voyelles nasales : *an*, *on*, *in*, *un;* sur les occlusives, sur le *r*. On fera de nombreux exercices pour rendre plus apparente la faute remarquée et l'on donnera des exemples de la prononciation correcte.

A l'occasion d'une leçon sur les consonnes trop fortes (défaut fréquent chez les Germaniques), par exemple, on pourra préparer d'avance, pour le faire entendre dans le cours, un enregistrement de ces lignes de Paul Valéry :

> *Ce* **maud***it*, *ce* **bén***it*,
> **boît***ant*, **b***a***tt***ait le* **sol**
> **d***u lourd* **bât***on*
> **d***es* **v***a***g***a***b***onds et* **d***es infirmes* . . .

Le professeur verra bien vite qu'il faut enregistrer très doucement et développer au maximum la tenue des voyelles, s'il ne veut pas obtenir un résultat contraire à celui qu'il attend.

Par exemple, pour illustrer une explication sur les voyelles fermées et sur les voyelles ouvertes (différence entre *eu* fermé et *eu* ouvert, *é* fermé et *è* ouvert), on pourra répéter très lentement et très clairement :

> des *enfants*, deu*x* *enfants*, dou*ze* *enfants*;
> ceu*x* *que j'ai vus*, ce *que j'ai vu*;
> les deu*x*, le deu*x*;
> le *café*, les *cafés*; des *cafés*, deu*x* *cafés*.

Le professeur se rendra compte rapidement que la préparation de ces exemples, qu'ils soient simples ou complexes, doit être minutieuse, et que toute improvisation dans ce domaine ne donnerait rien de bon.

Classes de 15 à 35 élèves. — Dans une classe de cette importance, on ne doit se servir de l'appareil que si l'on procède selon une méthode éprouvée, à cause du danger de dispersion de l'attention et de la perte de temps matérielle. Le professeur préparera très soigneusement ses enregistrements et groupera les fautes et les corrections par nationalité, en faisant constamment des critiques précises et des comparaisons. Ainsi, l'élève formera son oreille sans même y penser, et l'attention d'une classe, même très nombreuse, sera facile à retenir.

Pour prendre un exemple concret, imaginons une classe de 32 étudiants, comprenant :

8 Anglo-Saxons;
8 Germaniques ou Scandinaves;
8 Italiens ou Espagnols;
8 Orientaux.

On pourra se conformer au programme suivant :

1° Donner quelques explications générales sur les fautes les plus courantes, et valables pour tous les étrangers, quelle que soit leur nationalité; par exemple : fautes portant sur le souffle, les voyelles, le rythme; mauvaise prononciation du *r* et des consonnes occlusives;

2° Donner quelques explications plus précises sur une de ces fautes; par exemple, prononciation des consonnes *occlusives* par les Anglo-Saxons : détente trop forte et voyelle accentuée trop faible. Expliquer théoriquement la faute au tableau et faire enregistrer immédiatement, par deux ou trois Anglo-Saxons, un texte court, choisi spécialement:

3° Faire écouter les enregistrements et en faire la critique avec les élèves. Poser des questions «au hasard», afin de retenir l'attention. Ne pas hésiter à redonner le même enregistrement plusieurs fois, pour en faire une critique approfondie; mais, dès que l'intérêt est épuisé, s'arrêter:

4° Expliquer pour tous, au tableau, la faute critiquée et poursuivre alors le programme de théorie générale du cours;

5° Faire enregistrer les mêmes phrases par deux Orientaux ou deux Espagnols, par exemple, et montrer rapidement que les fautes sont presque identiques : voyelles faibles, syllabes trop courtes, consonnes gutturales, souffle mal pris;

6° Si cela est nécessaire, enregistrer soi-même à son tour le même texte et établir avec les élèves la liste des fautes à corriger et des résultats à obtenir au long du cours. Ne pas être trop sévère au début et rester dans les généralités. Dès que l'oreille est mieux formée et que l'élève est préparé à des critiques plus sévères, isoler les fautes et les expliquer à fond séparément.

A chaque nouvelle séance d'enregistrement, on choisira des élèves de nationalités différentes; d'autre part, on notera soigneusement le nom des élèves ayant déjà enregistré un texte, afin de n'oublier personne.

Après une série de cours ayant comporté des séances d'enregistrement, on pourra rester une ou deux leçons sans enregistrer.

Classes de 10 à 15 élèves. — On peut appliquer la même méthode dans une classe dont l'effectif est moindre, mais on doit alors se servir davantage de l'appareil et l'utiliser pour illustrer une explication relative à une faute particulière, en s'adressant par exemple à un étudiant qui prononce mal une voyelle. On lui fera entendre à plusieurs reprises les voyelles fermées et les voyelles ouvertes : *é*, *è*, *eu* ouvert, *eu* fermé, etc., pour bien marquer la différence entre ces sons, ou les voyelles nasales avec leur résonance juste.

Après une explication difficile à comprendre du point de vue phonétique, il est excellent que le professeur enregistre lui-même un passage très court pour illustrer la faute mal comprise; il fera entendre cet enregistrement dès le début de la leçon suivante.

III. — COMPARAISON DES ENREGISTREMENTS EFFECTUÉS A DES DATES DIFFÉRENTES

Il est bon de comparer les enregistrements réalisés par un même élève à quelques semaines ou à quelques mois d'intervalle. Nous donnons ci-après quelques indications sur la façon de procéder :

1° Le professeur indique le nom de l'élève, sa nationalité et la date de l'enregistrement;

2° L'élève lit un texte de quelques lignes et le professeur note la durée de l'exercice; professeur et élèves écoutent l'enregistrement:

3° On laisse libre un espace correspondant à une durée équivalente, qui sera utilisé plus tard pour un deuxième enregistrement:

4° Le professeur tient une liste très exacte des enregistrements, avec nom, date et durée;

5° Il inscrit les références sur les bobines, puis classe celles-ci,

6° Après un temps déterminé, il remplit les blancs par l'enregistrement du même texte par le même élève, avec indication de la date exacte; il peut alors confronter les deux prononciations.

IV. — FICHES INDIVIDUELLES

Des fiches individuelles, établies dès le début des cours, permettront de perdre moins de temps.

Chaque fiche portera, d'une part, des renseignements d'*ordre général* concernant l'élève :

Nom et prénom;
Nationalité;
Région;
Date du début des cours;
Nom de l'établissement où ont lieu les cours;
Nom du professeur;

et, d'autre part, l'indication des *fautes* commises le plus souvent :

Articulation;
Sons séparés;
Voix;
Respiration;
Débit;
Rythme, accent;
Mélodie;
Expression.

On complétera au fur et à mesure, et on biffera les fautes qui auront disparu. D'autres fautes, plus ténues, plus nuancées, feront leur apparition.

L'élève sera ainsi tenu au courant de ses progrès et, s'il doit interrompre les cours, il saura par la suite où reprendre son travail. Par ailleurs, en voyant que ses fautes s'atténuent ou disparaissent, il est encouragé constamment.

Le professeur, qui peut consulter cette fiche à tout instant, suit ainsi mieux l'élève.

Type de fiche.

Nom : SMITH	Date : 21 avril 19..
Prénom : John	Établissement : Institut de ...
Nationalité : Anglaise	
Région : Nord	Professeur : Madame D...

Sons :
- *a*, *o* fermé diphtongués;
- finales avec *r* à étudier;
- voyelles nasales à reprendre.

Attaques trop dures;
Voyelles trop courtes;
R à étudier à fond;
Accent tonique déplacé;
Consonnes *p*, *t*, *k* trop dures;
Mélodie monotone à corriger.

AUTEURS CITÉS DANS CET OUVRAGE

TABLE DES MATIÈRES

IMPRIMERIE LAROUSSE
1 à 9, rue d'Arcueil, Montrouge (Seine).
Mars 1954. — Dépôt légal 1954-1er. — No 1585.
No de série Editeur 1497.
IMPRIMÉ EN FRANCE (*Printed in France*).
40403 B-5-59.

Supplément bibliographique

LISTE D'OUVRAGES DE RÉFÉRENCE
ÉDITÉS PAR LA **LIBRAIRIE LAROUSSE** ET PERMETTANT
AUX LECTEURS DU PRÉSENT VOLUME DE FACILITER LEURS
RECHERCHES ET DE DÉVELOPPER LEURS CONNAISSANCES

★ DICTIONNAIRES ET MÉMENTOS ★

LAROUSSE DU XXe SIÈCLE

Le grand dictionnaire encyclopédique de notre temps en six forts volumes reliés demi-chagrin. Instrument idéal de connaissance, de travail et d'action, constamment tenu à jour. **Supplément,** 1 vol. relié, pour les éditions antérieures à 1946.

NOUVEAU LAROUSSE UNIVERSEL

Dictionnaire en **deux** volumes. L'essentiel du **savoir** par ordre alphabétique.

ENCYCLOPÉDIE LAROUSSE MÉTHODIQUE

Tout le *savoir d'aujourd'hui,* dans toutes les disciplines, en une série de grands traités : Philosophie, Arts, Littérature, Sciences, Histoire, etc.

Deux ouvrages qui se complètent.
Conditions d'achat particulières.

en un volume

Nouvelles éditions refondues et mises à jour. Reliées. Les livres de tous les âges, de tous les foyers, de toutes les heures.

PETIT LAROUSSE
Le plus grand succès de la Librairie française depuis un siècle. Edition entièrement nouvelle, impression en offset, très abondante illustration, atlas en fin de volume.

NOUVEAU LAROUSSE CLASSIQUE
« Le dictionnaire du baccalauréat », spécialement conçu pour l'Enseignement secondaire : sens moderne et sens classique des mots, tableaux de révision.

NOUVEAU LAROUSSE ÉLÉMENTAIRE
Un dictionnaire moderne spécialement conçu pour l'enseignement du 1er degré.

LAROUSSE POUR TOUS
Le dictionnaire populaire de la vie moderne.

PETIT DICTIONNAIRE FRANÇAIS
Modèle de petit format, au vocabulaire déjà très suffisant.

DICTIONNAIRE DES DÉBUTANTS
Son vocabulaire est celui que peut et doit connaître un enfant de 7 à 12 ans.

MON PREMIER LAROUSSE EN COULEURS
(4 à 8 ans). Amusant comme un album d'images, utile comme un dictionnaire (33 × 27 cm).

MON LAROUSSE EN IMAGES
Analogue au précédent, mais plus succinct.

MÉMENTO LAROUSSE
Vingt-cinq ouvrages en un seul : Droit, Grammaire, Littérature, Histoire, Géographie, Mathématiques, Physique, Chimie, Sciences naturelles, Arts ménagers, etc. Gravures, planches; cartes en couleurs. Le Livre par excellence pour tous les âges.

★ LANGUES ET LITTÉRATURES ★

LITTÉRATURE FRANÇAISE, dans la Collection in-4° Larousse.

L'ouvrage célèbre de J. Bédier et P. Hazard, mis à jour, refondu et augmenté par les soins de Pierre Martino. Ces **deux magnifiques volumes** illustrés ne sont pas seulement une Histoire des grandes œuvres et des grands écrivains, mais celle aussi des groupes, des mouvements et des idées.

GRAMMAIRE LAROUSSE DU XXe SIÈCLE.
La grande grammaire du français d'aujourd'hui.

PHONÉTIQUE ET GRAMMAIRE HISTORIQUES DE LA LANGUE FRANÇAISE, par A. Dauzat. L'explication, à la lueur de l'Histoire, des multiples transformations subies par notre langage.

PRÉCIS D'HISTOIRE DE LA LANGUE ET DU VOCABULAIRE FRANÇAIS, par A. Dauzat. Petite histoire de la langue littéraire française.

MANUEL DE FRANÇAIS COMMERCIAL A L'USAGE DES ÉTRANGERS, par G. Mauger et J. Charon.

• *LANGUES ET LITTÉRATURES ÉTRANGÈRES* •

DICTIONNAIRES MANUELS

Cinq forts volumes bilingues, dans les langues suivantes :

ALLEMAND (A. Pinloche). — **ANGLAIS** (L. Chaffurin). — **ITALIEN** (G. Padovani). — **ESPAGNOL** (M. de Toro). — **PORTUGAIS** (F. V. Peixoto da Fonseca),

et, dans les quatre premières langues, des dictionnaires bilingues de poche, et des « GUIDES INTERPRÈTES »

POCKET BOOK DICTIONARY, anglais-français et français-anglais (prononciation et vocabulaire anglais et américain). Broché, 10,5 × 16 cm, 516 pages.

tout espagnol :

LAROUSSE UNIVERSAL ILUSTRADO (3 vol.).
NUEVO PEQUEÑO LAROUSSE ILUSTRADO, par M. de Toro.
DICCIONARIO ESCOLAR LAROUSSE, spécialement destiné aux étudiants.
DICCIONARIO LAROUSSE MINIATURA, modèle de poche très complet.

PHONÉTIQUE HISTORIQUE DE L'ALLEMAND, par A. Moret.

SHAKESPEARE RETROUVÉ, par Mme Longworth Chambrun. Un livre capital sur le grand dramaturge.

GRAMMAIRE COMPLÈTE DE LA LANGUE ANGLAISE, par Ch. Cestre et M.-M. Dubois. Scientifique, raisonnée et pratique, pour les étudiants d'anglais et les anglicistes de profession ou de goût.